ONE HUNDRED
WORKS ON PAPER

ONE HUNDRED WORKS ON PAPER

FROM THE COLLECTION OF

THE ISRAEL MUSEUM JERUSALEM

MEIRA PERRY-LEHMANN

THE ISRAEL MUSEUM, JERUSALEM • RICHARD BURTON, S.A.

Cover: Edward Lear, *View of Jerusalem* (Catalogue no. 19)

This catalogue has been published in conjunction with the exhibition, *One Hundred Works on Paper from the Collection of the Israel Museum, Jerusalem* and on the occasion of the Tenth Reunion of the International Advisory Committee of Keepers of Public Collections of Graphic Art, June 1986

Curator in Charge: Meira Perry-Lehmann
Assistant Curators: Ruth Apter-Gabriel, Shoshana Nomberg
Catalogue Design: Wesley B. Tanner/The Arif Press, Berkeley, California
Hebrew Typography: Ora Yafeh
English Editing: Malka Jagendorf, Judy Levy
Exhibition Design: Tirza Barri
Photography: David Harris, Nahum Slapak, Marianna Zalzberger
English Typesetting: Mackenzie-Harris Corp., San Francisco, California
Hebrew Typesetting: El-Ot Ltd.
Color Separations: Pioneer-Moss, New York; Scanli Lt. Tel Aviv
Israel Museum Catalogue No. 273
ISBN: 965 278 052 9
Library of Congress No. 86-51419
June, 1986 © All rights reserved
The Israel Museum, Jerusalem

Printed in Switzerland

The English text of this book has been set in Sabon and the Hebrew text in David. The book has been printed by BCK Graphic Arts, S.A., Geneva, Switzerland.

CONTENTS

To the memory of Dr. Alfred J. Goldyne

DIRECTOR'S FOREWORD

One of the signs of the maturing of a young museum, in addition to the formation of its collections and the mounting of exhibitions, is the development of a highly professional staff competent to carry out the research and publication of its treasures. The Department of Prints and Drawings of The Israel Museum has been an example of this know-how for many years, first under the capable leadership of Elisheva Cohen and now under Meira Perry-Lehmann. It has evidenced a continuous growth, garnering an impressive record of exhibitions of Israel art, international art, old master drawings and prints, and works in the modern field. This catalogue is a fitting commemoration of the Department's maturity, and a worthy addition to the small but growing number of publications of the Museum's collections, which have thus far centered on archaeology and Jewish ceremonial art.

For their dedicated efforts and hard work, we are grateful to the donors, curators and others who have contributed to the realization of the catalogue. In particular, the Museum wishes to thank Joseph Goldyne, whose unflagging interest, support and guidance have been an integral part of the catalogue since its inception.

The Israel Museum takes particular pleasure in presenting this publication on the timely occasion of the Tenth Reunion of the International Advisory Committee of Keepers of Public Collections of Graphic Art, which takes place for the first time in Jerusalem.

Martin Weyl
Director

CURATOR'S FOREWORD

Many people who respond immediately to paintings and prints are often more hesitant about drawings. Limited experience and knowledge of this most personal of media undoubtedly account for this difference. Because opportunities to avail the public of drawings firsthand are best provided by a museum, the Department of Prints and Drawings of the Israel Museum has sponsored many exhibitions of our increasingly fine holdings in the realm of drawing. It has also hosted many wonderful loan exhibitions from abroad.

Our department, with over 45,000 works, constitutes the largest of the Israel Museum's collections. Though the vast majority of these works are not usually in the galleries, our Graphic Studies Room is open to the public throughout the week. In addition a conscientious effort is made to rotate the selection on view on a regular basis.

The publication of this selection of 100 drawings, highlights of the collection, represents the culmination of many years of effort, recently crowned by some fine new acquisitions, mainly through gifts, but also through occasional purchase. It is exciting for us, and we hope for the reader as well, that the majority of the drawings presented here have never been published. They faithfully mirror the nature of the collection, which ranges from early 16th-century Italian to contemporary American and Israeli drawings.

The impetus for this project is entirely to the credit of Joseph Goldyne, who first saw our collection in 1974 and has visited it many times since. From the first he felt that many Israelis as well as foreign friends would delight in becoming more familiar with our treasures. His steadfast spiritual and material support facilitated this catalogue which he dedicated to the memory of his late father.

The generosity of David Berg and the Zuchovitzky family funded a valuable year's research at the Library of Congress and the Library of the National Gallery in Washington, D.C. Martin Weyl, director of the Israel Museum, recognized the importance of the project and supported it throughout, Izzika Gaon, Chief Curator of the Arts, provided significant assistance, and Eugenia Parry Janis was a critical reader, a constructive supervisor and a source of encouragement during the initial stages of writing.

For their technical and professional help, sincere thanks to: Gerald M. Ackerman, Avigdor Arikha, Amir Azolai, Jacob Bean, Monique Birenbaum, Caroline Bucklund, Ruth Apter-Gabriel, Riva Castleman, Stuart Denenberg, Dan Eban, Nechama Goralnik, Margaret Grasselli, Diane DaGrazia, Gershon Greenberg, Egbert Haverkamp-Begeman, John and Paul Herring, Lee Johnson, Caroline Karpinsky, Otto Kurz, Joan C. Lessing, Michael Maggen, Meir Meyer, Shoshana Nomberg, Lea Offer, Nissan Perez, Terisio Pignatti, Roger Rearick, Andrew

Robison, David Rosand, Pierre Rosenberg, Carmella Rubin, Ruth Rubenstein, Rebecca Rushfield, Eckherd Schaar, Michael Sgan-Cohen, Michal Sopher, Julian Stock, Michele C. Tocci, Nicholas Turner, Elaine Varady, Daniel Wildenstein, Eunice Williams, Ora Yafeh.

Special gratitude is due to Elisheva Cohen, the first curator of the department of prints and drawings, whose erudition and taste shaped the growth and cataloguing of the collection. Yona Fisher, advisor sui generis, former curator of twentieth-century art and presently museum advisor, initiator and curator of some of the Israel Museum's most important exhibitions, was a helpful and critical reader, as well as overseer of the Hebrew version.

We are all particularly grateful to Pioneer-Moss, New York, through its vice-president, Sheldon Taylor, for undertaking the color separations as their special donation, thus enabling us to have the luxury of a full-color catalogue. Wesley B. Tanner of the Arif Press in Berkeley, California designed the catalogue and he and Richard Burton, our publisher, have our sincere thanks for giving this work its final, handsome form.

Meira Perry-Lehmann
Michael Bromberg Curator of Drawings and Prints

THE GRAPHICS COLLECTION OF THE
ISRAEL MUSEUM: A HISTORY

The Israel Museum is a young museum in a young country. Naturally its treasures cannot compare with those of the great European and American museums which grew out of long-established princely collections or were assembled through the vast financial means of wealthy patrons. In comparison, the sources of the Israel Museum's graphic collection are singularly modest and date back to a time decades before the Israel Museum was established.

The Bezalel National Museum, the predecessor of the Israel Museum, was founded in Jerusalem in 1906 by Professor Boris Schatz, but only in 1912 was it opened to the public. Conceived as an annex to the Bezalel School of Arts and Crafts, the first art school in the country which had been established with the aim of educating artisans and creating new means of livelihood for the local population, the Museum originally housed plaster casts, stuffed animals and other objects which served students as models for their drawing exercises. Unfortunately no record of those early years has been preserved to provide us with detailed information. If there was already a graphic collection of any kind, its contents are unknown.

Shortly after the opening of the Bezalel Museum, World War I broke out. The war years brought hardship and suffering to the country's Jewish population, and a standstill to the growth of the new Museum. However, with the end of the war and the establishment of the British Mandate, a new era of cultural activity began. In 1925 the Bezalel National Museum was officially reopened to the public under the direction of Mordehai Narkiss, who had been Professor Schatz's assistant.

From then on the Bezalel started to function as a true museum, collecting works of art and organizing exhibitions on its premises. Narkiss, the driving force behind the Bezalel Museum for more than thirty years, was endowed with the passion of a genuine collector, a great fund of self-acquired knowledge and an unlimited enthusiasm for his task. Among his many and varied interests, the graphic arts held a dominant place, and it was due to him that much energy was put into building up a graphic collection. In order to further the understanding and interest in the graphic arts, in 1936 he compiled and published a lexicon of graphic techniques, a pioneering work of enduring value, in which technical terms were translated into Hebrew for the first time.

In 1928, only three years after the Museum's opening, Narkiss reported holdings of 500 graphic works. Lacking any further records, we can hardly surmise the nature of this original collection. Presumably, the majority consisted of works by local artists, particularly those connected with the Bezalel School, either as teachers or as former students. In addition, many 18th- and 19th-century engravings and reproductions of master paintings, which served as such useful expedients for the art amateur before the invention of photography, were probably also part of the initial collection.

In 1936 the first inventory of the Museum was compiled, registering roughly 7000 works of graphic art. This would indeed have been an impressive figure compared with the modest 500 of eight years before, if half this amount did not consist of bookplates. The other half included prints by Jewish printmakers, among them Josef Israels, Hermann Struck, Marc Chagall, Ephraim Moses Lilien and Jakob Steinhardt. Apart from the works of Jewish artists a considerable number of Bible illustrations were collected.

The mass immigration from Central Europe and particularly from Germany which occurred in the thirties as the result of Hitler's rise to power, proved to exert a major influence on the Museum's development and the growth of its graphic collection. Art collectors had not been rare among German Jews and those who left early enough had often managed to take their treasures with them. Naturally works on paper were easier to move than bulky paintings, and therefore prints and drawings were more numerous among the rescued objects. During the years which led up to the war, not only did a number of good and sometimes outstanding collections arrive in the country, but the collectors, a small group of art connoisseurs who added a new dimension to the local society came with them. Interested and knowledgeable, they lost no time in establishing contact with the Bezalel Museum which, in spite of its modest size and collections, eventually became a meeting place for art lovers. Narkiss and his assistant director, Dr. Fritz Schiff, himself a German immigrant, were delighted to discover and cultivate a new, sympathetic public. An association of Friends, established by Herbert Cramer, a former Frankfurt art dealer who acted as the Museum's administrator, extended active help and occasionally financed new acquisitions. It was the graphic department particularly which profited from the changed circumstances, and valuable prints started to find their way to the Museum in rising numbers.

Prominent among the Museum's first patrons was Dr. Max Eitingon, a well-known psychoanalyst who had studied with Freud. Eitingon, who settled in Jerusalem in 1934, had brought with him a collection consisting mostly of prints by German artists fashionable during the twenties. His donations to the Museum included prints by Corinth, Slevogt, Spiro, Struck and others. He was helpful in other ways as well and after his death his widow, Mrs. Mira Eitingon, continued to show an interest in the Museum.

An old Viennese friend of the Museum, Rudolf Bermann, who had already rendered assistance during Boris Schatz's visits to Vienna before the First World War, presented over a thousand posters, dating from the beginning of the century to World War II, many of them very rare today. A chemist by profession, he eventually emigrated to Palestine. In the pioneering spirit of the times, Bermann, at an advanced age but armed with foresight, prepared himself for life in his new country by learning a trade, namely mat-cutting. Upon arrival in Jerusalem this old friend became a highly efficient and much beloved member of the Bezalel staff.

In 1941, the Herzl archives transferred part of Theodor Herzl's legacy, over a hundred old prints and drawings, to the Museum. Apart from Flemish, Dutch and Italian Bible illustrations, the collection included a group of pencil sketches by the 19th-century German artist, Johann Anton Ramboux, consisting of lively likenesses of local people he had met during his pilgrimage to the Holy Land in 1854.

Temporary exhibitions from private collections not only increased the attraction of the exhibition program but also stimulated the interest of collectors. There were various displays from the inexhaustible treasures of the Schocken Library (until the collection was dispersed)—equally rich in Old Master prints and modern graphics. Dr. Willy Kaufmann, owner of an excellent variety of works by Ernst Barlach and Käthe Kollwitz, and Dr. Ernst Tobias who was a renowned Daumier collector, had their possessions on show, all major events for an eager audience. Dr. Kaufmann eventually bequeathed to the Museum a group of early German prints as well as 17th-century Dutch etchings, in addition to a number of drawings by Kollwitz, Liebermann and others. Another bequest, received in the early forties, that of Dr. Oskar Eliel who collected on similar lines, included also a large collection of superb impressions of the charming small etchings by Daniel Chodowiecki, the 18th-century German illustrator.

Special acknowledgment is due to the artists and their personal contributions. Many of them, such as Jakob Steinhardt, Isidor Aschheim and Jakob Pins generously donated works of their own as well as of artist friends in their possession. Another case was the visiting artist Paul Citroen who, impressed by the gallant efforts of the small institution, sent the Museum a group of German expressionist, Italian Futurist and Russian Constructivist prints upon his return to Holland.

Since the Museum was practically without any means for acquisition, it always had to rely on gifts and, occasionally, on long-term loans which made it possible to offer a more varied exhibition program. Such an extended loan materialized in 1940 when a former Berlin architect, Harry Rosenthal, deposited his large and important collection of works by German Expressionists, among them a group of outstanding watercolors by Emil Nolde, at the Bezalel Museum. Rosenthal had settled some years earlier in Jerusalem but decided shortly after the outbreak of the war to move to London. For more than twenty years this remarkable collection remained in Jerusalem and was constantly drawn upon to enrich the Museum's exhibitions. Eventually the larger and more important part of the collection had to be returned to the owner who, however, expressed his gratitude by leaving a number of interesting items with the Museum.

The wave of immigrants from Europe did not only bring collectors and connoisseurs of art to the country. In their footsteps another new phenomenon, the art dealer, made its appearance. Times were difficult and the economic situation after the war was anything but rosy. As a result collectors were frequently forced to part with their treasures in order to make ends meet. Sometimes they turned directly to the Museum but more often they preferred the intervention of a dealer which enabled them to remain anonymous. Circumstances became even more critical with the establishment of the State of Israel in 1948. Streams of immigrants, most of them without means, poured into the country which for the first time could open its gates to an unlimited number of newcomers. The need to create a livelihood for relatives and friends caused many a collector to dispose of objects of value and turn them into money. As a result, local dealers in the early fifties found themselves, perhaps for the first time, confronted with offers of Old Master drawings, a field in which they had little or no knowledge. They turned to the Museum which, with considerable effort, was able to make its first acquisitions in this particular sphere. But these were still isolated incidents.

Of far greater significance were the shipments from Germany which began to arrive by the late forties and early fifties. Soon after the end of the war the American Occupation authorities had started to assemble unclaimed works of art formerly owned by German Jews who had perished during the Nazi regime. These were gathered at two assembly points in Munich and Wiesbaden. Under the auspices of IRSO (Jewish Restitution Successor Organization) those works of art were distributed among Jewish institutions, the Bezalel Museum being one of the recipients. In addition to Jewish ceremonial art objects, paintings and *objets d'art* the shipments also contained a certain number of drawings, watercolors and pastels, most of them from the hands of Jewish or non-Jewish German artists. Quite a number still carried the labels of the short-lived Jewish Museum in Berlin which the Nazis had closed in 1938. Among the works were also two drawings by Chagall, the first to become part of the collection. Done in pencil and dated 1918 and 1919 respectively, they are the portraits of Dr. I. A. Eliasheff, a Yiddish writer who wrote under the pen-name "Baal Hamachshavoth" and his son Alia. On the occasion of one of Chagall's visits to Jerusalem the drawings were on display at the Bezalel Museum. Chagall, who had long lost track of them, was moved to tears when suddenly he was confronted with the likeness of his old friend. Alia, still a child when Chagall drew his portrait, had apparently perished in the Holocaust.

In the Spring of 1947, Mordehai Narkiss travelled to Europe for the first time, visiting France, Holland, Belgium, Switzerland, Italy and Czechoslovakia. The purpose of the visit was to renew old ties and to generate interest in the Bezalel Museum. When he returned to France for the second time in the Fall of 1948, he had the assistance of Maurice Fischer, Israel's first Ambassador to France, in establishing contacts and organizing Les Amis du Bezalel (Friends of the Bezalel Museum). This was the first of a group of such organizations founded in Holland, England and, eventually, the United States. Assisted by Mlle. Marcelle Berr de Turique, a descendant of an old French Jewish family and the devoted secretary of Les Amis, Narkiss was introduced to artists and collectors to whom he described the merits of the Bezalel Museum in Jerusalem in the highest terms. He stressed its great potential if it could succeed in obtaining the international help it deserved. Narkiss and Barr de Turique, an irresistible pair of enthusiasts, achieved extraordinary results. Narkiss returned to Jerusalem with personal gifts from Picasso, Matisse, Chagall, Rouault, and many others. Among his greatest successes he counted the visit with Joseph Pincas, the brother of Jules Pascin, who was persuaded to donate his comprehensive holding of more than eighty drawings and watercolors by his late brother. It is one of the major Pascin collections in the world.

A meeting with Picasso's dealer, Daniel Kahnweiler, resulted in the contribution of a series of lithographs by the master. Other gifts included several splendid *livres de peintres*, limited editions of beautifully designed volumes with original prints such as Gogol's *Dead Souls* illustrated by Chagall and *Le Cirque de l'Etoile Filante* and André Suarès' *Passion*, both illustrated by Rouault and published by Ambroise Vollard.

Visiting Holland, Narkiss established contacts with Dutch collectors and dealers who eventually became friends and patrons of the Museum. Mr. Houthakker, the renowned Amsterdam dealer, became one of the first donors of Old Master drawings, a fact which deserves to be remembered in the context of this book. In Holland Narkiss met with the family of Josef and Isaak Israels, the Trevaert-Cohens, who presented him with a selection of drawings and pastels by the two artists. Many years earlier, shortly before his death in 1911, Joseph Israels himself had given a self-portrait to the Museum's founder, Professor Boris Schatz—the very first donation of an important work of art to the young Bezalel. At the time Josef Israels was an honorary member of Bezalel's artistic advisory committee, a panel whose members included Max Liebermann, Hermann Struck and Solomon J. Solomon.

But there were Dutch friends right in Jerusalem. The Dutch Consul General, S. A. van Vriesland, and his wife were actively interested in the city's cultural life. After van Vriesland's death in 1939, his friends established a fund in his memory, earmarked for the acquisition of Dutch works of art. It was this fund which enabled the Museum to acquire its first etchings by Rembrandt and other Dutch artists.

A prolonged trip to the United States in 1953 earned many new friends for the Museum. Among them was Professor Arthur Heintzelmann, the Keeper of Prints of the Boston Public Library and himself an artist and printmaker. Through his help, a representative group of prints by American artists who were active during the thirties and forties reached the Museum. Professor Heintzelmann was also instrumental in obtaining for the department a large collection of lithographs by Daumier from the estate of G. W. Russell Allen, Boston.

After the first successful visits abroad, Narkiss's trips became routine, and he never returned empty-handed. Sometimes there were unusual finds, such as a remarkable group of drawings and watercolors by Leon Bakst, mostly designs for the Diaghilev Ballet, and occasionally a gift came from rather unexpected quarters, as when one of the *bouquinistes* from the banks of the Seine presented the indefatigable Narkiss with Gavarni's *Gens de Paris*, the artist's charming representations of Parisian types.

Naturally the Museum always tried to stress the Jewish context of its collections. Accordingly, prints and drawings on Jewish and Biblical subjects have been sought, as are subjects connected with Jerusalem and the Holy Land. Whenever there is an opportunity to acquire a fine map of Jerusalem or a watercolor by Turner or Lear depicting Jerusalem, every effort is made to do so. A gift of a very different character, sadly connected with Jewish history, was presented by the American Jewish artist George Biddle. Biddle had attended the Nüremberg trials of the Nazi criminals as a drawing reporter. The result, thirty-four pen-and-ink portrait drawings of the accused as well as of members of the court, are today part of the collection, serving as reminders of a dark and tragic era.

In spite of constant growth, the Museum could hardly boast of a collection of Master drawings worth mentioning until the middle fifties. The slow but steady increase of drawings by Italian, Dutch and French masters, starting from that time, was due mainly to one man, the late Tel Aviv dealer Arnold Rosner. Rosner had established contact with some private collectors who trusted him. Eager to conceal their names and the fact that they were selling works of art from their possession, they commissioned Rosner to transmit their offers to the Museum. Among those, a good number of Old Master drawings turned up. By sometimes raising the necessary funds, and at other times negotiating exchanges, the Museum was eventually able to acquire some of them. Many of the drawings included in this book passed through Rosner's hands. There was, however, one disadvantage in Rosner's otherwise admirable discretion. His obligation to withhold the name of the former owner did not ease the curator's task in tracing the provenance of the drawings he sold.

With the opening of the Israel Museum in 1965 and the transfer of the Bezalel Museum's collection to the new establishment of which the Bezalel became part, a new era was launched. Not that the Israel Museum could suddenly dispose of funds and buy on the art market in accordance with a well-conceived acquisition policy. Unfortunately this curator's dream has never come true. Now, as ever before, the graphic collection owes its growth more or less to chance additions, mostly due to the generosity of individual donors. The Israel Museum, like its predecessor, has had to continue to rely on friends. Like the Bezalel it has tried to make its needs known to them, asking for their help whenever a special occasion arose. But nevertheless the prospects of the Israel Museum are incomparably better. The splendid new building with modern installations and ample space, a graphic department with a specially designed exhibition gallery, a study room and proper storage facilities—conditions which had never existed before—have changed the picture fundamentally. As a result new friends have turned up whose interest and willingness to promote the graphic collection surpass all expectations. For the first time collectors of international renown have joined the ranks. Individual gifts were followed by entire collections of the highest quality.

Mr. Frederick M. Mayer of New York was among the first whose gift of excellent impressions of engravings and woodcuts by Dürer and the Little Masters, as well as etchings by Rembrandt, Ostade and others, improved the general standard considerably. Followed by the bequest of approximately 250 fine Old Master and 19th-century prints, from Charles Rosenbloom of Pittsburgh, the shelves of the new graphic department began to fill up. In addition to strengthening the Mayer group of prints, the Rosenbloom bequest also included engravings by some of the pioneers of European printmaking such as Israel van Meckenem and the Master M. Z., as well as some early Italian prints. The 19th century was represented by Charles Meryon, Anders Zorn, James Abbot McNeill Whistler and others. A particularly appropriate addition to the Israel Museum's collection consisted of a group of watercolors of Jerusalem by James McBey, who first had visited the city as a war correspondent with General Allenby's army. A single but outstanding gift was received from the Schocken family not long after the Museum had been opened, a drawing by Rembrandt or one of his pupils, *Interior with Three Figures.*

A stunning exhibition of French prints, mostly of the late 19th and early 20th century, introduced to an admiring audience the name of one of the most generous and modest benefactors of the department, the late Georges Bloch from Zürich. But the donation of the items in this particular exhibition was only a prelude. A few years later Bloch, a personal friend of Picasso and owner of a nearly complete collection of the master's printed work (he admitted ruefully that he had not been able to obtain five prints out of the entire oeuvre comprising more than 2000 works), decided to disperse his treasure in his lifetime, after he had completed the compilation of the four-volume oeuvre catalogue. Giving much thought to the distribution of the collection, Mr. Bloch allocated some 400 prints to the Israel Museum. They usually bear the number "1" of the edition. Mr. Bloch, according to a special agreement with Picasso, had been the recipient of this special number since he started his collection. To this remarkable group, I. M. Cohen of New York, who had already sponsored the department's exhibition gallery, added generously from his own possessions, always trying to fill gaps and avoid duplication so that today the department owns more than 600 of Picasso's prints.

Another equally impressive example was set by the late Zdenko Bruck of Buenos Aires when he presented the Museum with his collection of the graphic oeuvre of one of the great printmakers of all times, Francisco Goya. Apart from the four great series which make up the bulk of Goya's work, this gift also included the prints after paintings by Velazquez and twelve of the single plates, some of which are very rare.

When in 1981 Charles Kramer, a New York collector, donated some 250 works by M. C. Escher, this Dutch artist was already well known in Israel. His intriguing prints had found an enthusiastic response from the Israeli public several years before when the graphic department organized a loan exhibition which had drawn unprecedented crowds.

Naturally the print collection grew at a much faster pace than could be expected of drawings. Still, progress was felt in this field as well. The Museum was fortunate in receiving an outstanding group of late 19th- and 20th-century drawings from Jan Mitchell of New York. Mitchell, a collector of exquisite taste who is equally interested in ancient and pre-Columbian art, enriched the department with ten drawings by Paul Klee, reflecting the changes of style at different times of life, as well as with drawings by Pissarro, Degas, Picasso and others. That particular period was further reinforced when the Museum received the Blanche T. Weisberg bequest, which included watercolors and drawings by artists such as Renoir, Jongkind, Cross, Braque, and Picasso, to mention only a few—all of superb quality. A different and interesting aspect was stressed by the Beatrice S. Kolliner bequest. Mrs. Kolliner, a Los Angeles resident and a member of the board of the Los Angeles County Museum, had become an enthusiastic supporter of Israeli art to the extent that she established a prize to help struggling young artists in Israel. Particularly interested in modern and contemporary art, she had collected small sculptures and sculptors' drawings. The latter, including works by Marino Marini, Barbara Hepworth, David Smith, Alberto Giacometti, Julio Gonzalez and others formed the subject of her bequest to the Israel Museum.

Some words should be added about the principle applied to collecting Israeli graphic art. While the Museum has hardly ever been able to buy works of international art from its own resources, funds usually have been available for the purchase of Israeli art. The department's aim was and is to assemble as representative a collection as possible of the graphic work produced in Israel. In accordance with this policy, the great majority of Israeli artists who have done work in any one of the graphic media are represented, at least by some samples of their work. Those artists considered by the curators to have made an important contribution to the development of the graphic arts in the country are collected in depth, meaning that an attempt is made to cover all angles of the artist's activity and provide full documentation of their life's work. When in 1975 Mr. and Mrs. Neville Burston of London established a graphic workshop in Jerusalem under the auspices of the Israel Museum, printmaking was greatly stimulated among Israeli artists. The Burston Graphic Centre became a popular place which provided professional advice and technical help to Israeli as well as visiting artists. With one impression of every edition printed at the Centre being transferred to the Museum's collection, the "Burston" became a welcome source of many new acquisitions. Naturally, works of Israeli art are acquired locally, either directly from the artist or through galleries. There was one noteworthy exception when the Museum was able to acquire a drawing by the Israeli artist Marcel Janco, once a member of the Zürich Dada group, at a Swiss auction. Dated 1916, the portrait depicts Janco's friend Tristan Tzara, another dadaist, and is an interesting document of its time.

The material received since the opening of the Israel Museum has been exceptionally rich and varied. Though it is virtually impossible to do justice to all in the framework of this short review I would like still to mention two comparatively recent bequests, both from Israel. The Jerusalem publisher Dr. Moshe Spitzer, connoisseur of the arts and renowned expert on typography and printing, assembled a choice collection, consisting primarily of Israeli prints and drawings. Reflecting his faithful friendship and support of many local artists, Dr. Spitzer's collection was of a very personal nature. With characteristic understanding and generosity, this old and revered friend of the Museum let the curators make their own choice among his treasures in his lifetime, thereby helping them to fill gaps and strengthen weaker points.

The most recent major addition to the collection of Israeli drawings was made when the Museum became heir to the estate of Anna Ticho, Jersalem's foremost draughtswoman. The bequest, consisting of the entire contents of the artist's studio, included approximately 2000 drawings, watercolors and sketches. Anna Ticho, who died at the age of eighty-five, had lived for close to seventy years in Jerusalem, devoting all her creative efforts to expressing the unique quality of the city and the Judean landscape.

Today the Museum's graphic collection comprises about 45000 items. The premises which seemed so spacious in 1965 when the Museum was inaugurated have been outgrown by the steady increase of the collection and by the marked tendency of contemporary graphic art toward ever larger dimensions. Now, with the Museum entering its third decade, plans for expansion are under way, preparing the graphic department for the future.

Elisheva Cohen

THE CATALOGUE

for Elisheva Cohen

AMERICAN SCHOOL
אסכולה אמריקנית

1. Mary Cassatt

Allegheny City, Pennsylvania 1844-1926 Château Beaufresne, France

Head of Adèle (No. 3), ca. 1892

Pastel on paper mounted on fabric, 400 × 425 mm
Signed, upper right: "Mary Cassatt"

PROVENANCE: Unknown
BIBLIOGRAPHY: Adelyn D. Breeskin, *Mary Cassatt, A Catalogue Raisonné of the Oils, Pastels, Watercolors, and Drawings*, Washington, D.C., 1970, No. 202

Best known as the single American, and one of only three female members in the original French Impressionist group, Mary Cassatt lived in Paris for the greater part of her long life. Nevertheless, she gave considerable effort to increasing awareness of the arts in her native land.

Degas, a life-long friend, invited her to join the Impressionists in 1877, and it is his influence above all which continues to be in evidence in her art, her use of pastel as a medium, and her deep involvement in printmaking.

Head of Adèle (No. 3), the third of four pastel drawings all depicting the same model, is the most minimal of the group (see Breeskin, Nos. 200, 201, 202, 203). The drawing was made ca. 1892, the year Cassatt was commissioned by Mrs. Potter Palmer to execute a mural on the theme of "Modern Woman" for the Columbian Exposition in Chicago (North Tympanum, Women's Building). The mural is now lost or destroyed.

By 1892 Cassatt was not so much an orthodox Impressionist as an independent and mature artist with interest in the flattened forms and designs of the Japanese print. In fact, in 1890 there had been at the École des Beaux Arts a great exhibition of Ukiyo-e woodcuts. However, it is more the influence of Degas that informs the delightful accomplishment of the Museum's portrait of a smiling Adèle.

Gift of Irving S. Norry, Rochester, New York, to America-Israel Cultural Foundation, 1968
Reg. No. 374.68

מארי קאסאט

אלגני סיטי, פנסילבניה 1844 - 1926 שאטו בופרן, צרפת

ראשה של אדל (מס׳ 3), 1892 בקירוב

פסטל על־גבי נייר מודבק על בד, 425×400 מ״מ
חתום למעלה מימין: "Mary Cassatt"

תולדות הרישום: בלתי ידועות

מארי קאסאט, שהתפרסמה בעיקר כאמריקנית היחידה - ואחת משלוש הנשים - בקבוצה המקורית של האימפרסיוניסטים הצרפתיים, גרה בפריס ברוב חייה הארוכים. אף-על-פי-כן תרמה רבות להעמקת התודעה האמנותית בארץ מולדתה.

קאסאט היתה מיודדת שנים רבות עם דֶגָה. הוא שהזמין אותה ב־1877 להצטרף לאימפרסיוניסטים, והשפעתו החזקה ניכרת בשימוש שהיא עושה בפסטל ובמעורבותה הגדולה באמנות ההדפס.

"ראשה של אדל" הוא השלישי בארבעה רישומי פסטל המתארים דוגמנית אחת, והמינימאלי ביותר בקבוצה זו (ראה ביבליוגרפיה מס׳ 200-203). הרישום נעשה ב־1892 בקירוב בעת שהאמנית עסקה בציור קיר שהוזמן על-ידי גב׳ פוטר פאלמר משיקאגו לגמלון הצפוני של בניין הנשים בתערוכה הקולומביאנית של שיקאגו. נושא ציור הקיר היה "אשה מודרנית", והוא אבד או הושמד אחרי נעילת התערוכה.

ב־1892 כבר היתה קאסאט פחות אימפרסיוניסטית, והתבלטה כאמנית בשלה ועצמאית. השפעתה של תערוכת ההדפסים היפאניים הגדולה שנערכה בבית-הספר לאמנויות בפריס בשנת 1890 מורגשת ביצירתה בשטיחותן של הצורות ובעניין המוגבר בעיצוב, אך בדיוקן זה של אדל החייכנית, שולטת בבירור השפעתו של דגה.

מתנת אירווינג ס׳ נורי, רוצ׳סטר, ניו יורק, לקרן התרבות אמריקה־ישראל, 1968
מספר רשום 374.68

Mary Cassatt

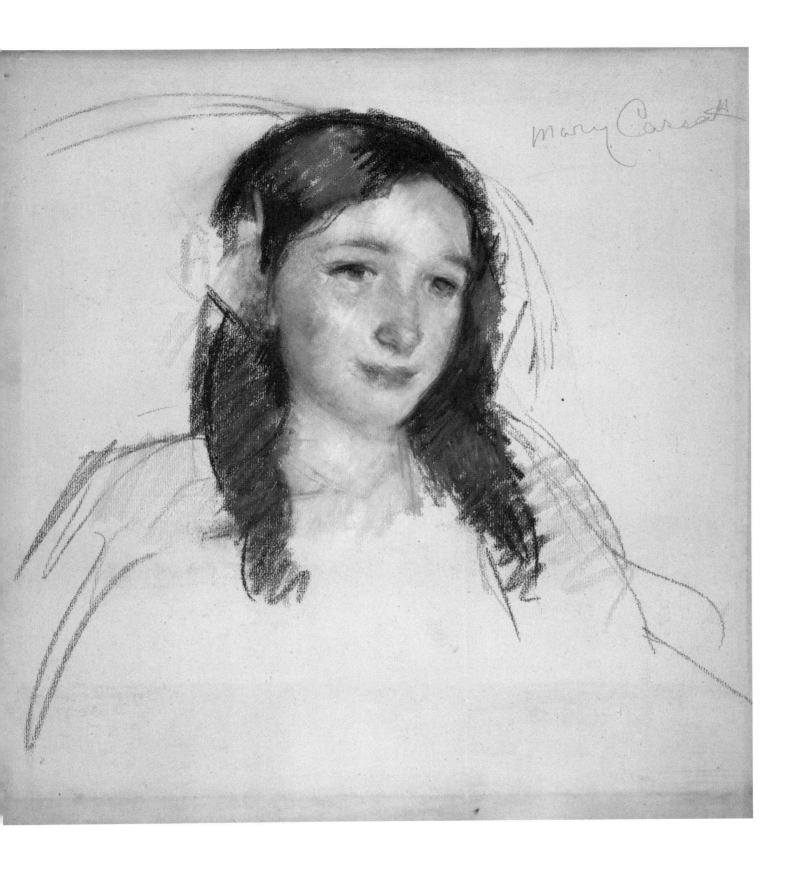

2. Jasper Johns

Augusta, Georgia, 1930-

Bar Mitzvah, 1961

Graphite and acrylic on modern laid Tuscany paper, 410 × 320 mm
Inscribed, lower left: "For J.S. 1961 7 3/16" 9 1/4";" a drawing of a star and a frame appear somewhat above the inscription. Signed and inscribed, upper right: "Nag's head, NC. July 1969 J. Johns"

PROVENANCE: Leo Castelli, New York; Karen and Arthur Cohen, New York, 1968
EXHIBITION: *Words in Freedom*, The Israel Museum, Jerusalem, May–July, 1979

Bar Mitzvah was done after a painting created as a special present for Jonathan Scull. It combines all the elements which made Johns' art one of the main points of departure for American Pop Art in the early 1960's: realistic depiction of a universally familiar object with a sense of pictorial irony (the ambiguous fountain pen), and an Abstract Expressionist surface.

Johns' mentor, Marcel Duchamp, conceived of a world of objects upon which one might indiscriminately confer meaning, calling them "ready-mades." Similarly, Johns often focuses on the eloquence of the most ordinary things—a lonely wire hanger, or a fountain pen, here the symbol of a great event.

Leo Steinberg observes that Johns' "way of realizing his subjects permits him to submit to an impersonal discipline of ruled lines, while still responding to every painterly impulse," adding that the artist "succeeded in uniting these two disparate ways of art with yet a third, which is normally antithetical to them both—the most literal realism." (Leo Steinberg, "Jasper Johns: The first seven years of his art," *Other Criteria*, New York, 1972, p. 31). This realism is seen in our drawing both in the depiction of the pen and in the title which uses stencilled letters reminiscent of common signage.

The combination of object and theme in our drawing introduces a visual pun whose meaning will perhaps soon be lost in this era of personal computers, for a fountain pen had always been the standard Bar Mitzvah gift; Johns is reminding us here of the story of the Bar Mitzvah boy who rises nervously to deliver his sermon, but blurts out as his opening remark—"Today, I am a fountain pen . . ."

Gift of Karen and Arthur Cohen, Purchase, N.Y., to American Friends of The Israel Museum, 1977
Reg. No. 270.77

ג׳ספר ג׳ונס

אוגוסטה, ג׳ורג׳יה 1930 -

בר־מצווה, 1961

עיפרון ואקריליק על־גבי נייר טוסקאניה מפוספס מודרני,
320×410 מ״מ
רשום וחתום למטה משמאל: "For J.S. 1961 7 3/16 9 1/4"
כוכב ומסגרת רשומים קצת מעל זה; למעלה מימין: "NAG'S HEAD N.C. JULY 1969 J. JOHNS"

תולדות הרישום: ליאו קאסטלי, ניו יורק; קארן וארתור כהן, ניו יורק, 1968
תערוכות: "חרות למילים", מוזיאון ישראל, ירושלים, מאי־יולי 1979

הרישום "בר־מצווה" נעשה בעקבות ציור שנוצר כמתנה מיוחדת לג׳ונתן סקאל. הוא מאחד את כל היסודות שעשו את יצירתו של ג׳ונס בתחילת שנות השישים לאחת מנקודות המוצא של הפופ-ארט האמריקאי: התיאור הריאליסטי של חפץ מוכר לכל, תחושת האירוניה הציורית - במקרה שלנו העט הנובע הדו-משמעי המופיע ברגע זה של החגיגה - והמשטח האקספרסיוניסטי המופשט.

אביו הרוחני של ג׳ונס היה מרסל דושאן, שהגה עולם של עצמים להם אפשר לשוות משמעות ללא הפלייה. הוא קרא להם "ready-mades". כמוהו, מתמקד גם ג׳ונס לעתים קרובות בצחות הלשון הרוחנית-כמעט של העצמים הרגילים ביותר, למשל הקולב הבודד או העט הנובע המשמש כאן כסמל למאורע הגדול. ליאו סטיינברג מציין כי "דרכו של ג׳ונס לממש את נושאיו מאפשרת לו לציית לדיסציפלינה לא-אישית של קווים מסורגלים, אך בה בשעה הוא מגיב על כל דחף ציורי." הוא מוסיף שהאמן "הצליח לאחד את שתי דרכי האמנות הנפרדות האלה עם דרך שלישית, שבדרך כלל היא אנטי-תיזה לשתיהן: הריאליזם ככתבו וכלשונו."
(Leo Steinberg, "Jasper Johns: The first seven years of his art", *Other Criteria*, New York, 1972, p. 31).
ריאליזם זה נראה ברישום שלנו גם בתיאור העט וגם בכותרת הרישום שנעשתה באמצעות תבניות שרטוט המזכירות שלטי רכבות. בצירוף של הכתובת והעצם ישנו יסוד הומוריסטי שאולי לא יהיה תקף בקרוב: לפני עידן המחשב, נהגו להעניק עטים נובעים כמתנה שגרתית לבר-המצווה. דיוקן העט הנובע של ג׳ונס מעל לכותרת "בר-מצווה" מזכיר את הסיפור על הנער בר-המצווה שקם לשאת את דרשתו ופלט: "היום אני עט נובע."

מתנת קארן וארתור כהן, פרצ׳יז, ניו יורק, לידידי מוזיאון ישראל בארצות הברית, 1977
מספר רשום 270.77

NAGS HEAD N.C.
JULY 1965
J. Johns

BAR MITZVAH

FOR J.S. 1961

3. R. B. Kitaj

Cleveland, Ohio 1933-

Self Portrait in Saragossa, 1980

Pastel and charcoal on paper; 1473 × 851 mm

Bibliography: Vivianne Barsky, "R.B. Kitaj's 'Self Portrait in Saragossa'," *The Israel Museum Journal*, vol. 3, pp. 83-85, Spring 1984
Exhibitions: *R.B. Kitaj*, The Hirshorn Museum and Sculpture Garden, Washington, D.C., 1981, cat. no. 98; *R.B. Kitaj—Pastels and Drawings*, Marlborough Fine Art, Ltd., London, October 8-November 7, 1980, cat. no. 48

Kitaj's draftsmanship is as distinctive as his subjects are unusual. Committed to the figure and to the human condition, the artist's interest in drawing was renewed in 1972, and in 1975, inspired by the exhibition of Degas pastels at the Petit Palais in Paris, he began to draw in pastels from life. The self portrait in our collection brings to mind a famous and haunting Goya etching, "The sleep of reason produces monsters" (plate no. 31 of *Los Caprichos*). In the print Goya is asleep at a work table which is covered with papers and drawing instruments; behind his slumped form, out of the darkness, emerges a wild band of night creatures, one of whom, a boldly staring owl, offers a crayonholder. For Kitaj the creative process is a tormenting passage from darkness to light, searching and selecting.

Self Portrait in Saragossa is dominated by the artist's disembodied head, an odd grimace on his face, while a series of long curved lines extends from his hair through the dark corridor behind as if seeking the light which lies beyond its five radiant doorways. The corridor itself, drawn with sharply ruled lines in receding perspective within the asymmetrical composition, provides a disturbing contrast to the portrait's turbulent expressionism.

Contemplating this visage, freightened and freightening at the same time, and placed mystically in a kafkaesque setting, it may be helpful to recall a statement by the artist regarding his recent work: "The artists I dwell on every day of my life, such as Giotto, Rembrandt, Degas, Cézanne, Matisse, and Picasso fail me in this one great aspect—their condition was not the condition of the Jew. Kafka appeals to me as a Jew of nearly my own time who achieved an art I can cherish indiscriminately, as I love the art of Cézanne for instance. But above all, Kafka encourages me to know myself and to puzzle out my own Jewishness and to try and make that over into an art of picturemaking" (quoted in Susan Tumarkin Goodman, *Jewish Themes/Contemporary American Artists*, The Jewish Museum, New York, 1982, p. 18 [reprinted from Frederick Tuten "Neither Fool, nor Naive, nor Poseur-Saint; Fragments on R.B. Kitaj," *Artforum*, Jan. 1982, pp. 61-69])

Gift of the artist, 1983
Reg. No. 240.83

ר"ב קיטאי

קליוולנד, אוהיו 1933 -

דיוקן עצמי בסאראגוסה, 1980

פסטל ופחם על-גבי נייר, 851×1473 מ"מ

דיוקן עצמי זה מזכיר את לוח 31 ב"לוס קאפריצ׳וס" של גויה הנקרא "שנתו של ההיגיון מייצרת מפלצות". ההדפס של גויה מראה את האמן ישן ליד שולחן עבודה מכוסה ניירות וכלי רישום, כשיצורים ליליים מגיחים מתוך החשיכה מאחוריו, וינשוף משמאלו מגיש לו מתקן להחזקת גיר. דיוקנו העצמי של קיטאי מגלה את גישתו של האמן אל תהליך היצירה. הוא רואה בתהליך מעבר מייסר מאפילה לאור הכרוך בבחירה, חיפוש ומיון.

הנוכחות הבולטת ברישום היא של ראש האמן; עיניו לא ממוקדות ופיו מתוח. קווים מעוגלים וארוכים מזדקרים מתוך שערו אל המסדרון החשוך שמאחוריו, כאילו מחפשים את האור שמעבר לכניסות הרבות. המסדרון, הרשום בפרספקטיבה קווית ובקווים מסורגלים, יוצר ניגוד חריף לקומפוזיציה הלא סימטרית ולראש המצוייר ברגש.

התעניינותו המחודשת של קיטאי ברישום החלה ב-1972. ב-1975 שאב השראה מתערוכת דגה בפטי פאלה בפריס והחל לרשום בפסטל מהטבע.

כשאנו מתבוננים בפרצוף מבוהל ומבהיל זה, הממוקם באופן מיסטי בתפאורה קפקאית, כדאי לנו להיזכר בהצהרה של האמן הקשורה ביצירתו העכשווית: "האמנים שאני דבק בהם בכל יום מחיי, כגון ג׳וטו, רמברנדט, דגה, סזאן, מאטיס ופיקאסו מכזיבים אותי בהבט הגדול האחד הזה - מצבם לא היה מצבו של היהודי. קפקא מדבר אל לבי כיהודי בן זמני כמעט שהגיע לאמנות שאותה אני יכול להוקיר ללא כל סייג, כשם שאני אוהב את אמנותו של סזאן למשל. אך מעל לכל, קפקא מעודד אותי להכיר את עצמי, לפתור את חידת יהדותי ולנסות להעביר אותה לתוך אמנות עשיית-התמונות" (מצוטט מתוך: Susan Tumarkin Goodman, *Jewish Themes/Contemporary American Artists,* The Jewish Museum, 1982, p.18 [ולקוח מתוך: Fredrick Tuten, "Neither Fool, nor Naive, nor Poseur-Saint; Fragments on R.B. Kitaj". Artforum, Jan. 1982, pp.61-69]).

מתנת האמן, 1983
מספר רשום 240.83

4. Morris Louis

Baltimore 1912-1962 Washington, D.C.

Untitled, ca. 1948

Pen and ink on paper; 344 × 423 mm

BIBLIOGRAPHY: Diane Upright Headly, *The Drawings of Morris Louis*, Washington, D.C., 1979, cat. no. D47
EXHIBITIONS: *The Drawings of Morris Louis*, National Collection of Fine Arts, Smithsonian Institution, Washington, D.C., December 1979-February 1980; Fogg Art Museum, Harvard University, Cambridge, Massachusetts, February-April, 1980; *Promised Gifts*, The Israel Museum, Jerusalem, Spring-Summer, 1985

Morris Louis was primarily a painter, yet he was content to draw in a strictly linear way; even when his drawings are concerned with tonal effect, it is achieved with dense, scribbled hatching and no wash. Moreover, Louis' drawings are not studies for paintings but are autonomous records of a more personal aesthetic search. The majority of them date from the five years, 1948 to 1953, when the artist was either unable to afford paint and canvas or was traveling and had no access to a studio.

Our sheet is one of twenty-three from a single undated sketchbook circa 1948, and reflects the artist's iconographic, technical and formal interest in Picasso, whose etched masterpiece of 1935, *Minotauromachy*, is certainly its specific source.

Gift of Mrs. Abner Brenner, Chevy Chase, Maryland to American Friends of The Israel Museum, 1985
Reg. No. 542.85

מוריס לואיס

בולטימור 1912 - 1962 וושינגטון

ללא כותרת, 1948 בקירוב

עט ודיו על-גבי נייר, 423x344 מ"מ

תערוכות: "מתנות מובטחות", מוזיאון ישראל, ירושלים, אביב-קיץ 1985

אף-על-פי שהיה בראש ובראשונה צייר, רישומיו של לואיס קוויים לגמרי, וגם כשניסה להשיג אפקטים טונאליים, עשה זאת בשרבוטים ובקווקווים דחוסים ולא באמצעות מגוון. רישומיו של לואיס אינם מתווי-הכנה לציורים, אלא בבואות אוטונומיות של מקורותיו האישיים והאמנותיים. רוב רישומיו נעשו בין השנים 1948 ו-1953, בתקופות של קושי כלכלי, כשחסרו לו צבעים ובדים, או כשהיה בנסיעה מחוץ לבית ולא היה יכול לצייר.

זהו אחד מתוך עשרים ושלושה רישומים מפנקס מתווים אחד, לא מתוארך, אך קרוב לוודאי משנת 1948. הוא משקף את התעניינותו של לואיס בפיקאסו מבחינה איקונוגראפית, צורנית וטכנית, ודומה מאד לתחריטו של פיקאסו מ-1935 "מינוטאו-רומאכיה" בדחיסותו, בדימוי ראש השׁור ובשימוש בבהיר ובכהה שגורם לו להיראות כפרשנות צורנית-מופשטת של ההדפס.

מתנת מארסלה ברנר, צ׳וִוי צ׳ייס, מרילנד, לידידי מוזיאון ישראל בארצות הברית, 1985
מספר רשום 542.85

5. Louise Nevelson

Kiev, Russia 1899-

Two Women, 1936

Graphite on paper; 363 × 500 mm
Signed and dated, lower center: "Nevelson-36"

Even though Louise Nevelson's early drawings are peripheral to her work in three dimensions, they are, as it happens, the only early work extant. As such they are curiously revealing of her origins and objectives, and create a vocabulary of absorbing formal notations for future use. She writes, "My life had been a blueprint from the beginning, and that is the reason that I don't need to make blueprints or drawings for my sculpture" (Arnold B. Glimcher, Prologue to *Louise Nevelson*, New York, 1972, p. 19).

In the artist's brief studies with Hans Hoffman in Munich in 1931, and later in New York, the art of Matisse was an important teaching device and subsequent influence. Also of influence were the stylized figures of Lachaise (like Nevelson's, larger than life), and her work with Diego Rivera, whom she assisted on a series of 21 frescoed murals painted in 1932 (*Portrait of America*, New Workers' School, 14th Street, New York City). These early drawings are done, in general, from life, always highly disciplined, figurative, and with classical simplicity and formal freedom.

Gift of Mr. & Mrs. Joseph Slifka, New York, to American Friends of The Israel Museum, 1974
Reg. No. 878.74

לואיז נבלסון

קייב, רוסיה 1899 -

שתי נשים, 1936

עיפרון על־גבי נייר, 363×500 מ"מ
חתום ומתוארך למטה במרכז: "Nevelson-36"

רישומיה המוקדמים של נבלסון אמנם שוליים לעבודותיה התלת-ממדיות, אולם יש בהם מן הגילוי באשר למקורותיה וליעדיה. אין הם רישומי הכנה ליצירות פיסול מסויימות, אלא סימוני צורות מעניינים הבוראים אוצר דימויים לשימוש בעתיד. לדבריה של האמנית עצמה: "חיי היו תרשים הכנה מלכתחילה, וזו הסיבה שאין לי צורך להכין תכניות או רישומים לפסלים שלי" Arnold B. Glimcher, *Louise Nevelson*, New York, 1972,) .(p. 19

ההשפעה האמנותית העיקרית המתגלית ברישומיה המוקדמים של נבלסון, שהם היצירות היחידות ששרדו מאותה תקופה, היא זו של מאטיס. יצירתו של מאטיס זכתה להבלטה מידי האנס הופמן, שאצלו למדה נבלסון, תחילה זמן קצר במינכן ב־1931 ולאחר מכן בניו יורק. רישומי הדמויות של לאשז, דמויות כלליות שבדומה לאלה של נבלסון, נראות גדולות מהחיים, היו גם הם מקור השפעה. דייגו ריברה, שנבלסון היתה עוזרתו בשנת 1932 כשעבד על סידרת עשרים ואחד ציורי הקיר שלו "דיוקנה של אמריקה" ב"ניו וורקרס סקול" ברחוב ה־14 בניו יורק, היה אחד ממדריכיה הרוחניים.

הרישומים מרוסנים מאד ומצטיינים בפשטות קלאסית וחירות הצורה, פיגורטיביים תמיד ועל-פי-רוב נעשו מהחיים. קווי-המיתאר המוגדרים שלהם קושרים אותם בדרך כלל לגישה הצורנית המתגלית בפסליה מהתקופה ההיא, שרובם אבדו או נהרסו למרבה הצער (שם, עמ' 199-200).

מתנת מר ג'וזף סליפקה ורעייתו, ניו יורק, לידידי מוזיאון ישראל בארצות הברית, 1974
מספר רשום 878.74

nevelson - 36

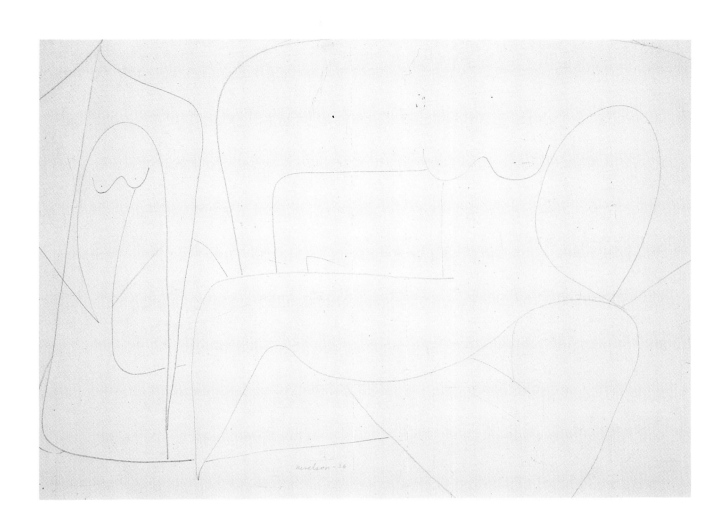

6. Jackson Pollock

Cody, Wyoming 1912-1956 East Hampton, New York

Untitled, ca. 1950

Ink on paper, 520 × 659 mm

PROVENANCE: Estate of the artist; Lee Krasner Pollock
BIBLIOGRAPHY: Francis V. O'Connor and Eugene V. Thaw, editors, *Jackson Pollock, a Catalogue Raisonné of Paintings, Drawings and Other Works*, New Haven and London, 1978, no. 789
EXHIBITIONS: *Promised Gifts*, The Israel Museum, Jerusalem, May-August 1985

Jackson Pollock was a prominent representative of the first generation of Abstract Expressionists. His great contribution to American modernism was the introduction, beginning about 1947, of a pure, "all-over" surface in a dripped and poured technique that changed pictorial space more radically than any other innovation since Cubism. As early as 1943 linear elements in his work were identified more with gesture than with form. Until 1944, his drawings were still mostly intimate notations, sketches and exercises which betrayed his contact with Thomas Hart Benton (1930-33), and an interest in abstract organic forms. He created a series of highly finished studies for his therapists during a period of Jungian psychoanalysis (1934-38), and used paper for a variety of works. However, although he neither made preparatory drawings for paintings nor generally signed or dated his drawings, they are parallel to his painted work and sometimes provide evidence of his influences.

Our sheet is exemplary, and was probably executed in 1950, one of Pollock's most productive painting years. The accidental lines turn into shapes in a kind of magnificent Rorschach ink-blot technique, or virtuoso Sumi brush painting which is expressive and vigorous, covering the entire page.

Gift of the Saul Family, New York to American Friends of The Israel Museum, 1985
Reg. No. 1210.85

ג׳קסון פולוק

קודי, ויומינג 1912 - 1956 איסט האמפטון, ניו יורק

ללא כותרת, 1950 בקירוב

דיו על-גבי נייר, 659×520 מ"מ

תולדות הרישום: עיזבון האמן; לי קראסנר פולוק
תערוכות: "מתנות מובטחות", מוזיאון ישראל, ירושלים, מאי-אוגוסט 1985

פולוק, מייצג בולט של הדור הראשון של האקספרסיוניזם המופשט, הגיע לניו יורק ב-1929. רישומיו המוכרים שנעשו לפני 1944 הינם ברובם תיוויים אינטימיים, מתווים ותרגילים המסגירים את קשריו עם תומס הארט בנטון בשנים 1933-1930 ואת התעניינותו בצורות אורגניות מופשטות. בין השנים 1938-1934 יצר סידרת רישומים מלוטשים עבור הפסיכיאטרים היונגיאניים שלו. פולוק השתמש בנייר כרקע לעבודות מגוונות. רוב רישומיו אינם חתומים ואינם מתוארכים וגם אינם מתווי-הכנה לציורים ידועים. הם מקבילים לציוריו, ולעתים משמשים ראיה להשפעות שספג אל תוך אמנותו במשך השנים.

תרומתו העיקרית של פולוק לאמנות האמריקאית המודרנית היא ציורי ה"טפטוף" שלו, שבהם יצר קומפוזיציות מקצה לקצה (all-over) שנחשבו לשינוי המשמעותי ביותר בחלל הציורי מאז הקוביזם. כבר ב-1943 זוהה הקו בעבודותיו עם תנועת-היד ולא עם צורות או תבניות.

רישום זה, שנעשה קרוב לוודאי ב-1950, אחת השנים הפוריות ביותר של פולוק כצייר, שייך לקבוצת יצירות הטפטוף/שפיכה. הוא אופייני לפולוק האקספרסיוניסט המופשט בקומפוזיציית ה"מקצה לקצה" שלו, בקווים המקריים ההופכים לצורות המזכירות כתמי רורשאך וציורי sumi ובדינמיקה האקספרסיבית שהוא מגלם.

מתנת משפחת סול, ניו יורק, לידידי מוזיאון ישראל בארצות הברית, 1985
מספר רשום 1210.85

7. Susan Rothenberg

Buffalo, New York 1945-

Untitled 98

Acrylic on paper; 935 × 920 mm

PROVENANCE: Willard Gallery, New York
EXHIBITIONS: *New Acquisitions in Modern Art*, The Israel Museum, Jerusalem, February–April, 1981

Susan Rothenberg is a major New Expressionist whose work is always about loss and despair, at once personal and universal. Her first work was sculpture; she then painted abstractly, and became well known for her painted horse forms. The horse is often split in half or taken completely apart against an expressive abstract ground which is executed in brushstrokes so inherently dynamic that they threaten the presence of the figure. These works employ minimal coloration and retain the materiality of sculpture. The consistency of Rothenberg's brushwork is reminiscent of Jasper Johns (her favorite painter); the emotionally charged iconographic use of the horse recalls Picasso and George Stubbs; and the relationship of object to space brings to mind the painted and sculptural work of Giacometti.

Our drawing was done during the years 1978-80 when an emotional upheaval provoked the artist to manipulate the hitherto "geometrically" conceived horse, take it apart, turn it upside down, and present it illusionistically. The drawing leads one to envision the giant frame of a dying horse, its relatively small head projecting from the animal's knee and seen in the center of the sheet as if suspended in space. The sheer size of the sheet and the space around the forms insistently broaden the feeling of personal despair to suggest the dimension of a universal anguish.

Gift of Mr. & Mrs. R. Schulof, New York, to American Friends of The Israel Museum, 1981
Reg. No. 736.81

סוזאן רותנברג

באפאלו, ניו יורק 1945 -

ללא כותרת 98

אקריליק על-גבי נייר, 920×935 מ"מ

תולדות הרישום: גלריית וילאר, ניו יורק
תערוכות: "רכישות חדשות באמנות מודרנית", מוזיאון ישראל, ירושלים, פברואר-אפריל 1981

עבודתה של סוזאן רותנברג, המשמשת דוגמה מובהקת לאקס-פרסיוניזם בן ימינו, עוסקת תמיד בשכול ובייאוש אישי ואוניברסלי כאחד. דימויי הסוסים גדולי הממדים שלה, שהופיעו תחילה כפסלים ואחרי כן בציור מופשט, חצויים לשניים או מפורקים לגמרי, והם שומרים על חומריותו של הפיסול ועל רקע מופשט אקספרסיבי תוך שימוש מצומצם בצבע.

ביחסים שבין אובייקט לחלל, מזכירים ציוריה ורישומיה של רותנברג את רישומיו של ג׳אקומטי בכך שהרקע הדינמי, העשוי הטחות מכחול, מאיים שוב ושוב לבטל את נוכחות האובייקט. האחידות הכללית של משיכות המכחול מזכירה את ג׳ספר ג׳ונס, הצייר החביב עליה. השימוש בסוס כביטוי לרגשות מכאיבים מופיע גם אצל ג׳ורג׳ סטאבס, פיקאסו ומרינו מריני.

רישום זה נעשה בין השנים 1980-1978, בעת שמשבר אישי עורר את האמנית לבחון את דימוי הסוס שנתפס תחילה כצורה גיאומטרית, לפרק אותו, להפוך אותו על-פיו ולהציג אותו כתעתוע. הרישום שלנו מוביל את הצופה לדמות גוויה ענקית של סוס שראשו הקטן יחסית נראה במרכז הגיליון כשהוא תלוי בחלל ומזדקר מתוך ברכו. גודל הגיליון והחלל מסביב לצורות מרוממים את תחושת הייאוש האישי למדרגת היאוש האוניברסלי של דורנו.

מתנת מר ר׳ שולהוף ורעייתו, ניו יורק, לידידי מוזיאון ישראל בארצות הברית, 1981
מספר רשום 736.81

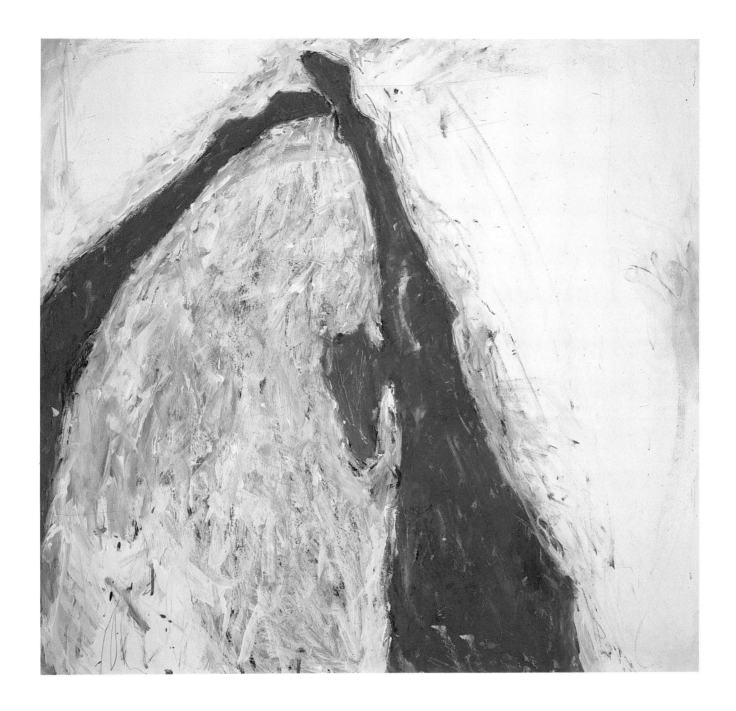

8. Richard Serra

San Francisco 1939-

Drawing for "Circuit," 1972

Charcoal on paper, 560 × 763 mm
Signed, upper center: "R. Serra"
Dated, upper right: "1972"
Inscribed, upper edge: "This certifices (sic) ownership of Circuit (outdoor) Edition of 1 specific information on reverse side"

"Drawing is a way for me to carry on an interior monologue with the making as I am making it" (Lizzie Borden, *Richard Serra Interview*, Richard Serra, Kunsthalle, Tubingen, 1978, p. 223)

This drawing was done as a "presentation drawing" for the outdoor sculpture, *Circuit* planned for the Billy Rose Sculpure Garden at the Israel Museum. An indoor version was shown at Documenta 5, 1972, (Coll. Roger Davidson, Toronto, Ontario; Kunsthalle, Tubingen, ill. cat. no. 145).

Presentation drawings are traditionally done for a prospective client considering the commissioning of a sculpture or a painting; they are usually more finished than other categories of drawings in order to give the client as clear an idea as possible of the finished product.

Developed from Serra's 1969 *Inverted House of Cards, Skullcracker Series* (*Richard Serra Interviews*, 1970-1980, The Hudson River Museum, 1980, ill., 2b) which had, in turn, been influenced by the artist's drawings after works of Brancusi in the reconstructed studio at Musée D'Art Moderne, Paris, *Circuit* is experienced in terms of the relationship of outer space and contours, rather than in terms of axis and integrity.

In Serra's words about lines and the relationship of drawing to sculpture: "In *Circuit* there were four plates out of four corners, creating a convergence of lines toward a central core, the lines forming a centripetal and a centrifugal space" (Ibid., p. 78). Drawing linearity implies volume. And again in his words, about space: "The kind of physical sensation generated there was almost didactic in that the experience of centering was totally directed by a path" (Ibid., p. 61).

Serra's aim is to free sculpture of any mimetic and symbolic function and to do away with any form of illusionism in favor of demonstrating essential sculptural values—primarily balance.

Gift of Roger Davidson, Toronto, to Canadian Friends of The Israel Museum, 1982
Reg. No. 682.82

ריצ׳ארד סרה

סן פראנציסקו 1939 -

רישום ל״מעגל״, 1972

פחם על-גבי נייר, 763×560 מ״מ
חתום למעלה במרכז: "R. Serra"
מתוארך למעלה מימין: ״1972״
רשום לאורך השוליים העליונים: "This certifices (sic) ownership of Circuit (outdoor) Edition of 1 specific information on reverse side"

״הרישום משמש לי דרך לשאת מונולוג פנימי עם העשייה בעת העשייה״ (Lizzie Borden, "Richard Serra Interview", *Richard Serra,* Kunsthalle Tübingen, 1978, p.223).

רישום זה נעשה כ״רישום הצגה״ לפסל ״מעגל״ (חיצוני) שתוכנן לגן האמנות ע״ש בילי רוז במוזיאון ישראל. גירסת פנים של אותו פסל הוצגה בדוקומנטה החמישית ב-1972 (אוסף רוג׳ר דוידסון, טורונטו, אונטאריו; Kunsthalle Tübingen, קטלוג מס׳ 145). רישומי הצגה נעשים בדרך כלל בשביל לקוח אפשרי השוקל להזמין אצל האמן פסל או ציור. על-פי-רוב הם יותר מוגמרים מסוגי רישום אחרים, כדי לתת ללקוח מושג ברור עד כמה שאפשר על המוצר המוגמר.

הרישום ״מעגל״ התפתח מתוך יצירתו של סרה משנת 1969, ״בית קלפים הפוך, סידרת סקאלקראקר״ (*Richard Serra Interviews, etc. 1970-1980,* The Hudson River Museum, 1980, p.47, ill.2b), שהושפעה היא עצמה מרישומים שעשה האמן בעקבות פסלי בראנקוזי בסדנתו המשוחזרת במוזיאון הלאומי לאמנות מודרנית בפריס. את הרישום יש לראות במונחים של היחסים בין חלל חיצון לקווי־מיתאר יותר מאשר במונחים של ציר פנימי לעומת מכלול צורות. אלה דבריו של סרה עצמו על קווים ועל היחס בין רישום לפיסול: ״ב״מעגל״ היו ארבעה לוחות שיצאו מתוך ארבע פינות ויצרו התכנסות של קווים לקראת לב מרכזי, כשהקווים מהווים חלל צנטריפטאלי וצנטריפוגאלי״ (שם, עמ׳ 78). קוויותו של הרישום מורה על נפח. על חלל הוא אומר: ״סוג התחושה הגופנית המתעוררת שם הוא כמעט דידאקטי בכך שחווית המרכוז כוונה באופן מוחלט על-ידי שביל״ (שם, עמ׳ 61). סרה חותר לשחרר את הפיסול מכל תפקיד חיקויי או סמלי ולסלק כל צורה של אשלייה לטובת חשיפתם של ערכים פיסוליים מהותיים - בעיקר איזון.

מתנת רוג׳ר דוידסון, טורונטו, לידידי מוזיאון ישראל בקנדה, 1982
מספר רשום 682.82

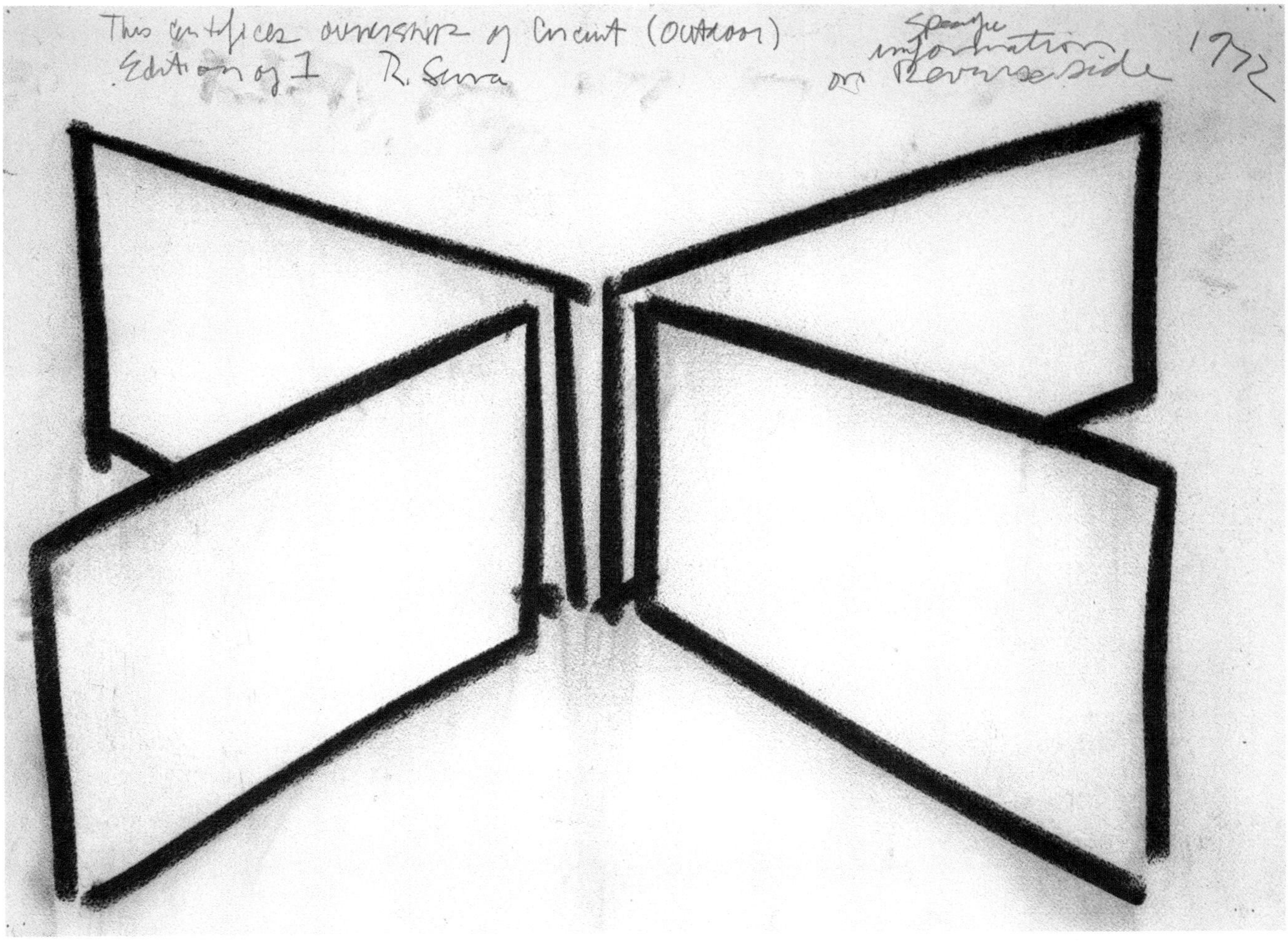

This certifies ownership of Circuit (Outdoor) Edition of 1   R. Serra

Specific information on Reverse side   1972

9. Joel Shapiro

New York 1941-

Untitled, 1981

Charcoal on paper; 700 × 1000 mm

PROVENANCE: The artist
BIBLIOGRAPHY: *Joel Shapiro*, Jerusaleum, 1981, ill. p. 20
EXHIBITIONS: *Joel Shapiro*, The Israel Museum, Jerusalem, September–October 1981

Shapiro's three-dimensional work is not the product of his drawings, yet there are strong links between his work in both media. Because the sculpture is very small, its deliberately minimal scale monumentalizes space, creating a dramatic distance between sculpture and audience. However, the drawings are very large, and are executed in thick strokes of heavy charcoal on white paper, giving them at times a material identity greater than the sculpture. Both are untitled. Earlier drawings were sternly minimalist, composed of ruled lines parallel to the edge of the sheet, enclosing a void.

Our drawing, executed in Jerusalem in 1981, approaches one form from two angles and treats an object and the space around it from within and without. It is expressive, and achieves emotional tone through the use of softly drawn edges and erasures. This lessens the contrast of figure and ground and introduces "process" into the work, forcing the viewer to witness the artist's decisions as well as his hesitations.

Gift of I. M. Cohen, New York, Graphics Acquisition Fund, to American Friends of The Israel Museum, 1981
Reg. No. 741.81

ג׳ואל שפירו

ניו יורק 1941 -

ללא כותרת, 1981

פחם על-גבי נייר, 1000×700 מ"מ

תולדות הרישום: האמן
ביבליוגרפיה: "ג׳ואל שפירו", ירושלים, 1981, תמונה מס׳ 20
תערוכות: "ג׳ואל שפירו", מוזיאון ישראל, ירושלים, ספטמבר-אוקטובר 1981

יצירתו התלת-ממדית של ג׳ואל שפירו אינה התכלית של רישומיו, ועם זאת קיימים קשרים חזקים בין העבודות שהוא עושה בשתי הטכניקות האלה. לרישומיו, העוסקים בנושא ובחלל, זהות חומרית משלהם החזקה לעתים יותר מאשר בפסליו. הפסלים קטנים מאד ושפירו מפחית בעקביות את ממדי היצירה, ובכך מגדיל ומוסיף דראמה ומונומנטאליות לחלל ויוצר מרחק בין האובייקט לבין הצופה. בניגוד להם, רישומיו גדולים ומבוצעים במשיחות פחם כבדות ועבות על נייר לבן. רישומיו משנות השבעים מינימא-ליסטיים עד חומרה, מורכבים מקווים מסורגְלים, מקבילים לשולי הגיליונות ובכך יוצרים מסגרות לחלל הסגור. הפסלים והרישומים חסרי שמות.

הרישום שלפנינו נעשה בירושלים והוא בוחן צורה אחת משתי זוויות ומטפל בהבטים של יחסי עצם-חלל, של פנים וחוץ ושל תפיסות חזותיות. הוא יותר מתווי ואקספרסיבי מהעבודות היותר מוקדמות ונעשה במקביל לדמויות העץ של האמן. הנימה הרגשית של הרישום מושגת לא רק באמצעות הקצוות הרכים יותר של הקווים, אלא בראש ובראשונה על-ידי השימוש החוזר ונשנה במחיקות המרככות את הניגוד שבין צורה לרקע ומכניסות לתוך היצירה את יסוד התהליך - עדות להיסוסים ולהחלטות.

מתנת א"מ כהן, ניו יורק, קרן לרכישות גרפיקה, לידידי מוזיאון ישראל בארצות הברית, 1981
מספר רשום 741.81

10. David Smith

Decatur, Indiana 1906-1965 near Bennington, Vermont

Untitled, ca. 1962

Spray paint on paper; 450 × 292 mm
Inscribed, verso: "Estate of David Smith Acc. No. 73.59.110"

PROVENANCE: Estate of the artist; Knoedler Gallery, New York

Until the mid-1940s, David Smith's sculpture began with drawing. Later drawings evolved parallel to sculpture, and even at times beyond it until, during the 1950s, the very act of drawing itself became an important mode of expression. He wrote about drawing, lectured on drawing, and experimented in various media and styles which interrelated his drawing, painting, and sculpture.

The Israel Museum sheet belongs to a group known as "spray" drawings which appeared for the first time around 1958, and became increasingly common through the early 1960s. Clearly related to the sculpture group *Cubi*, hard edged and uniform in texture, spray drawings were made by placing bits of metal, scraps of paper, and other materials on a sheet of paper which was then sprayed with automobile enamel and allowed to dry. The cutout bits and pieces were subsequently removed, with the desired image emerging from the color and tone of exposed paper. If this technique manages to emphasize pure form at the same time that it enriches the ground, it is because hard edge and ground are made to exist in an ambiguous relationship, as if occasionally changing roles. In fact, shapes which are slightly out of focus occurred when Smith let a little paint spray under the slightly raised edges of irregular materials placed on the sheet. He might also paint the stencilled shapes themselves and cover the paper entirely. David Smith is one of the most innovative and distinguished draughtsmen among sculptors of the twentieth century, and in his total oeuvre the peer of Mondrian, Klee, de Kooning, and Pollock.

Purchased with the help of Barbara Levinson, New York, through American Friends of The Israel Museum, 1976
Reg. No. 66.76

דייויד סמית

דקאטור, אינדיאנה 1906 - 1965 ליד בנינגטון, ורמונט

ללא כותרת, 1962 בקירוב

צבע תרסיס על-גבי נייר, 292×450 מ"מ
רשום על גב הגיליון: "Estate of David Smith Acc. No. 73.59.110"

תולדות הרישום: עיזבון האמן; גלרית נודלר, ניו יורק

הרישום היה גורם חשוב ביצירתו של דייויד סמית. הוא כתב והירצה עליו וערך ניסויים בסגנונות ובטכניקות שונים.

רישומיו המוקדמים של סמית עד אמצע שנות הארבעים היו הבסיס שממנו נבעו עבודותיו התלת-ממדיות. בשלב מאוחר יותר החלו רישומיו להקביל לפסלים, ולעתים התפתחו מעבר להם. בשנות החמישים נעשתה עצם פעולת הרישום להבט יותר ויותר חשוב בהבעתו של האמן. ציוריו של סמית, רישומיו ופסליו קשורים זה בזה. הדימויים עוברים מאופן הבעה אחד למשנהו ומשתנים רק בתגובה לדרישות החומרים. רישום זה שייך לקבוצה המכונה "רישומי התרסיס" שהחלה להופיע בשנים 1959-1958 ושגשגה בראשית שנות השישים. הם קשורים בבירור לקבוצת פסליו של סמית המכונה "קובי" בשוליהם החדים ובמרקמם האחיד. ברישומי התרסיס הונחו חתיכות מתכת, גזרי נייר וחומרים אחרים על משטח הנייר שרוסס בצבע אמייל למכוניות. לאחר שהוסרו החומרים מגדירי הצורה, נקבע הדימוי על-ידי צבעו של הנייר. טכניקת התרסיס מדגישה את הצורה הטהורה תוך כדי העשרת הרקע שלה. שוליה החדים של הצורה יוצרים יחסים דו-משמעיים עם הרקע, כאילו החליפו תפקידים. הצורות המרחפות, המטו-שטשות מעט, מושגות כאשר מדי פעם מניחים לתרסיס להיכנס מתחת לשולי הצורות המורמות מעט, ואז מתקבל אפקט של תנועה. בכמה מן המקרים המשיך האמן לצבוע את הצורות שיצרו הת-בניות וכיסה את הנייר.

רישומיו ופסליו של סמית מראים אותו כיורשם של אמנים כגון קלה, מונדריאן, גורקי, דה קונינג ופולוק המאוחר, ומייחדים אותו כאחד הרשמים החדשניים בקרב פסלי המאה העשרים.

נרכש בעזרת ברברה לוינסון, ניו יורק, דרך ידידי מוזיאון ישראל בארצות הברית, 1976
מספר רשום 66.76

11. Saul Steinberg

Ramnicul-Sarat, Rumania 1914-

Strada Palas, 1966

Graphite, pen, colored inks, watercolor, gouache, colored chalks, and gold enamel on paper; 584 × 737 mm
Signed and dated, lower right: "Steinberg Sept 1966"
Stamped "C by Saul Steinberg"

Bibliography: Harold Rosenberg, *Saul Steinberg*, New York, 1978, pl. 133
Exhibitions: *Saul Steinberg*, Whitney Museum of American Art, New York, April–July 1978, no. 125; Hirshorn Museum and Sculpture Garden, Smithsonian Institution, Washington, D.C., October–November, 1978; Arts Council of Great Britain, Serpentine Gallery, London, January–February, 1979: Fondation Maeght, Saint-Paul, France, March–April, 1979.

Saul Steinberg has been described as "a writer of pictures," and his art as "a parade of fictitious personages" (Rosenberg, p. 10). An artist of unusual learning, he really belongs to no school, though if his extensive elaboration of the cartoon is seen as part of "Pop Art," it must be qualified as having a special refinement not normally associated with the movement. Both his literal use of the written word as well as passages of cursive strokes spelling nothing, extend the vocabulary of his images, rather than the other way around. Thus in a wholly original manner, Steinberg uses words and phantom words as images which augument and, in a sense, illustrate his drawings. The artist is a humanist, whose work is personal, ironic, and autobiographical, with man always at the center. "Steinberg's ultimate subject matter is the story of his life" (Ibid., p. 25). Like Paul Klee he takes "a walk with a line," yet free as the drawings are, they are always "legible" and open to more than one reading.

In *Strada Palas* the artist has gone back to his Rumanian roots, to the neighborhood of his childhood in Bucharest. We are shown a concise history of Rumanian architecture—the Metropolia Church in Bucharest, a Bauhaus residence, an old armory, a Romanesque church, and a cluster of farmhouses (Steinberg received his training and doctorate in architecture in Milan, 1933-1940). We also see more typical Steinbergiana: a skeleton and a church leading a parade, a street lamp—but the skeleton wearing a farmer's hat and bearing the Rumanian flag is meant to be seen as "cannon fodder"—while King Ferdinand and members of the Höhenzollern family are the royal passengers in the carriage.

Gift of the artist to America-Israel Cultural Foundation, 1971
Reg. No. 194.71

סול סטיינברג

ראמניקול-סאראט, רומניה 1914 -

סטראדה פאלאס, 1966

גרפיט, עט, דיו צבעונית, צבע-מים, גואש, גירים צבעוניים ואמייל זהוב על-גבי נייר, 584×737 מ"מ
חתום ומתוארך למטה מימין: "Steinberg, Sept 1966"
חותמת: "C 1966 by Saul Steinberg"

סטיינברג תואר כ"כותב של תמונות" ואמנותו כ"מצעד נפשות בדויות" (Harold Rosenberg, *Saul Steinberg*, New York, 1978, p.10). אין הוא משתייך לאסכולה מסויימת, אולם התפתחות הקריקטורה שלו לאמנות יכולה להתאים לתבנית הפופ-ארט. דומה שהמלים, בכל פעם שהן מופיעות, מאיירות את הדימויים יותר משהן מאויירות על-ידם. אמנותו של סטיינברג אנושית בכך שהאדם עומד במרכזה. היא אישית בשימוש שהיא עושה באירוניה ובבדיחות פרטיות וכן בשאיבתה מתוך הביוגרפיה שלו עצמו. כפי שציין הארולד רוזנברג, "ביסוד נושא עבודתו של סטיינברג מצוי סיפור חייו" (שם, עמ' 25). הוא הולך בעקבות תפיסתו של קְלֶה, "היוצא לטיול עם קו", ותמונותיו, למרות היותן חופשיות כל כך, לעתים קרובות אפשר "לקרוא" בהן ממש, אם כי, כפי שטוען האמן, הן פתוחות ליותר מפרשנות אחת.

ברישום "סטראדה פאלאס" חוזר האמן לשורשיו ברומניה ולשכונה בבוקרשט שבה גדל. הקומפוזיציה, המחולקת לשתי רצועות, מכילה יסודות החוזרים ונשנים באמנותו של סטיינברג, כגון פנס הרחוב ושלד מלאך המוות. הרצועה העליונה נראית כהיסטוריה מתומצתת של האדריכלות הרומנית ה"כתובה" בידי סטיינברג - שלמד אדריכלות במילאנו (1940-1933). בין הבניינים השונים אפשר לראות מימין את כנסיית המטרופוליה בבוקרשט, מעליה בית-חרושת לנשק, ומשמאל בית בסגנון באוהאוס, כנסייה רומנסקית וקבוצת בתי חווה. הרצועה התחתונה היא תהלוכה שבראשה צועדים הכנסייה והמוות הנושא בידו את דגלה הישן של רומניה, לראשו מגבעת האיכר הרומני ולירכו חרב; כך מיוצג האיכר כבשר התותחים. האצילים שבמרכבה הם משפחת הוהנצולרן והמלך פרדיננד, מזוהים על-פי דגלם. הדמות האחרונה בתהלוכה היא של מוכר ה"בראגה" הפופולארי.

מתנת האמן לקרן התרבות אמריקה-ישראל, 1971
מספר רשום 194.71

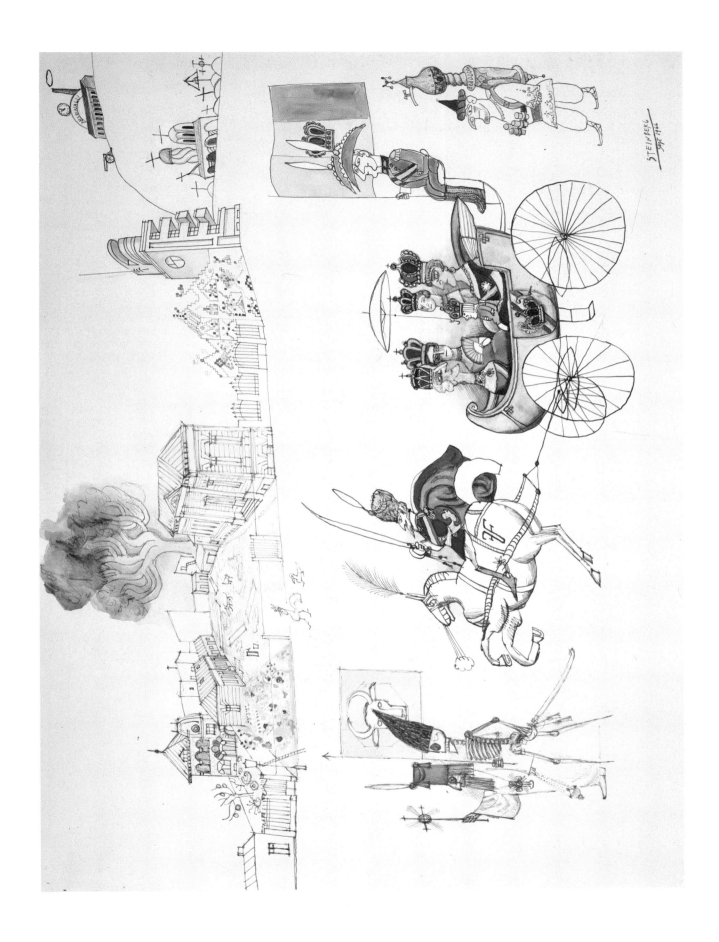

DUTCH SCHOOL
אסכולה הולנדית

12. Rembrandt Harmenz van Rijn (Circle of)

Leiden 1606-1669 Amsterdam

Interior Scene with Three Figures, ca. 1640s

Bistre ink and wash on paper, 98 × 135 mm
Inscribed, verso: "Collect. Klinkosch der Rembrandt. Van Luyken. V. 20.4.96 wn 677"

Provenance: Coll. Klinkosch (?); Alfred Ritter von Wurzbach (Lugt p. 203; #2587); Salman Schocken
Bibliography: Otto Benesch, *The Drawings of Rembrandt*, London, 1973, Vol. III, cat. no. 544, fig. 714

The state of Rembrandt scholarship has never been more sophisticated, but insight has not come without new problems. The beautiful little drawing in the Israel Museum provides an excellent example of the kind of scholarly shift which has characterized the recent study of many of Rembrandt's paintings and drawings. The reason for this flux ultimately involves the effect of Rembrandt's teaching on a circle of gifted and impressionable students. As scholars have looked more carefully into what was formerly considered the oeuvre of Rembrandt alone, a good number of separate "hands" have been identified. Contemporary accounts told us of Rembrandt's many students, but only recently has it become clear that his approach to draughtsmanship affected many of these students in a profound manner, even if for only a short time. More frequently than might have been expected, the most gifted of these pupils such as Ferdinand Bol (1616-1680) and Gerbrand van den Eeckhout (1621-1674) could work in styles so close to Rembrandt's that their drawings are virtually indistinguishable from his own sheets.

Otto Benesch, one of the foremost Rembrandt scholars of his era, included our very fine drawing in his catalogue raisoné of that artist's work, and interpreted the subject as *The Healing of Tobit* (see bibliography). The Book of Tobit was a favorite subject of Rembrandt and there are paintings, drawings, and etchings by him dealing with it.

Very recently, Werner Sumowski has rejected Benesch's attribution of the drawing to Rembrandt, suggesting instead that its summary line and wash manner could be the work of Gerbrand van den Eeckhout (letter to this writer). Based on his interpretation of the horizontal form suspended by string or wire from the ceiling as a stuffed crocodile, typical of scenes featuring barber-surgeons or quacks and unknown in association with the story of Tobit, Dr. Sumowski also rejects Benesch's identification of the subject as *The Healing of Tobit.*

Dr. Peter Schatborn of the Rijksmuseum has recently questioned the attribution of this sheet on the basis of a photograph, and Professor E. Haverkamp-Begemann, who has seen the work, has also expressed doubts about including it in Rembrandt's oeuvre.

What is perhaps most obvious about the Israel Museum drawing is its technical excellence. Faced with a superb piece of draughtsmanship and scholarly disagreement concerning precise attribution, we feel that it is best to discuss this little sheet as a work of Rembrandt's circle.

Gift of the Schocken Family, Tel Aviv, 1966
Reg. No. 1103-7-66

רמברנדט הארמנס ואן ריין (חוגו של)

ליידן 1606 - 1669 אמסטרדאם

מראה פנים עם שלוש דמויות, שנות הארבעים של המאה ה-י"ז

דיו חומה ומגוון על-גבי נייר, 98×135 מ"מ
רשום על גב הגיליון: "Collect Klinkosch der Rembrandt Van Luyken V20.4.96 wn 677" (Lugt p.203; 2587)

תולדות הרישום: אוסף קלינקוש (?); אלפרד ריטר פון וורצבאך; זלמן שוקן

מעולם לא היה המחקר ביצירתו של רמברנדט משוכלל יותר מאשר בימינו, אולם ההבנה הרבה הביאה עמה בעיות חדשות. הרישום הקטן היפה במוזיאון ישראל משמש דוגמה מצויינת לסוג זה של תפנית למדנית המאפיינת את המחקר ברבים מציוריו ורישומיו של רמברנדט. הסיבה לגאות זו כרוכה בהשפעה שהיתה לרמברנדט על חוג תלמידים מוכשרים ונוחים להתרשם. כשהחלו החוקרים להתבונן ביתר קפדנות במה שנחשב לפנים כמכלול יצירתו של רמברנדט לבדו, זוהה מספר משמעותי של "ידיים" נפרדות. תיאורים מאותה תקופה מספרים לנו על תלמידיו הרבים של רמברנדט, אולם רק לאחרונה התברר כי גישתו לרישום השפיעה עמוקות על רבים מהם ולו גם לזמן קצר. לעתים קרובות מכפי שאפשר היה לצפות, עבדו המוכשרים ביותר מבין אותם תלמידים, כגון פרדיננד בול (1680-1616) וחרבראנד ואן דר אקהאוט (1674-1621), בסגנונות קרובים לאלה של רמברנדט עד שממש אין להבדיל בין רישומיהם לאלה שלו.

אוטו בנש, אחד מחוקרי רמברנדט החשובים ביותר בתקופתו, כלל את הרישום המעולה שלנו בקטלוג כלל היצירה של האמן, ופירש את הנושא כ"ריפויו של טוביה" (ראה ביבליוגרפיה). ספר טוביה היה נושא חביב על רמברנדט, וקיימים ציורים, רישומים ותחריטים שלו שעסקו בו.

לפני זמן לא רב דחה ורנר סומובסקי את קביעתו של בנש שהרישום נעשה בידי רמברנדט, וסבר שקוויו התמציתיים וצורת המגוון שלו יכולים להיות מעשה ידיו של חרבראנד ואן דר אקהאוט (במכתבו אלינו). על בסיס הפרשנות שהוא נותן לצורה האופקית התלויה בחוט או בתיל מהתקרה כתנין מפוחלץ, האופייני לסצינות המתארות גלבים-מנתחים או רופאי-אליל וחסר כל קשר מוכר לסיפור טוביה, דחה סומובסקי גם את זיהוי הנושא כ"ריפויו של טוביה".

בנש מציין את קווי הדמיון בסגנון ובגישה הכללית של רישום זה ל"המשפחה הקדושה בנגרייה" בלובר (ביבליוגרפיה מס' 517), אולם לדעת סומובסקי הזיקה לרישום שבלובר אינה משכנעת. פטר סתאטבורן מהרייקסמוזיאום הטיל ספק לאחרונה, על סמך צילום, בייחוסו של הרישום, והאברקאמפ-בכמאן, שראה את היצירה, הביע גם הוא ספקות לגבי הכללת הרישום ביצירתו של רמברנדט.

מה שאולי ברור מכל ברישום של מוזיאון ישראל הוא הטכניקה המצויינת שלו. מעברי המגוונים המעשירים את הדראמה שבתמונה קרובים ביותר לרמברנדט, ואף היו יכולים להיות תרומתו המתקנת לרישומו של תלמיד, מאחר שהיה מדריך מחמיר שלעתים קרובות הוסיף למתווה של תלמיד כדי לשפרו. אולם שילוב הקו והמגוון מושלם כאן כל כך, עד שקשה לתאר שרשמה אותו יותר מיד אחת. מאחר שלפנינו יצירת רישום מעולה שלגבי ייחוסה המדוייק חלוקות הדעות, אנו נוטים לחשוב כי מוטב לדון ברישום קטן זה כביצירה מחוגו של רמברנדט.

מתנת משפחת שוקן, תל אביב, 1966
מספר רשום 1103-7-66

13. Gerard Terborch the Younger

Zwolle 1617-1681 Deventer

Portrait of a Clean-Shaven Young Man

Black chalk on greyish paper, 128 × 110 mm

PROVENANCE: In German possession, before 1940
BIBLIOGRAPHY: J. Q. van Regteren Altena, "The Anonymous Spanish Sitter of Gerard Terborch," *Master Drawings* 3 (1972), pp. 260-263, pl. 28
EXHIBITIONS: *Old Master Drawings from the Museum Collection*, The Israel Museum, Jerusalem, November–December 1972; *Homage to Elisheva Cohen*, The Israel Museum, Jerusalem, Spring 1975.

Portraiture, a genre perfected by Hals and Rembrandt, was an important element of 17th-century Dutch painting. Portraits not only mirror the physiognomies of their subjects, but also provide us with a rich source of information about the costumes, hairstyles and social milieu of the sitters, documenting at the same time aspects of the artist's career—his travels, his politics, his evolving style.

Gerard Terborch the Younger studied with his father who insisted that his children be taught to draw at an early age (there is a portrait of his father by the eight-year-old artist dated and proudly inscribed: G. T. Borch inventur). One of the leading masters of 17th-century genre painting, Terborch is most noted for the delicacy and poetry of his painterly technique. He also acquired a reputation as a portraitist in miniature. As a young man, he visited England, France and Spain, arriving in Madrid shortly before 1640. The young painter enjoyed tremendous popularity there, both with the ladies and with royalty; in fact, according to a poem recited at his wedding in 1654 (S. J. Gudlaugsson, *Gerard Terborch*, The Hague, 1959-60, Vol. II, pp. 23-24), Terborch was knighted by Phillip IV of Spain whose portrait he had painted. Terborch later settled in Deventer on the east bank of the Ijssel and served as its mayor for over twenty years.

Portrait of a Young Man belongs to a group of eleven drawings, all probably originating from a single sketchbook that recorded Terborch's trip to Spain. All the drawings in the Spanish notebook were executed on the same kind of paper and cut into irregular octagons. None of the sitters have been identified; each wears his hair combed out naturally, in long locks, following the example of the Spanish King who in turn was imitating a style initiated by Louis XIII of France. Nearly all the sitters sport a large moustache, also apparently "à la mode."

Our portrait is delicately drawn, its sitter in a melancholy mood. The artist has placed dark shadows under the outline of the cheek and the chin—a device frequently used in his painted portraits. Of the other ten portraits in the group, five are in the collection of the Rijksmuseum; three in a private collection in Amsterdam; and one in the Victor Saumarly collection, Ipswich, England. The location of the eleventh sheet is unknown.

Bequest of the Freund Collection, Jerusalem, 1957
Reg. No. MP 150-6-57

חררד טרבורך הבן

זְוֹולֶה 1617 - 1681 דוונטר

דיוקן איש צעיר מגולח

גיר שחור על-גבי נייר אפרפר, 110×128 מ"מ

תולדות הרישום: בעלות גרמנית לפני 1940
תערוכות: "רישומים מאוסף המוזיאון", מוזיאון ישראל, ירושלים, נובמבר-דצמבר 1972; "מחווה לאלישבע כהן", מוזיאון ישראל, ירושלים, אביב 1975

ציור-הדיוקנאות, ז'אנר ששוכלל בידי פראנס האלס ורמברנדט, היה יסוד חשוב בציור ההולנדי של המאה ה-י"ז. הדיוקנאות לא רק משקפים את קלסתרם של המצויירים, אלא גם מספקים לנו מקור מידע עשיר באשר ללבושם, לתסרוקתם ולמעמדם. כמו כן הם מאירים ציוני דרך בקריירה של האמן ובמסעותיו.

חררד טרבורך הבן למד אצל אביו הצייר וקנה לו מוניטין כצייר דיוקנאות מיניאטוריים. בצעירותו, לפני שהשתקע בדוונטר שעל נהר האיסל כדי לכהן כראש העיר במשך לְמַעלה מעשרים שנה, ביקר באנגליה, צרפת וספרד. הוא הגיע למדריד זמן קצר לפני 1640 וזכה שם לפופולאריות עצומה, בעיקר בקרב הגברות. על-פי שיר שדוקלם בטקס נישואיו ב-1654 (S.J.Gudlaugsson, *Gerard Terborch,* The Hague, 1959-1960, Vol. II, pp. 23-24), צייר טרבורך את פיליפ הרביעי, מלך ספרד, שהעניק לו תואר אבירות.

"דיוקן איש צעיר מגולח" שייך לקבוצה בת אחד-עשר רישומים שמקור כולם, קרוב לוודאי, במחברת רישומים יחידה המתעדת את מסעו של טרבורך בספרד. כל הרישומים במחברת הספרדית נעשו על אותו סוג נייר ונחתכו למתומנים מאורכים. איש מהמצויירים לא זוהה, אולם כל אחד מהם, במקום לחבוש פיאה, מופיע בשערו הטבעי המסורק בתלתלים מאורכים. היתה זו אופנה שמלך ספרד נתן לה דוגמה בחקותו את מלך צרפת, לואי השלושה־עשר. כמעט לכל המצוירים שפם ארוך, גם הוא כנראה על-פי צו האופנה האחרונה.

הדיוקן שלפנינו נרשם בעדינות ומציג את האיש במצב רוח מלאנכולי. האמן הניח צללים כהים מתחת לקווי-המיתאר של הלחי והסנטר - תחבולה שהשתמש בה תכופות בדיוקנאות המצויירים - קרוב לוודאי כדי להפריד בין תווי-הפנים לבין השיער והצוואר.

מתוך עשרת הרישומים האחרים, נמצאים חמישה באוסף הרייקסמוזיאום באמסטרדאם, שלושה באוסף פרטי באמסטרדאם, אחד באוסף ויקטור סומארלי באיפסוויץ', אנגליה ומקום הימצאו של האחרון אינו ידוע.

עיזבון אוסף פרוינד, ירושלים, 1957
מספר רשום MP 150-6-57

14. Isaac van Ostade

Haarlem 1621-1649 Haarlem

Peasants' Repast

Brown ink over black chalk on paper; 132 × 166mm

BIBLIOGRAPHY: Bernhard Schnackenburg, *Adriaen van Ostade, Isack van Ostade, Zeichnungen und Aquarelle*, Gesamtdarstellung mit Werk katalogue, Dr. Ernst Hauswedell & Co., Hamburg, 1981, cat 431, p. 182

Isaac van Ostade, like his brother and teacher Adriaen, dedicated his brief artistic career to the depiction of the genre scene, perhaps the most characteristic and memorable theme in 17th-century Dutch painting. Born in Haarlem, the Paris of 17th-century Holland, Isaac entered its Painters' Guild in 1643. His many drawings reiterate the rowdy camaraderie enjoyed by the lower classes and are often confused with those of his brother. However, close study reveals that Isaac's drawings are executed with more speed and animation; his line is also somewhat more nervous than that of Adriaen. Isaac's peasants at work and play show him a faithful product of the Haarlem school, concerned with capturing the spirit of this beer-drinking, beer-producing town, both in choice of subject and technique.

The black-chalk underdrawing on this sheet seems to have been done from life. The figure at the right end of the table appears in at least two other drawings (Schnackenburg, nos. 433 and 2144: see bibliography).

Gift of the Freund Collection, Jerusalem, 1957
Reg. No. MP 149-6-57

איזאק ואן אוסטאדה

הארלם 1621 - 1649 הארלם

סעודת איכרים

דיו חומה מעל גיר שחור על-גבי נייר, 132×166 מ"מ

בדומה לאחיו הבכור ומורו אדריאן, הקדיש איזאק ואן אוסטאדה את הקריירה האמנותית הקצרה שלו לתיאור מחזות הווי, נושא חביב באמנות ההולנדית במאה ה-י"ז והמאפיין העיקרי שלה.
איזאק נולד בהארלם, הבירה האמנותית של הולנד במאה ה-י"ז, והצטרף לגילדת הציירים שלה ב-1643. רישומיו המרובים החוזרים ומתארים שוב ושוב את הנאות החיים הטובים, נחשבים לעתים בטעות לרישומים של אחיו, אולם בדיקה מקרוב מגלה שרישומיו של איזאק מבוצעים ביתר מהירות וחיוניות. הקו עצבני במקצת בהשוואה לזה של אדריאן. דרכו של איזאק בתיאור האיכרים בעבודתם ובשעות הפנאי שלהם מציגה אותו כתלמיד נאמן של אסכולת הארלם, שאמניה התרכזו בתפיסת הרוח המיוחדת של עיר שותי-הבירה ויצרניה הן בבחירת הנושא והן בטכניקה.

הרישום בגיר שחור שמתחת לדיו בגיליון שלפנינו נעשה כמדומה מהטבע. הדמות היושבת בצד ימין של השולחן מופיעה בעוד שני גיליונות לפחות (ביבליוגרפיה מס' 433 ו-2144).

עיזבון אוסף פרוינד, ירושלים, 1957
מספר רשום MP 149-6-57

15. Esaias van de Velde

Amsterdam ca. 1591-1630 The Hague

Man on Horseback Conversing with a Woman, 1628

Black chalk and ink on paper, 195 × 303 mm
Signed and dated, lower left: "V VELDE 1628"

BIBLIOGRAPHY: George S. Keyes, *Esaias van de Velde, 1587-1630*, Davaco, 1984, cat. no. D45, fig. 335
EXHIBITIONS: *Old Master Drawings,* The Israel Museum, Jerusalem, Winter 1972

Esaias van de Velde was the eldest son of a prominent artistic family in Haarlem which included his younger brother, Willem van de Velde the elder (1611-1693) and his cousin Jan van de Velde (1593-1641). He entered the St. Luc Painters Guild in Haarlem with Willem Buytewech and Hercules Seghers.

Considered one of the founders of the school of Dutch landscape painting in the 17th century, and primarily a landscape "specialist," van de Velde also depicted cavalry skirmishes and a variety of genre scenes. Perhaps his most important contribution was the introduction of naturalism into landscape painting, depicting specific features of the Dutch countryside, and abandoning in his later work such conventions as the "bird's-eye-view," stage-wings on the sides of the composition, and superfluous, distracting details still employed by others.

Van de Velde's originality is clearly seen in The Israel Museum's drawing. The viewer is led directly from the first, darker plane which includes the figures through the bridge in the middle to the little typical village in the foggy distance. As one of the so-called "landscape specialists," van de Velde drew directly from nature, and the level of specific detail in the bridge and village suggest that our landscape was indeed so drawn.

Additional major sources of inspiration for van de Velde were the works of Roelandt Savery (Flanders 1576-1639), and of Pieter Bruegel the Elder (Flanders 1525-1569). Professor Haverkamp-Begemann has drawn my attention to the relative disproportion of the horses and figures in our sheet and he suggests the possibility that our drawing was based on one of a series by Savery formerly given to Bruegel and now lost (see J. A. Spicer, "The Naer Het Leven Drawings by Pieter Bruegel or Roelandt Savery?" *Master Drawings*, 8:1, Spring, 1970, pp. 3-30).

Museum Purchase, 1954
Reg. No. M 3448-8-54

אֶזָאיָאס ואן דה וֶלדֶה

אמסטרדאם 1587 - 1630 האג

גבר על סוס משוחח עם אשה, 1628

גיר שחור ודיו על־גבי נייר, 195×303 מ"מ
חתום ומתוארך למטה משמאל: "V. Velde 1628"

תולדות הרישום: בלתי ידועות
תערוכות: "רישומי מופת מאוסף מוזיאון ישראל", ירושלים, חורף, 1972

אזאיאס ואן דה ולדה, בן בכור למשפחת אמנים חשובה בהארלם שכללה את אחיו הצעיר וילם ואן דה ולדה האב (1693-1611) ואת בן־דודו יאן ואן דה ולדה (1641-1593), הצטרף לגילדת הציירים של סנט לוקאס בהארלם עם וילם בויטֶווך והרקולס זכרס. אזאיאס ואן דה ולדה נחשב לאחד ממייסדי אסכולת ציור הנוף ההולנדי במאה ה־י"ז. בנוסף להיותו בראש ובראשונה צייר נוף "מומחה", תיאר גם מחזות הווי ותחרויות פרשים. תרומתו החשובה ביותר היתה הכנסת פרטים ריאליסטיים מסויימים אל ציורי הנוף באמצעות תיאור תווי־היכר אופייניים של הנוף ההולנדי, זניחת קונבנציות בציורי הנוף המאוחרים שלו, כגון מראה ממעוף הציפור, סימון ברור של צדי הקומפוזיציה וויתור על הפרטים המרובים המסיחים את הדעת המופיעים בעבודות קודמיו ובני דורו. ניתן לראות שינוי זה בבירור ברישום שלפנינו, שבו מובל הצופה ישירות מהמשטח הראשון הכהה יותר של הרישום, הכולל את קבוצת הדמויות, דרך הגשר אל הרקע האמצעי, ומשם אל כפר טיפוסי קטן ברקע המעורפל הרחוק.

הציירים ה"מומחים" של הנוף ההולנדי מהמאה ה־י"ז הירבו יותר מקודמיהם לרשום ישירות מהטבע. פרטי הגשר והעיר מצביעים שהרישום נעשה מהטבע. א׳ האברקאמפ־בכמאן הסב את תשומת לבנו לתחושה מסויימת של אי־נחת בקשר לסוס ולשתי הדמויות ביחסי הגדלים ביניהם למשל, וכמו כן לדומות הברורה של האיש וסוסו לדמויות ולסוסים מקבילים ברישומי קבוצת "על-פי הטבע" של רולאנד סאברי (פלאנדריה 1639-1576, מוזכרים תכופות כאחד ממקורות ההשראה העיקריים של אזאיאס ואן דה ולדה), שיוחסו בעבר לפיטר ברויגל האב. האברקאמפ־בכמאן העלה גם את האפשרות שברישום שלנו השתמש ואן דה ולדה באחד מרישומי הסידרה, שאבדו בינתיים, בתור דוגמה (ראה: Joaneath Ann Spicer, "The Naer Het Leven Drawings: by Pieter Bruegel or Roland Savery?" *Master Drawings*, 8:1, Spring .(1970, pp. 3-30

רכישה, 1954
מספר רשום M 3448-8-54

16. Vincent van Gogh

Zundert, Holland 1853-1890 Auvers-sur-Oise

Peasant Woman Digging, 1885

Black chalk on paper, 481 × 327 mm
Signed, lower left: "Vincent"
Inscribed verso, lower left: "Vincent verz" (illegible)

Provenance: J. Hidde Nijland, The Hague (since 1955); Mr. & Mrs. H. L. Herring, New York, 1970

Bibliography: J. B. de la Faille, *L'Oeuvre de Vincent van Gogh, Catalogue Raisonné*, Paris and Brussels, 1928, ill. no. F1252; W. van Beselaere, *De Hollandsche Period in het werk van Vincent van Gogh*, Amsterdam, Antwerp, 1937; J. B. de la Faille, *The Works of Vincent van Gogh*, Reynald & Company, Amsterdam, 1970, ill. no. F 1252; Jan Hulsker, *The Complete van Gogh*, New York, 1980, ill. 890

Exhibitions: Amsterdam, *Vincent van Gogh, Gebouw voor Beeldende Kunst*, Vondelstraat, March–April, 1924; *Vincent van Gogh, loan exhibition*, Wildenstein & Co., March–April, 1955; *Opening of Floersheimer Pavilion*, The Israel Museum, Jerusalem, May, 1979

Having tried and failed as art dealer, teacher, clerk, theological student and missionary, Vincent van Gogh decided in 1880 to devote himself to art. In Nuenen by 1885, he had realized his hope of becoming a "peasant painter," and it is from this year that our drawing dates. With its coarse handling *Peasant Woman Digging* expresses a vision of the laboring classes common to a large group of drawings characteristic of this period. It is the bending gesture of the woman and her grasp on the tool she is using which are important here—she is faceless, and recalls Meyer Schapiro's observation, that "the somber peasant-painting in Holland pictured man after the Expulsion, doomed to a wearisome labor" (*Vincent van Gogh*, New York, 1950, p. 13).

Yet to van Gogh these peasants stood for eternity and security. As he wrote to his brother Theo (letter no. 413): "It is something always to be with the women reaping the grain and the peasant girls; with the great sky above in summer, and beside the black hearth in winter. And to feel that it has always been and always will be."

The Israel Museum drawing closely resembles the work of Jean François Millet (French 1814-1875), an artist greatly admired by van Gogh, even before his years in Paris. In 1885 van Gogh wrote: "The figure of the peasant and laborer began as a genre but today, with Millet as the eternal master leading the way, it is the very heart of modern art and will continue to be." Millet's idealized vision of laborers and farm work in general immensely impressed van Gogh as a true celebration of nature.

From March of 1886, when he left for Paris, until 1888 in Arles, this important theme was not treated again as Vincent was preoccupied with absorbing the lessons of Impressionism.

Gift of Mr. & Mrs. H. L. Herring, New York, to American Friends of The Israel Museum, 1978
Reg. No. 243.78

וינסנט ואן גוך

זונדרט, הולנד 1853 - 1890 אובר-סיר-אואז

איכרה חופרת, 1885

גיר שחור על-גבי נייר, 481×327 מ"מ
חתום למטה משמאל: "Vincent"
רשום בעט למטה משמאל על גב הגיליון: "Vincent Verz" (מילה לא ברורה)

תולדות הרישום: הידה ניילאנד, האג (מאז 1955); מר ה.ל. הרינג ורעייתו, ניו יורק, 1970
תערוכות: פתיחת ביתן פלורסהיימר, מוזיאון ישראל, ירושלים, מאי 1979

לאחר שניסה את מזלו ונכשל בתור סוחר־אמנות, עוזר למורה, פקיד, תלמיד תיאולוגיה ומיסיונר, החליט ואן גוך ב-1880 להקדיש את עצמו לאמנות. הרישום "איכרה חופרת" נוצר בקיץ 1885 כאשר התגורר בכפר נונן, שבו הגשים את תקוותו המקורית ונעשה "צייר איכר". הרישום שלנו, בביצועו המחוספס, אופייני ליצירתו של האמן באותה תקופה ונראה הולם בדיוק את התמונה "האקספרסיוניסטית" שהצטיירה לו על סבלות מעמד העמלים. הוא שייך לקבוצת רישומים גדולה של איכרים בעבודתם. תנוחתה הכפופה של האשה ואחיזתה באת נראות חשובות בעיניו יותר מראשה החסר תווי-פנים. תיאור כגון זה גרם ללא ספק למאיר שפירו להעיר ש"תמונת האיכרים הקודרת בהולנד ציירה את האדם לאחר שגורש מגן העדן ונידון לעבוד בזיעת-אפיו" (Meyer Schapiro, *Vincent Van Gogh,* New York, 1950, p.13); אבל ואן גוך ראה באיכרים האלה סמל לנצחיות ולביטחון, וכך כתב לאחיו תיאו (מכתב מס' 413): "זהו דבר מה - הקשור תמיד בנשים הקוצרות את התבואה ובנערות האיכרים עם השמיים הגדולים מעל בקיץ וליד האח השחורה בחורף; ולהרגיש שכך היה מעולם וכך יהיה לעולם." הרישום מזכיר מאד את יצירתו של מייה, שראייתו האידיאליסטית את האדם העמֵל ואת עבודת השדה בכללה נתפסה כשיר-ההלל האמיתי לטבע. השפעתו העצומה של מייה הורגשה אצל ואן גוך בשנותיו הראשונות כאמן, לפני ביקורו בפריס. בקיץ 1885 כתב: "דמות האיכר והפועל החלה כז'אנר, אולם כיום, עם מייה כאמן הנצחי המורה את הדרך, היא לב לבה של האמנות המודרנית וכך תישאר".

יצירת-המופת הראשונה של ואן גוך, "אוכלי תפוחי האדמה", צוירה גם היא ב-1885. אולם יוצרה עתיד בקרוב (מרץ 1886) לנסוע לפריס, לספוג את מורשת האימפרסיוניסטים ולשכוח לכאורה את האיכר, ורק ב-1888, בארל, ישוב ויחזור לנושא חשוב זה.

מתנת מר ה.ל. הרינג ורעייתו, ניו יורק, לידידי מוזיאון ישראל בארצות הברית, 1978
מספר רשום 243.78

Vincent

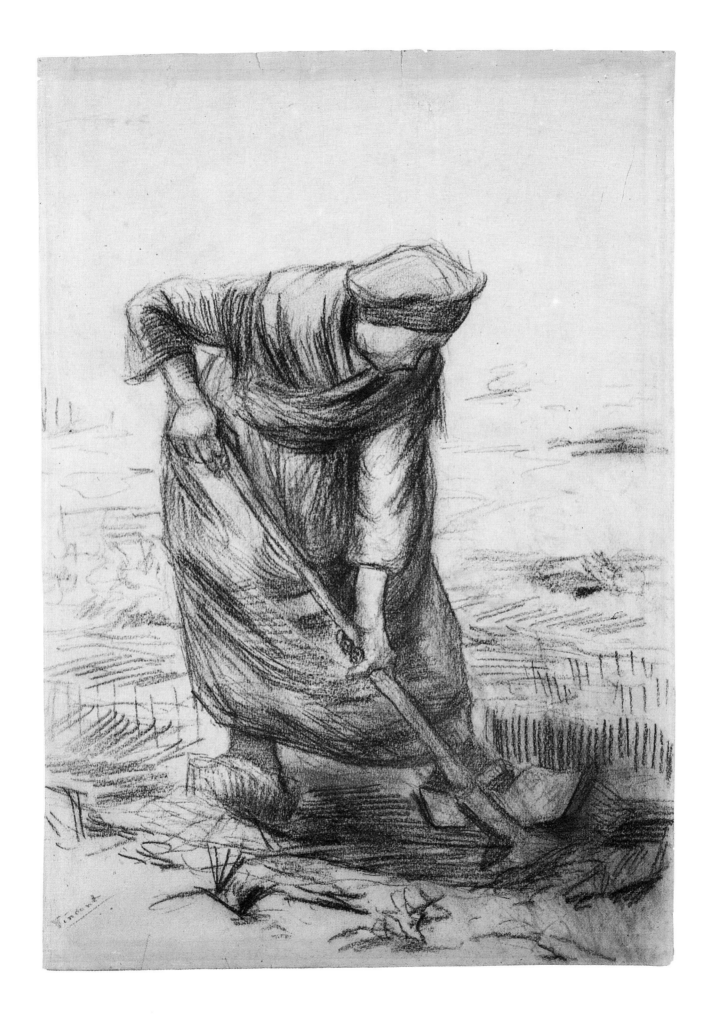

17. Isaac Lazarus Israels

Amsterdam 1865-1934 The Hague

Studies of a Woman Walking holding an Umbrella, ca. 1900-1910

Black crayon on paper; 415 × 280 mm
Stamped, lower right: "Atelier Isaac Israels"

Isaac Israels and his father, the painter Joseph Israels, are outstanding representatives of Dutch Impressionism. In 1891 the Burgomaster and Aldermen of Amsterdam granted Isaac permission to draw and paint outdoors, on the streets of the city. Perhaps as a result of this license as well as because of his own strong predilection, the artist remained committed to Impressionism throughout his life. Neither his ten years in Paris (1903-1913), during the formative moments of Fauvism and Cubism, nor his friendship with Steinlen and Van Dongen, changed his direction appreciably. The last twelve years of Israels' life were spent in The Hague where he became a fashionable portrait painter.

In The Israel Museum's drawing, the artist has done three sketches of the same woman walking in the rain. Her final, full-length form centered on the sheet is rapidly delineated; only a few sharp lines differentiate her from the boldly smudged background. Holding an umbrella and gathering her train to protect it from the damp pavement, she must have been drawn directly from life and may well have been intended for a painting. The drawing could have been executed in Paris since it belongs stylistically to Israels' work of the first decade of the century. At this period his street scenes are vibrant, suffused with light and filled with concise observations of gesture, recalling the works of Menzel and Degas. Figures which are intended as formal components to produce a general effect rather than as psychological beings created for contemplation are characteristic of the last phase of Israels' career when he was influenced by the work of Max Liebermann (cf. ill. nos. 14 and 15 in Anna Wagner, *Isaac Israels*, Amsterdam, 1969).

Gift of the Trevaert-Cohen Family, Amsterdam, 1951
Reg. No. M 2146-6-51

איזאק לזארוס יזראלס

אמסטרדאם 1865 - 1934 האג

מתווה אשה מחזיקה מטרייה, 1910-1900 בקירוב

גיר שמנוני שחור על-גבי נייר, 280×415 מ"מ
חותמת הסדנה למטה מימין: "Atelier Isaac Israels"

איזאק יזראלס ואביו הצייר יוזף יזראלס הם מייצגים בולטים של האימפרסיוניזם ההולנדי. בשנת 1891 נתן ראש העיר אמסטר-דאם לאיזאק יזראלס רשות לעבוד בחוצות העיר, והוא נשאר ביסודו אימפרסיוניסט עד סוף ימיו. אפילו לעשר שנותיו בפריס (1913-1903), שנות התהוות הפוביזם והקוביזם, ולידידותו עם סטינלן וואן דונגן, היו כמדומה השפעה קטנה להפליא על עבודתו. את שתים-עשרה שנותיו האחרונות עשה בהאג שם היה לצייר דיוקנאות מקובל.

האשה ברישום, המשורטטת בקווים חדים ספורים המבדילים אותה מהרקע, מחזיקה מטרייה, ובידה השנייה אוספת את שובל שמלתה שלא תירטב במדרכה הלחה. היא נרשמה כנראה מהחיים וייתכן שנועדה להשתלב בציור שמן. אפשר שהרישום נעשה בפריס, מאחר שמבחינה סגנונית הוא משתייך ליצירתו של יזראלס בעשור הראשון למאה הנוכחית, כאשר מראות הרחוב שלו היו שופעי מרץ, מלאי אור והעידו על התבוננות חטופה בתנועות ומֶחְוות בדומה לדגה ולמֶנְצֶל לפניו.

הדמויות - מרכיבים צורניים של מראה כללי יותר מאשר ישויות פסיכולוגיות הראויות לעיון מדוקדק - אופייניות לשלב האחרון בקריירה שלו שבו הושפע ממקס ליברמן (ראה Anna Wagner, *Isaac Israels,* Amsterdam, 1969, ill.nos. 14-15).

מתנת משפחת טְרֶוואֶרט-כהן, אמסטרדאם, 1951
מספר רשום M 2146-6-51

M 2146-6-57

18. Johan Barthold Jongkind

Lathrop, Holland 1819-1891 Côte Saint-André

Two Views of Pupetière, Dauphiné, 1875 (recto and verso)

Watercolor and black chalk on paper; 118 × 240 mm
Inscribed recto, lower right: "Pupetière, 17 Aout 75 96-101"
Stamped recto, lower right: "Jongkind" (Lugt 1401)
Inscribed verso, lower left: "Pupetière 3 Sept. 1875"

BIBLIOGRAPHY: George Besson, *Johan Barthold Jongkind*, Paris, not dated, ill. no. 6 (recto)
EXHIBITIONS: *Impressionist Prints and Drawings,* The Israel Museum, Jerusalem, December 1974–February 1975; *Opening of the Floersheimer Pavilion,* The Israel Museum, Jerusalem, May 1979

Johan Barthold Jongkind is one of the fathers of French Impressionism but relatively little known. Boudin exclaimed that Jongkind "forced the gate through which all the Impressionists made their entry," and Pissarro admitted "if he had not been, we would not have been." Although he did not participate in the first Impressionist exhibition of 1874, Jongkind showed work earlier at the Salon des Refusés in 1863 with future Impressionists Pissarro, Cézanne, Guillaumin, and Manet (his student).

As early as the summer of 1864 the artist had painted two views of the apse of Notre-Dame in Paris, once in the morning and again at sunset, standing each time at the same spot. In so doing, Jongkind introduced an approach made famous by Monet in his series paintings of the 1880s and 90s. From 1860 on, Jongkind generally signed and documented his work so carefully that one can follow his daily progress. Watercolor was always a technique he enjoyed, and he used it outdoors both in preparation for oils finished in the studio, and as an end in itself. It is in these swiftly conceived and executed watercolors that Jongkind paints most spontaneously, a true Impressionist.

On both recto and verso, the Israel Museum's watercolor demonstrates the artist's fascination with diagonals, so pronounced in the fence and in the outline of the hill. Also, the feeling of wind blowing the trees is successfully conveyed and energizes the composition. Recto and verso were painted within two weeks of each other, just before he and his companion, Mme. Joséphine Fesser, left for Switzerland from the Dauphiné village where they spent most of the last fifteen years of their lives.

Gift of Joseph Spreiregen, Cannes, 1972
Reg. No. 618.72

יוהאן בארתולד יונגקינד

לאטרופ, הולנד 1819 - 1891 קוט סנט אנדרה

שני מראות של פופטייר, דופינה, 1875 (משני צדי הגיליון)

צבע-מים וגיר שחור על-גבי נייר, 118×240 מ"מ
כתובות: למטה מימין: "Pupetière 17 Aout 75 96-101"
חתום למטה מימין בחותמת הסדנה: "Jongkind" (Lugt 1401)
למטה משמאל על גב הגיליון: "Pupetière 3 Sept. 1875"

תערוכות: "הדפסים ורישומים אימפרסיוניסטיים", מוזיאון ישראל, ירושלים, דצמבר 1974-פברואר 1975; פתיחת ביתן פלורסהיימר, מוזיאון ישראל, ירושלים, מאי 1979

יוהאן בארתולד יונגקינד - פחות ידוע אמנם, אך מוכר כאחד מאבות האימפרסיוניזם הצרפתי - לא נטל חלק בתערוכה האימפרסיוניסטית הראשונה ב-1874, אולם הציג קודם לכן עם אימפרסיוניסטים לעתיד: מאנה, פיסארו, גיומן וסזאן, בסלון הדחויים ב-1863.

בודן הכריז שיונגקינד "פרץ את השער שדרכו נכנסו כל האימפרסיוניסטים", ופיסארו הודה ש"אלמלא היה הוא, לא היינו אנחנו." יונגקינד היה מדריכו של מאנה, וכבר בקיץ 1864 צייר פעמיים את האפסיס של נוטר-דאם בפריס, פעם בבוקר ופעם לעת השקיעה. בשני המקרים עמד באותו מקום עצמו, ובכך נקט גישה אימפרסיוניסטית טהורה. מ-1860 ואילך, החל יונגקינד לחתום על יצירותיו ולתעדן, וכך אפשר להתחקות אחרי יצירתו מיום ליום.

טכניקת צבע-המים היתה תמיד אהודה עליו מאד. הוא השתמש בה במתווים שיצר בחוץ כהכנה לתמונות שמן שצייר בסדנה, וכן ביצירות אמנות העומדות בפני עצמן. מקובל לטעון שהאי-מפרסיוניסטים ציירו ללא מתווי־הכנה: מתוויו של יונגקינד מעידים על ההפך. דווקא בצבעי-המים שלו המבוצעים בזריזות באה לידי ביטוי רוחו האימפרסיוניסטית האמיתית.

בפופטייר, הכפר בדוֹפינה שבדרום-מזרח צרפת המתואר ברישום זה שמקורו כנראה בפנקס מתווים של יונגקינד, בילו האמן ובת לוויתו, מדאם ז׳וזפין פסה, את רוב זמנם בחמש-עשרה השנים האחרונות לחייהם. הרישומים משני צדי הגיליון נעשו בתוך שבועיים, זמן קצר לפני צאת הזוג לשוויצריה.

הנוף שעל גב הגיליון מצומצם יותר בהקפו מהנוף שבצד א׳ של הגיליון, והתוספת כוללת כפי הנראה מתווה אופקי מודבק אנכית של העצים הנראים בצד א׳. בשני המקרים בולטת להיטותו של האמן אחר האלכסונים, בין בגדר ובין במדרון הגבעה. תחושת הרוח הנושבת בעצים מוסיפה לדינמיות של הקומפוזיציה.

מתנת יוסף ספרירגן, קאן, 1972
מספר רשום 618.72

ENGLISH SCHOOL
אסכולה אנגלית

19. Edward Lear

Highgate, England 1812-1888 San Remo, Italy

View of Jerusalem from the Mount of Olives, 1858

Pen, ink and watercolor on thick brown paper, 295 × 462 mm
Signed, lower left: "Edward Lear"
Inscribed, lower center: "Jerusalem May 1858"

EXHIBITIONS: *Travelers to the Holy Land*, The Israel Museum, Jerusalem, February–April, 1973; *Sites and Sights in Jerusalem in 19th Century Prints, Drawings, and Photographs*, The Israel Museum, Jerusalem, May–June, 1981

Painter of parrots and turtles, "nonsense poet" and draughtsman, Edward Lear became primarily a landscape painter, travelling most of his life in Italy, Sicily, Greece, Turkey, Malta, Egypt, India, Ceylon, and Palestine; he lived variously in Corfu, Cannes, Rome, and San Remo.

Lear made two trips to Jerusalem, once in 1858, and again in 1867; our watercolor dates from his first visit. The artist arrived on March 27, 1858, and began exploring the area immediately outside the walls the very next day. Returning from the Nabatean city of Petra to Jerusalem on April 20th, he spent a week encamped on the Mount of Olives making drawings for a painting of Jerusalem at sunset commissioned by Lady Waldegrave (MS. Letters [Ann], April 23, 28; May 2, 1858; sale, Christie's, July 29, 1977, London, lots 107, 174; private collection, England).

The watercolor in the Israel Museum depicts the city from a nearly identical viewpoint as a painting of 1859, although from a somewhat lower vantage point (*Jerusalem from the Mount of Olives, Sunrise*, MaryAnn Stevens, ed., *The Orientalists: Delacroix to Matisse*, Royal Academy of Arts, London, 1984, no. 83). The painting had been commissioned by Sir James Reid, Chief Justice in the Ionian Islands when Lear was living in Corfu, and before his actual visit to the Holy Land.

Exact naturalistic representation was the goal of Lear's ambitious paintings. What he usually achieved however was a dramatic, brilliantly colored and idealized view of a very picturesque setting at a time of day when the light effects were most memorable. Before color photography, his achievement was most unusual and he found a good many commissions for his finished work. Nevertheless, the magic of his particular vision is perhaps best revealed in his preparatory watercolor drawings—these freely drawn and rapidly colored creations with color notations frequently inscribed all about show how he was able to focus on the particular perspective and topographic features which gave a scene its pictorial potential. His finished watercolors, such as our view of Jerusalem, may not retain the vivacity and sense of moment of the more rapid sketches, but they are remarkable as jewels of observation and nostalgia, capturing the pleasure and poetry of distant lands.

Edward Lear is represented in the Israel Museum collection by two additional examples: watercolors of Hebron (April 1858, reg. no. 78.69) and of Masada (reg. no. 763.85).

Gift of Rudolf G. Sonneborn, New York, to America-Israel Cultural Foundation, 1964
Reg. No. M 3535-4-64

אדוארד ליר

הייגייט, אנגליה 1812 - 1888 סן רמו, איטליה

מראה ירושלים מהר הזיתים, 1858

עט, דיו וצבע-מים על-גבי נייר חום עבה, 462×295 מ"מ
חתום למטה משמאל: "Edward Lear"
רשום למטה במרכז: "Jerusalem May 1858"

תערוכות: "הדפסים ורישומים של נוסעים בארץ-הקודש במאות ה-ט"ז-כ", מוזיאון ישראל, ירושלים, פברואר-אפריל 1973; "אתרים ומראות בירושלים - הדפסים, רישומים ותצלומים מהמאה ה-י"ט", מוזיאון ישראל, ירושלים, מאי-יוני 1981

אדוארד ליר, צייר תוכיים וצבים, משורר "נונסנס", רשם, ובעיקר צייר נופים, בילה את רוב חייו במסעות. הוא חי ברומא, קורפו, קאן וסן רמו וסייר באיטליה, סיציליה, יוון, טורקיה, מלטה, מצרים, ארץ-ישראל, הודו וציילון.

ליר ביקר בירושלים פעמיים, פעם אחת ב-1858 ופעם שנייה ב-1867. ציור צבע-המים שלנו נעשה בביקורו הראשון. ליר הגיע לירושלים ב-27 למרס 1858, ולמחרת סייר בשטח שמחוץ לחומות. לאחר שביקר בפטרה, חזר לירושלים ב-20 באפריל. בשבוע ששהה על הר הזיתים, עסק בהכנת רישומים לציור ירושלים בשעת השקיעה שהזמינה אצלו ליידי וולדגרייב (מכתבים לאן מס' 23, 28; 2 במאי, 1858; כריסטי'ס, 29 ביולי, 1977, לונדון, מס' מוצג 107, 174; אוסף פרטי, אנגליה).

הרישום מתאר את ירושלים מנקודת מבט זהה כמעט לזו של ציור השמן "ירושלים מהר הזיתים, זריחה", אך נמוכה ממנה במקצת (מס' 83 בספרה של Mary Ann Stevens, ed., *The Orientalists: Delacroix to Matisse*, Royal Academy of Arts, London, 1984). ציור זה צוייר בשנת 1859 בשביל סר ג'יימס ריד, שהיה שופט עליון באיים האיוניים בעת שליר התגורר בקורפו לפני ביקורו בארץ-ישראל. אף-כי ליר חתר בציור לייצוג נטוראליסטי מדוייק, הרי ברישומיו הירשה לעצמו יותר חירות. בנופיו נהג לרשום באתר רישום כללי בעיפרון ולהוסיף קווי-מיתאר בעט ומגוונים לאחר מכן. הוא גם השתמש בצילומי האתרים השונים שאסף.

באוסף מוזיאון ישראל מצויים שני ציורים נוספים בצבעי-מים של אדוארד ליר: האחד מראה את חברון (אפריל 1858, מס' רשום 78.69) והשני את מצדה (מס' רשום 763.85).

מתנת רודולף ג' סונבורן, ניו יורק, לקרן התרבות אמריקה-ישראל, 1964
מספר רשום M 3535-4-64

20. Joseph Mallord William Turner

London 1775-1851 London

North-West View of Jerusalem, ca. 1832-34

Watercolor over pencil and ink on paper, 121 × 203 mm

PROVENANCE: ? Wyatt, sale Christie May 13, 1869 (lot 289), bt. Hall; Myles Kennedy, sale Christie March 16, 1889 (lot 48), bt. Agnew; C. S. Hayne, sale Christie April 16, 1904 (lot 39), bt. Permain; Barnet Lewis, sale Christie February 28, 1930 (lot 52), bt. Agnew; Frost & Reed, 1931; Major Cecil M. Wills; anon. sale Christie May 23, 1952 (lot 75) bt. Cain; S. A. Cave, sale Christie May 25, 1961 (lot 107), bt. Taishoff; anon; Elain G. Weitzen; The Jerusalem Foundation

BIBLIOGRAPHY: W. Thornbury, *The Life of J. M. W. Turner, R.A.*, London 1876, vol. II, pp. 559, 619; Sir W. Armstrong, *Turner*, London 1902, p. 259; W. G. Rawlingson, *The Engraved Work of J. M. W. Turner, R. A.* London 1908, vol. II, p. 309; Mordechai Omer, *Turner and the Bible*, Jerusalem, 1979, cat. no. VII, ill. on right cover; Andrew Wilton, *J. M. W. Turner, His Art and Life*, New York 1979, no. 1254

EXHIBITIONS: *Turner and the Bible*, The Israel Museum, Jerusalem, July–October 1979

Over the centuries, the city of Jerusalem has captured the hearts and minds of many poets and painters. The Israel Museum possesses excellent examples of the inspired visions of our city by both major and minor artists. Among these, we are fortunate to have this watercolor by the preeminent English artist of the nineteenth century, J. M. W. Turner. Turner never visited Jerusalem and the Holy Land. Nevertheless, his imagination was strongly attracted to its topography because of his knowledge of the Bible and his familiarity with paintings and prints of the region made by nineteenth-century artists who had traveled there in the spirit of Romanticism.

North-West View of Jerusalem inspired the engraving which is plate 19 of a group of twenty-six prints illustrating Finden's *Landscape Illustrations of the Bible*. This work was published in 1836 by the Finden brothers and John Murray. Turner painted our watercolor from a sketch drawn in situ by Sir Charles Barry (1795-1860) who made the Grand Tour in 1817-1820 and was commissioned to execute these sketches by David Baillie, an archaeological traveler. It is interesting to note that while working on Finden's project in 1833, Turner went to Paris where he met Delacroix who had recently returned from North Africa. The French master had done many watercolors on site and was beginning to create his own considerable repertoire of Oriental themes.

Turner's view shows the city from the North looking South, with Damascus Gate on the left. The Dome of the Rock is slightly left of center and the Mount of Olives rises from behind it. On the right is the Dome of the Holy Sepulchre. In the foregound, on the right, a group of women and children rest under the trees. They are presumably pilgrims, dressed in what seems like a European vision of Oriental clothing. The entire ensemble of landscape and figures animates Psalm CXXII; 2-3: "Our feet shall stand within thy gates, O Jerusalem. Jerusalem is builded as a city that is compact together."

On permanent loan from the Jerusalem Foundation, 1979
Reg. No. L. 79.2

ג׳וזף מאלורד ויליאם טרנר

לונדון 1775 - 1851 לונדון

מבט על ירושלים מצפון־מערב, 1834-1832 בקירוב

צבע־מים מעל עיפרון ודיו על־גבי נייר, 203×121 מ״מ

תולדות הרישום: וואיט, כריסטי׳ס, 13 במאי, 1869, מוצג מס׳ 289, נקנה ע״י הול; מיילס קנדי, כריסטי׳ס, 16 במרץ, 1889, מוצג מס׳ 48, נקנה ע״י אגניו; ק.ס. היין, כריסטי׳ס, 16 באפריל, 1904, מוצג מס׳ 39, נקנה ע״י פרמיין; בארנט לואיס, כריסטי׳ס, 28 בפברואר, 1930, מוצג מס׳ 52, נקנה ע״י אגניו; פרוסט וריד 1931; מייג׳ור ססיל מ. ווילס; אלמוני, כריסטי׳ס, 23 במאי, 1952, מוצג מס׳ 75, נקנה ע״י קיין; ס.א. קייב, כריסטי׳ס, 25 במאי, 1961, מוצג מס׳ 107 נקנה ע״י ג׳רום טייסהוף; אלמוני; איליין ג. וויטצן

ביבליוגרפיה: מרדכי עומר, ״טרנר והתנ״ך״, ירושלים, 1979, קטלוג מס׳ VII, איור על הכריכה הימנית

תערוכות: ״טרנר והתנ״ך״, מוזיאון ישראל, ירושלים, יולי־אוקטובר 1979

לאמיתו של דבר, לא ביקר טרנר בירושלים מעודו. משיכתו אל נופי העיר היתה מבוססת על ידיעתו העמוקה בתנ״ך, והשראתו נבעה מציורי המאה ה־י״ט של המזרח שציירו אמנים שנסעו לשם בלהט הרומאנטיציזם.

המבט על ירושלים מצפון־מערב הוא הלוח התשעה-עשר מתוך קבוצה של עשרים ושישה תרשימים שביצע טרנר בין השנים 1836-1833 לתחריטים שנועדו לאייר את ספרם של האחים פינדן: *"Landscape Illustrations of the Bible"*, שיצא לאור במשותף על-ידי האחים פינדן וג׳ון מורי ב־1836. טרנר הכין את ציור המים על-פי מתווה שרשם במקום סר צ׳ארלס בארי (1860-1795), שערך את ה״מסע הגדול״ בשנים 1820-1817 ורשם מתווים אלה על-פי הזמנתו של דיוויד ביילי, תייר־ארכיאולוג. מעניין לציין שטרנר, בעת שעבד על הפרוייקט של פינדן ב־1833, נסע לפריס ופגש את דלקרואה שחזר זה לא מכבר מצפון-אפריקה והחל אז ליצור את הרפרטואר המקיף של נושאים מזרחיים.

הנוף של טרנר מראה את העיר מהצפון דרומה, עם שער שכם משמאל, כיפת הסלע מעט שמאלה מהמרכז והר הזיתים מתנשא מאחוריה. מימין נראית כיפת כנסיית הקבר. בקדמת התמונה, מימין, קבוצה של נשים וילדים, עולי־רגל מן הסתם, לבושים במה שנראה כגירסה אירופית לבגדים מזרחיים, נחה מתחת לעצים. מכלול הנוף והדמויות מאייר פסוקים ב׳, ג׳ בפרק קכ״ב בתהילים: ״עומדות היו רגלינו בשעריך ירושלים. ירושלים הבנויה כעיר שחוברה לה יחדיו״.

השאלת קבע מקרן ירושלים, 1979
מספר רשום L. 79.2

21. David Bomberg

Birmingham 1890-1957 London

Study for "The Mud Bath," 1914

Black chalk and red crayon on paper, 455 × 685mm
Signed and dated, lower center: "David Bomberg 1914"

PROVENANCE: D'Offay Couper Gallery, London
BIBLIOGRAPHY: Andrew Forge, "The Mud Bath," *David Bomberg 1890-1957*, The Arts Council of Great Britain, 1967; Stephanie Rachum, "David Bomberg's Palestine Sojourn: A Catalyst of Stylistic Change," *The Israel Museum Journal 3* (Spring 1984), Jerusalem, pp. 59-67
EXHIBITIONS: *Abstract Art in England 1913-1915*, D'Offay Couper Gallery, London, 1969; *David Bomberg in Palestine, 1923-1927* The Israel Museum, Jerusalem Fall 1983, no. 4

This drawing is a study for David Bomberg's best known modernist painting, *The Mud Bath*, which is regarded as a manifesto of Vorticism—an expression of Cubo-Futurist trends in English art. Invented by Ezra Pound, the term "Vorticism" suggests a state of exaltation and spiritual daring—a whirlpool. The idea behind this short-lived local English movement, akin in nature and concept to Italian Futurism, was to build an abstract visual language.

The painting, in the collection of the Tate Gallery, London, was inspired by Shevik's baths in Brick Lane (Rachum, p. 67), and first exhibited in 1914 at the Chenil Gallery, London. The composition brims with energy, both physical and emotional. The rectangular bath is the red area. The pavement around it is ochry yellow. A dark pillar juts up from the near edge of the bath, cut off at the top. The bath is animated by blue and white strips, and dispersed around its edge are human figures. Some sit, some recline, and others stand.

The drawing in the Israel Museum, a kind of sentimental translation of the painting, is a third the size of the canvas and differs from it in several important respects. It colors are translucent, whereas in the painting they are opaque; in the drawing the lines are fuzzy, in the painting hard-edged; finally, in the drawing, the areas of the bath and the pavement are undefined and the dark pillar is but vaguely suggested. Overall these differences produce a graphic statement in which the machine-like quality ascribed to Bomberg's works of the period is less pronounced.

Gift of the Hanadiv Foundation, London, 1971
Reg. No. 481.71

דייויד בומברג

בירמינגהם 1890 - 1957 לונדון

מתווה ל"אמבט הבוץ", 1914

גיר שחור וגיר אדום שמנוני על-גבי נייר, 685×455 מ"מ
חתום ומתוארך למטה במרכז: "David Bomberg 1914"

תולדות הרישום: גלריית ד׳אופי קופר, לונדון
תערוכות: "דייויד בומברג בארץ-ישראל, 1927-1923", מוזיאון ישראל, ירושלים, סתיו 1983, קטלוג מס׳ 4

רישום זה הוא מתווה-הכנה לציורו הידוע ביותר והמודרניסטי ביותר של בומברג, "אמבט הבוץ", הנחשב למנשר של הוורטיציזם, ביטוי למגמות קובו-פוטוריסטיות באמנות האנגלית. המונח "וורטיציזם", שהומצא על-ידי עזרא פאונד, מצביע על מצב של הִתְעַלּוּת והעזה רוחנית - מערבולת. הרעיון שעמד מאחורי תנועה אנגלית קצרת-ימים זו, שהיתה קרובה על-פי טבעה ותפיסתה לפוטוריזם האיטלקי, היה לבנות שפה חזותית מופשטת.

הציור (כיום באוסף גלריית טייט, לונדון), המבוסס על מרחצאותיו של שויק בבריק ליין (Rachum, עמ׳ 67) ושהוצג לראשונה ב-1913 בגלריית צ׳ניל בלונדון, שופע אנרגיה פיזית ורגשית כאחת.

האמבט המלבני הוא השטח האדום. הריצוף סביב לו אוקרה צהבהב. עמוד כהה מתרומם מהקצה הקרוב של האמבט ונקטע בחלקו העליון. הפסים התוססים הכחולים לבנים שבאמבט ומסביבו הם דמויות אדם. אחדות יושבות, אחרות שכובות או עומדות.

גודל הרישום שלפנינו, הנראה כתרגום רגשי של הציור, הוא שליש מגודלו של הציור, ונבדל ממנו בהבטים אחדים: צבעיו צלולים, ואילו צבעי הציור אטומים; הקווים ברישום נוציים, ואילו בציור הם נחרצים; שטחי האמבט והריצוף אינם מוגדרים, והעמוד הכהה נמסר רק במרומז. האיכות דמויית-המכונה המיוחסת ליצירותיו של בומברג מאותה תקופה פחות מודגשת.

מתנת קרן הנדיב, לונדון, 1971
מספר רשום 481.71

22. Henry Moore

Castleford, Yorkshire 1898-1986 Hertfordshire

Two Shelter Sleepers, 1941

Wax crayon, gouache, pencil, ink and wash on paper, 336 × 563 mm
Signed and dated, lower right: "Moore 41"

EXHIBITIONS: *Recent Gifts and Gifts Promised*, The Israel Museum, Jerusalem, May–October, 1970; *Henry Moore*, Delson—Richter Gallery, Old Jaffe, Summer, 1978

World War II diverted Henry Moore's attention away from sculpture, and for nearly two years he worked exclusively on drawing. In September, 1940 he accepted Kenneth Clark's invitation to become an official War Artist. At the time, Clark served as chairman of the War Artists' Advisory Committee whose task was to select suitable artists to record the civilian side of the terrible struggle: life at home and in the factories as well as activities of the various voluntary groups.

Our drawing is from a large group of works on paper known as *The Shelter Drawings*. According to Moore himself, these were not rendered from life, but "from the memory of actuality" (Alan Wilkinson, *The Drawings of Henry Moore*, the Tate Gallery in collaboration with the Art Gallery of Ontario, 1977, p. 31). Like all Moore's drawings, the vision is that of a sculptor interested primarily in showing the three dimensional shape of things. This is achieved by means of technique—the combination of wax and wash—as well as through the artist's new emphasis on drapery which almost comes to represent the human forms it envelops.

In our drawing, the drapery can be seen as a shell protecting the vulnerable sleeping figures within. Henry Moore has drawn the two sleepers from a low viewpoint with only the arms and foreshortened heads visible. By his variations on these simple subjects he has memorialized both man's vulnerability and his courage to survive in a period of immense difficulty and tragedy.

Gift of Lord and Lady Kenneth Clark, Saltwood, through the British Friends of the Art Museums in Israel, 1970
Reg. No. 294.70

הנרי מור

קאסלפורד, יורקשייר 1898 - 1986 הרטפורדשייר

שתי דמויות ישנות במקלט, 1941

גיר שמן, גואש, עיפרון, דיו ומגוון על-גבי נייר, 563×336 מ"מ
חתום ומתוארך למטה מימין: "Moore 41"

תערוכות: "חדש וצפוי", מוזיאון ישראל, ירושלים, מאי-יוני 1970; "הנרי מור", גלריה דלסון-ריכטר, יפו העתיקה, קיץ 1978

המלחמה הסיטה זמנית את תשומת לבו של הנרי מור מן הפיסול, ובמשך שנתיים בקירוב עסק אך ורק ברישום. בספטמבר 1940 נענה להזמנתו של קנת קלארק ונעשה "אמן מלחמה" רשמי. קלארק שרת באותו זמן כיושב ראש הוועדה המייעצת של "אמני המלחמה", שמטרתה היתה לבחור אמנים שיתעדו את ההבטים האזרחיים של המלחמה - הן את החיים בבית ובבתי-החרושת והן את פעי-לויותיהן של קבוצות המתנדבים השונות.

רישומנו הוא דוגמה מתוך קבוצה גדולה הידועה בשם "רישומי המקלט", אשר לדברי מור עצמו, לא צויירו מהטבע אלא "מתוך זיכרון המציאות" (Alan Wilkinson, *The Drawings of Henry Moore,* The Tate Gallery in collaboration with the Art Gallery of Ontario, 1977, p.31). כמו בכל רישומיו של מור, ראייתו כאן היא ראיית פַּסל המעוניין בראש ובראשונה להציג את הצורה התלת-ממדית של הדברים. זאת הוא משיג דרך הטכניקה - שילוב של גיר שמן ומגוון - ובאמצעות העניין שהוא מגלה בקפלי הבד, שבכמה מן הרישומים הופכים כמעט לנושא בפני עצמו בעל קיום עצמאי.

ברישומנו יוצר האריג קליפה חיצונית המגוננת על הצורות הפנימיות. שתי הדמויות הישנות, הנראות מנקודת מבט נמוכה כשרק זרועותיהן וראשיהן המוקצרים גלויים לעין, הן אנושיות ומונומנטאליות בעת ובעונה אחת, אנדרטות לכאב האנושי ולכושר ההישרדות.

מתנת לורד ולידי קנת קלארק, סולטווד, דרך ידידי המוזיאונים לאמנות של ישראל בבריטניה, 1970
מספר רשום 294.70

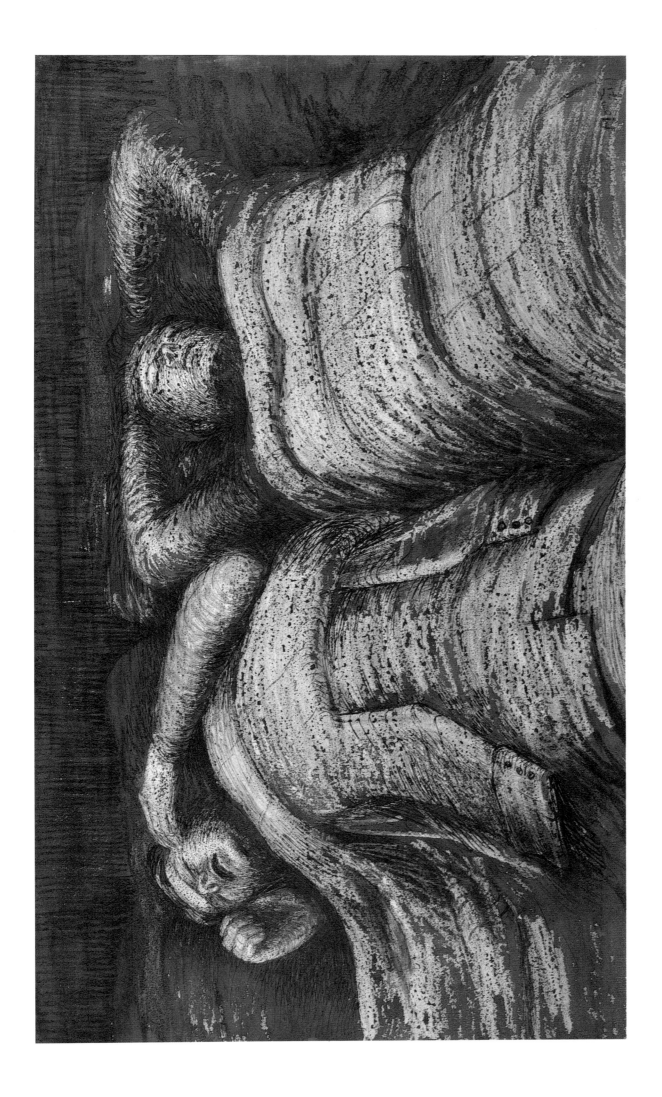

FRENCH SCHOOL
אסכולה צרפתית

23. Circle of François Clouet

Tours before 1522-1572 Paris

Portrait of Mme. de Nemours, ca. 1565

Black and red chalk with faded white heightening on paper, 295 × 195 mm
Inscribed, lower center: "Mme de Nemurs"
Inscribed, verso: "CHW" (Charles H. Wickert)

PROVENANCE: Charles Wickert sale, Paris, May 3, 1909, lot 50; Mrs. J.W. Farley, Massachusetts
BIBLIOGRAPHY: Louis Dimier, *Histoire de la Peinture de Portrait en France au XVIme Siècle*, Paris and Brussels, 1925, vol. II, p. 334, ill. 32

Like his father Jean Clouet, François was a portraitist, and succeeded to his father's post as court painter to François I, continuing under the reigns of Henri II, François II and Charles IX. An inscription on the drawing identifies the sitter as Mme. de Nemours, née Anna d'Este, daughter of Ercole d'Este, Duke of Ferrara, and Renée de France, daughter of Louis XII. She was born in Ferrara in 1531 and married François, Duc de Guise in 1549. Four years after his assassination in 1562 she married Jacques de Savoie, the Duc de Nemours. She died in the year 1607, at 76 years of age—remarkable longevity in the 16th century.

A painted portrait of Mme. de Nemours hangs at Versailles, while a drawing related to it, but identified as a copy of a Clouet by Agnes Mongan in a letter of 1948 (on which this entry is based) belonged to Mr. Atherton Curtis, Paris; another drawing, at Chantilly, has been identified as a portrait of the sitter on the basis of both the Curtis drawing and the painting at Versailles (reproduced in E. Moreau-Nelaton, *Le Portrait à la Cour des Valois, Crayons Français du XVIme siècle conservés au Musée Condé à Chantilly*, Paris, 1908, vol. I, pl. CCCXLIV). While our portrait resembles the portrait at Chantilly, our sitter appears to be younger and rather prettier. This has led Miss Mongan to suggest that our drawing may be of Mademoiselle de Nemours, twice mentioned in lists of 16th century portrait drawings, and both references to a drawing now lost. She further notes that the head, the ruff and the hair are delicately done, but the shading in the bodice seems a little coarse, concluding that the sheet is not by François Clouet but by someone in his circle.

Gift of the Goldyne Family, San Francisco, to American Friends of The Israel Museum, 1973
Reg. No. 380.73

פרנסוא קלואה (חוגו של)

טור לפני 1522 - 1572 פריס

דיוקן מאדאם דה נֶמור, 1565 בְקירוב

גיר שחור ואדום עם כמה הבהקים בלבן על-גבי נייר,
195×295 מ"מ
רשום למטה באמצע: "Mme de Nemurs"
רשום על גב הגיליון: "CHW" (צ׳ארלס ויקרט)

תולדות הרישום: מכירה, צ׳ארלס ויקרט, פריס, 3 במאי, 1909, מוצג מס׳ 50; גב׳ ג׳ פארלי, מסצ׳וסטס, ארצות הברית

בדומה לאביו ז׳אן קלואה, היה פרנסוא צייר דיוקנאות. הוא ירש את אביו כצייר החצר של פרנסוא הראשון והמשיך בתפקיד זה תחת שלטונם של אנרי השני, פרנסוא השני ושארל התשיעי.

ברישום זה ישנה כתובת המזהה את הדמות המצויירת כמאדאם דה נמור, היא אנה לבית ד׳אסטה, בתם של ארקולה ד׳אסטה, דוכס פרארה, ורֶנה דה פראנס, בתו של לואי השנים-עשר. אנה ד׳אסטה נולדה בפרארה בשנת 1531. ב-1549 נישאה לפרנסוא, הדוכס דה גיז, שנרצח ב-1562, וארבע שנים לְאחר מותו נישאה לז׳אק דה סבואה, הדוכס דה נמור. היא מתה ב-1607.

דיוקן שלה בצבע-שמן מוצג בוורסאי. רישום הקשור בו, אך זוהה על-ידי אגנס מונגאן (במכתב משנת 1948 שעליו מבוססת רשימה זו) כהעתק של קלואה, שייך למר את׳רטון קרטיס מפריס. רישום נוסף השמור בשאנטיי (מופיע אצל: E. Moreau-Nelaton, *Le Portrait à la Cour des Valois, Crayons Français du XVIe siècle conservés au Musée Condé à Chantilly*, Paris, 1908, vol.I. pl. CCCXLIV), זוהה כדיוקן אנה ד׳אסטה על סמך דמותו לרישום המצוי אצל קרטיס ולציור בוורסאי. הרישום שלנו דומה לדיוקן שאנטיי, אלא שהדמות נראית כאן צעירה יותר ואף יפה יותר. לפיכך, תוהה מונגאן שמא מתאר הדיוקן את מדמואזל דה נמור, הנזכרת פעמיים ברשימות רישומי הדיוקנאות של המאה ה-ט"ז. לרוע המזל, בשני המקרים זהו אזכור לרישום שאבד. תאריך דיוקן מאדאם דה נמור נקבע על-ידי דימיֶה לשנת 1570 בקירוב (ראה ביבליוגרפיה).

מונגאן מציינת שהראש, הצווארון והשיער עשויים בעדינות רבה, אולם הצללת הגוף נראית מחוספסת מעט. היא מסיקה שהדיוקן אינו מעשה ידיו של פרנסוא קלואה, אלא של מישהו מבני חוגו.

מתנת משפחת גולדין, סן פראנציסקו, לידידי מוזיאון ישראל בארצות הברית, 1973
מספר רשום 380.73

Me. de nemurs

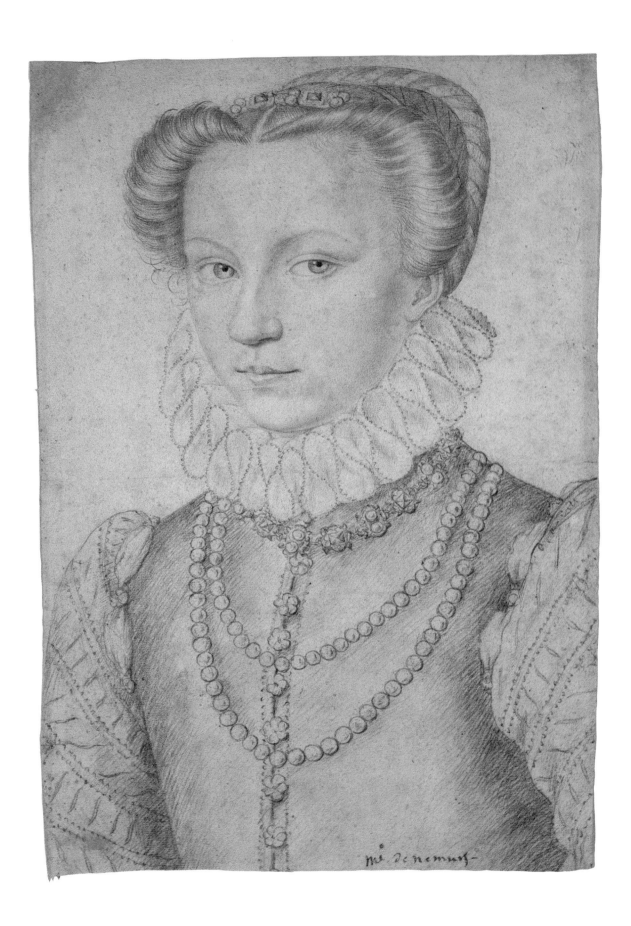

24. Claude Gellée (called Claude Lorrain)

Chamagne, Duchy of Lorraine 1600-1682 Rome

Wooded Landscape, ca. 1660-1665

Pen and brown wash on paper, 175 × 249 mm

PROVENANCE: Heirs of the artist; probably Queen Christina of Sweden by whom bequeathed to Cardinal Decio Azzolini; purchased from his heir, Pompeo Azzolini in 1692 by don Livio Odescalchi, Duke of Bacciano (1652-1713); his descendants from whom acquired by George Wildenstein in 1960; Norton Simon; Mr. and Mrs. Eugene Victor Thaw

BIBLIOGRAPHY: Marcel Rothlisberger, *Claude Lorrain/The Wildenstein Album,* Paris, 1962, cat. no. 22; Marcel Roethlisberger, *Claude Lorrain/The Drawings*, Berkeley 1968, cat. no. 937; Marcel Rothlisberger, *The Claude Lorrain Album in the Norton Simon, Inc. Museum of Art*, Los Angeles County Museum of Art, 1971, cat. no. 50

EXHIBITIONS: *Drawings of Claude Lorrain*, California Palace of the Legion of Honor, San Francisco, 1970; *Promised gifts*, The Israel Museum, Jerusalem, May–August, 1985

Apart from his stature as one of the pivotal figures in the history of landscape painting, Claude Lorrain has captured the hearts of drawing lovers for several centuries. Though born in Lorraine, the artist came to Italy as an adolescent, and with the exception of two early trips to Nancy and Naples, he spent his adult life in Rome and its environs. Despite major losses over the centuries, Marcel Rothlisberger, the principal scholar of Claude, has been able to catalogue approximately 1200 extant drawings. More importantly, as Rothlisberger has noted, "their quality and their significance within Claude's art place them among the most important graphic productions of all time" (cf. Rothlisberger, *The Claude Lorrain Album in the Norton Simon, Inc. Museum of Art*, p. 6).

The *Wooded Landscape*, a very recent gift to the Israel Museum, comes from an album bound in parchment and first mentioned in the death inventory of don Livio Odescalchi (1713) when it contained 81 sheets by the artist. The Album was lost for several centuries and re-emerged in 1960 with 60 drawings still intact. These drawings are "almost all of the most outstanding quality" and in "fresh condition" comprising as a group "the most comprehensive anthology of Claude" (cf. Rothlisberger, *Claude Lorrain, The Wildenstein Album*, p. 5). Many of these works have now gone to major collections around the world.

Rothlisberger, noting that our drawing does not relate to any extant painting, dates it to ca. 1660-1665 on the basis of its compositional similarities to certain paintings of those years. Because of its solidity and its unifying washes, he feels that it was done in the studio rather than in nature.

Gift of Mr. and Mrs. Eugene Victor Thaw to American Friends of The Israel Museum, 1986
Reg. No. 311.86

קלוד ז׳לה (המכונֶה קלוד לורן)

שמיין, דוכסות לורן 1600 - 1682 רומא

נוף עצים, 1665-1660 בקירוב

עט ומגוון חום על-גבי נייר, 175×249 מ"מ

תולדות הרישום: יורשי האמן; קרוב לוודאי המלכה כריסטינה משוודיה שהורישה אותו לקרדינאל דציו אצוליני; נרכש מיורשו, פומפיאו אצוליני ב-1692 בידי דון ליוויו אודסקאלקי, הדוכס מבאצ׳אנו (1713-1652); צאצאיו, שמהם נרכש על-ידי ג׳ורג׳ וילדנסטיין ב-1960; נורטון סימון; מר יוג׳ין ויקטור ת׳או ורעייתו

תערוכות: "מתנות מובטחות", מוזיאון ישראל, ירושלים, מאי-אוגוסט 1985

מלבד היותו אחד האישים המרכזיים בתולדות ציור הנוף, שבה קלוד לורן את לבם של חובבי הרישום במרוצת הזמנים. האמן, שנולד בלורן, הגיע לאיטליה כבר בנעוריו, ומלבד שני מסעות מוקדמים לנאנסי ולנאפולי, בילה את כל ימיו ברומא ובסביבתה. אף-על-פי שרישומים רבים אבדו במשך מאות השנים, עלה בידו של מרסל רוטליסברגר, החוקר החשוב ביותר של לורן, לקטלג כאלף ומאתיים רישומים קיימים. רוטליסברגר מציין גם כי "איכותם ומשמעותם בתוך יצירתו של קלוד מציבות אותם בין יצירות הגרפיקה החשובות בייתר בכל הזמנים" (Rothlisberger, *The Claude Lorrain Album in the Norton Simon, Inc. Museum of Art*, p.6).

הרישום "נוף עצים", מתנה שקיבל המוזיאון בעת האחרונה, מקורו באלבום כרוך עור שנזכר לראשונה ברשימת עיזבונו של דון ליוויו אודסקאלקי (1713) ושהכיל אז שמונים ואחד דפים מאת האמן. האלבום אבד ולא נתגלה אלא בשנת 1960 ובו שישים רישומים ללא פגם. רישומים אלה, "כמעט כולם באיכות מופלאה" ו"במצב מצויין", מהווים כקבוצה "את האנתולוגיה המקיפה ביותר של קלוד" (Rothlisberger, *Claude Lorrain, The Wildenstein Album,* p.5). רבות מהיצירות האלה נמצאות כיום באוספים חשובים בכל רחבי העולם.

רוטליסברגר מציין שהרישום שלנו אינו קשור לציור שמן קיים, ומתארך אותו ב-1665-1660 בקירוב על-סמך הדומות בקומ-פוזיציה לציורים מסויימים מאותן שנים. בגלל נפחו והמגוונים המאחדים, הוא סבור כי הרישום נעשה בסדנה ולא מן הטבע.

מתנת מר יוג׳ין ויקטור ת׳או ורעייתו, ניו יורק, לידידי מוזיאון ישראל בארצות הברית, 1986
מספר רשום 311.86

25. Louis-Léopold Boilly

La Bassée 1761-1845 Paris

Portrait of a Child, ca. 1802

Black and white chalk on antique laid paper, 201 × 138 mm
Watermark: DLC

EXHIBITIONS: *Recent Acquisitions*, The Israel Museum, Jerusalem, Winter 1977

Boilly favored depicting domestic scenes, and excelled in small-scale bust-length portraits, frequently portraying family and friends for his own pleasure, their features and expressions recorded in a few swift, sure lines.

The child seen in our portrait resembles the artist's son Julien, born to his second wife, Adélaide-Françoise-Julie Leduc in 1795, and destined himself to become an artist. His painted portrait by Louis-Léopold, is in the Musée des Beaux Arts, Lille. On a sheet of six heads in the Achenbach Foundation for Graphic Arts in San Francisco there seems to be another portrait of Julien, lower center (P. Hattis, *Four Centuries of French Drawings in the Fine Arts Museums of San Francisco*, 1977, no. 200).

Judging from these identified images of Julien, our drawing also can be identified as a portrait of the young boy at about the age of seven (ca. 1802).

Gift of Herman Shickman, New York, to American Friends of The Israel Museum, 1976
Reg. No. 64.76

לואי־ליאופולד בואַיי

לה באסה 1761 - 1845 פריס

דיוקן ילד, 1802 בקירוב

גיר שחור ולבן על־גבי נייר מפוספס עתיק, 138×201 מ"מ
תו מים: DLC

תערוכות: "רכישות חדשות", מוזיאון ישראל, ירושלים, חורף 1977

בואַיי, שהעדיף מחזות ביתיים ודיוקנאות, הצטיין בציור פרוטומות קטנות־מידות. לעתים קרובות תיאר את דיוקנאות משפחתו וידידיו להנאתו האישית, כשהוא מתעד תווי־פנים והבעות בכמה קווים מהירים.

הילד המתואר ברישום זה דומה לזוליין בואיי, בנו של האמן, שנולד לו מנישואיו השניים לאדלאיד־פרנסואז - זולי לדוק. זוליין נולד ב־1795 וגם הוא נעשה צייר. דיוקנו, שצוייר בידי אביו, נמצא במוזיאון לאמנויות יפות בליל, וגיליון ובו שישה ראשים מאת בואיי באוסף קרן אשנבאך בסן פראנציסקו מראה, כפי הנראה, את זוליין בדיוקן האמצעי התחתון (Phillis Hattis, *Four Centuries of French Drawings in the Fine Arts Museums of San Francisco,* 1977, cat. no. 200). על בסיס הזיהויים לעיל, ניתן לומר שהרישום שלפנינו הוא אכן של זוליין, ואפשר לתארך אותו סביב 1802, כשהיה בן שבע בקירוב.

מתנת הרמן שיקמן, ניו יורק, לידידי מוזיאון ישראל בארצות הברית, 1976
מספר רשום 64.76

26. Jean Honoré Fragonard

Grasse 1732-1806 Paris

Portrait of the Artist's Father, ca. 1775

Red chalk on antique laid paper, 255 × 278 mm
Inscribed, lower left on mat: "Fragonard portrait de son père"
Collector's mark: Pierre Decourcelle (Lugt 1042)

PROVENANCE: Pierre Decourcelle; Sale Galerie Georges Petit, Paris, May 30, 1911, no. 94; Fernand Halphen, Paris
BIBLIOGRAPHY: A. Ananoff, *L'Oeuvre Dessiné de J. H. Fragonard*, vol. I, no. 224, 1961; reproduced vol. 2, fig. 354
EXHIBITIONS: *Le Dessin Français de Watteau à Prudhon*, Gallerie Cailleux, Paris, April 1951, no. 37

This portrait in red chalk, considered to be of the artist's father, reveals Fragonard's virtuoso draughtsmanship, and shows the influence of certain works by Jean-Baptiste Greuze. Fragonard had more than one opportunity to meet Greuze in Rome or to see his works in the Paris Salon. The drawing's majestic form also seems to reflect the influence of Hubert Robert with whom Fragonard worked closely.

In this straightforward portrait, bold eye-to-eye contact is established between the spectator and the old gentleman. Fragonard plays down the old man's afflictions by virtually hiding the crutch and masking the gout stool and raised leg with a cloth. Form and light further distance the viewer from an association of illness. The drawing, arranged along a diagonal line dividing the sheet in half, contrasts the figure's relaxed pose and his lively face, the bold dynamic hatchings and the larger voluminous forms. Clearly, the artist's inclination towards clarity, simplicity and naturalness foreshadows some of the later concerns of Neo-Classicism, and sets Fragonard apart from contemporary Rococo painters such as his masters, Boucher and Chardin. While he rarely dated his drawings and frequently changed his style, there is no doubt that this drawing is representative of Fragonard's mature efforts and may be dated accordingly to ca. 1775 (see no. 54 in Eunice Williams, *Drawings by Fragonard in North American Collections*, The National Gallery of Art, Washington D.C., 1978).

Gift of Georges Halphen and Mme. Jacques Schumann in memory of their parents, M. and Mme. Fernand Halphen, Paris, 1966
Reg. No. 545-3-66

ז׳אן אונורה פראגונאר

גראס 1732 - 1806 פריס

דיוקן אבי האמן, 1775 בקירוב

גיר אדום על-גבי נייר מפוספס עתיק, 278×255 מ״מ
רשום על הפספרטו למטה משמאל: "Fragonard portrait de son pére"
סימן האספן: פייר דקורסל (Lugt 1042)

תולדות הרישום: פייר דֶקוּרסֶל; מכירת גאלרי ז׳ורז׳ פטי, פריס, 30 במאי 1911, מס׳ 94; פרנאן אלפן, פריס

דיוקן זה שצוייר בגיר אדום ונחשב לדיוקן אבי הצייר, מגלה את אמנות הרישום הווירטואוזית של פראגונאר, ומראה את השפעת יצירותיו של ז׳אן-באטיסט גראז והקווקוּו הצפוף שלהן. היו לפראגונאר הזדמנויות אחדות לפגוש את גראז ברומא או לראות את עבודותיו בתערוכות הסלון השנתיות בפריס. הצורה הנשגבה של הרישום מסגירה גם את השפעתו של אוּבר רוּבר שאיתו עבד פראגונאר באופן הדוק.

בדיוקן גלוי-לב זה נוצר קשר עין נועז בין הצופה לבין האדון הזקן. פראגונאר מטשטש את מכאובי הפודגרה של הזקן על-ידי הסתרת הקביים וכיסוי השרפרף התומך והרגל שעליו באריג. הצורה והאור שברישום מרחיקים את הצופה עוד יותר מכל אסוציאציה של מחלה. הרישום, המאורגן לאורך קו אלכסוני המחלק את הגיליון לשניים, מגלם סידרה של ניגודים בין התנוחה הנינוחה של הזקן לבין פניו מלאי החיים, בין הקִווקוּו הנועז והדינמי לבין הצורות הנפחיות הגדולות. הנטייה לבהירות, לפשטות ולטבעיות, המנבאת את מאפייני הניאו-קלאסיציזם העתיד לבוא, מבדילה את פראגונאר מסגנונם הדקוראטיבי של אמני הרוקוקו בני זמנו, כגון מוריו בושה ושארדן.

אף-על-פי שרק לעתים רחוקות נהג לתארך את רישומיו והירבה לשנות את סגנונו, אין כל ספק שרישום זה מייצג את תקופתו הבשלה של פראגונאר ואפשר לייחס אותו לפיכך ל-1775 בקירוב. (ראה: Eunice Williams, *Drawings by Fragonard in North American Collections,* The National Gallery of Art, Washington D.C., 1978, no. 54).

מתנת ז׳ורז׳ אלפן וגברת ז׳אק שומאן לזכר הוריהם, פרנאן אלפן ורעייתו, פריס, 1966
מספר רשום 545-3-66

27. Henri-Edmond Cross

Douai 1856-1910 Saint-Clair

Landscape, ca. 1906

Watercolor over black chalk on paper, 175 × 250 mm
Stamped, lower right: "H.E.C." (Lugt Supplement, 1305 a)

Provenance: Urban Collection, Paris
Exhibitions: *The Tip of the Iceberg No. 1: 19th Century French Drawings and Prints From the Museum's Collection*, the Israel Museum, Jerusalem, Winter, 1983

Henri Edmond Cross is one of the lesser-known Neo-Impressionists, having joined the movement only in 1891, after Seurat's death. Immensely cultured and a close friend of Paul Signac, Cross was concerned with the conflict between the color components of a painting and natural representation, and this led him to attempt to convey "not the object itself, but a transfiguration based on a concordance of lines and harmony of color." This approach, perhaps derived from Seurat's legacy, helped to formulate both Fauvism and Cubism.

The estate stamp and style of our drawing both suggest a date circa 1906. The watercolor represents Cross at a critical phase of his career—resigned to the fact that "harmony means sacrifice" of natural phenomena in favor of relationships established by pure color. In our sheet tree trunks are only the pretext for liquid brush strokes to move across the paper, and the bright center of the composition does not serve as an illusionistic light source, but rather as a painterly focal point emphasizing the essential abstract composition.

Museum purchase, 1950
Reg. No. M 2171-3-50

אנרי־אדמון קרוס

דואי 1856 - 1910 סן קליר

נוף, 1906 בקירוב

צבע-מים מעל גיר שחור על־גבי נייר, 175×250 מ"מ
חותמת למטה מימין: "H.E.C", חותמת הסדנה של קרוס
(Lugt Supp. 1305 a)

תולדות הרישום: אוסף אורבאן, פריס
תערוכות: "קצה הקרחון מס' 1: הדפסים ורישומים צרפתיים מהמאה ה-י"ט מאוסף המוזיאון", מוזיאון ישראל, ירושלים, חורף 1983

אנרי־אדמון קרוס הצטרף לתנועה הניאו־אימפרסיוניסטית רק בשנת 1891, אחרי מות סֶרָה, והיה אחד החברים הפחות ידועים בה.

קרוס, שהיה איש תרבות מובהק ומקורבו של סיניאק, גילה התעניינות בקונפליקט שבין מרכיבי הצבע בציור לבין הייצוג הטבעי. הפיתרון שלו וניסיונותיו למסור "לא את האובייקט עצמו, אלא שינוי־צורה (טרנספיגורציה) שיהיה מבוסס על תואם של קווים והרמוניה של צבע" קיבלו כנראה את הדחיפה ממורשתו של סרה, ועזרו בעיצוב הפוביזם והקוביזם כאחד. על-פי הסגנון והחותמת אפשר לקבוע את תאריך היצירה שלפנינו לשנת 1906. הוא מראה את קרוס בנקודה שבה נכנע לעובדה ש"הרמוניה פירושה הקרבה" של התופעה הטבעית לטובת הרמוניות צבע טהורות, כלומר צידוד בחירות הצבע וההפשטה. גזעי העצים אינם אלא אמתלה למשיכות לחות על-פני הנייר, והמרכז הזוהר של הקומפוזיציה, יותר משהוא משמש כמקור אור, הריהו נקודת מוקד, המדגישה עוד יותר את הקומפוזיציה המופשטת במהותה.

רכישה, 1950
מספר רשום M 2171-3-50

H.E.C

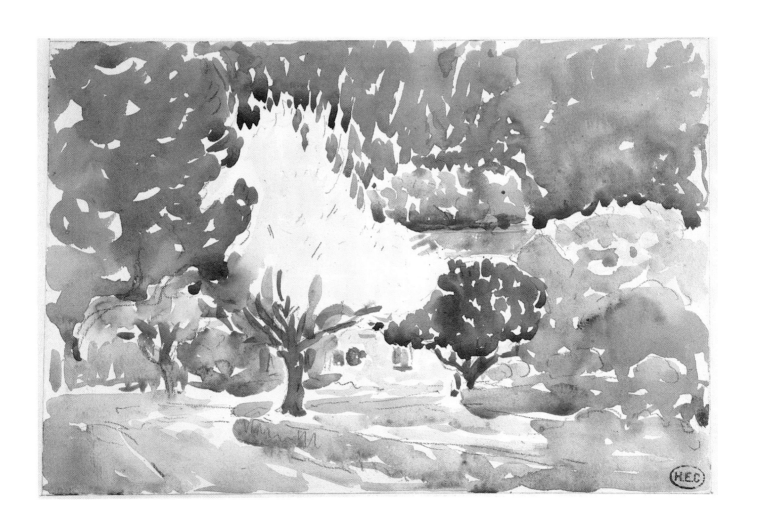

28. Hilaire-Germain-Edgar Degas

Paris 1834-1917 Paris

Four Nude Female Dancers Resting, ca. 1898

Charcoal on paper, 610 × 745 mm
Atelier stamp, lower left: "Degas" (Lugt 658)
Atelier stamp, verso: "Ed. Degas" (Lugt 657)

PROVENANCE: Vente 2 et 3 de l'Atelier Degas, Galerie Georges Petit, Paris, December 1918, no. 265; Marlborough Galleries, 1966; Mr. & Mrs. Jan Mitchell, New York
BIBLIOGRAPHY: Lillian Browse, *Degas Dancers*, London, 1949, ill. no. 198a; Douglas Cooper, *Pastels by Edgar Degas*, Basel, 1952, no. 29; Lillian Browse, *Degas's Grand Passion, Apollo*, February, 1967, pp. 104-114, fig. 19; *Past and Present—The Jan Mitchell Gift to The Israel Museum*, Jerusalem, 1974, ill. no. 15
EXHIBITIONS: *Recent Gifts and Gifts Promised*, The Israel Museum, Jerusalem, June-October, 1970; *Past and Present—The Jan Mitchell Gift to the Israel Museum*, The Israel Museum, Jerusalem, Fall 1974; *Opening of the Floersheimer Pavilion*, the Israel Museum, Jerusalem, May 1979; *The Tip of the Iceberg No. 1: 19th Century French Drawings and Prints from the Museum's Collection*, The Israel Museum, Jerusalem, Winter, 1983

"One must treat the subject ten times, even a hundred times. Nothing in art should seem to be accidental." (Degas in a letter, quoted in Douglas Cooper, *Pastels by Degas,* Basel, 1952, p. 9). Our drawing allows a rare glimpse of Degas' working methods in the last phase of his career. During this period he confined himself to fewer subjects, concentrating instead on deepening and perfecting his visual grasp of certain bodily movements. Thus our composition represents only one aspect of the artist's preoccupation with the subject, a group of dancers resting.

In the Israel Museum drawing the dancers are arranged along the bench in an orderly diagonal line; studied here in the nude, they are fully clothed in the finished pastel (Art Gallery and Museum, Glasgow, William McInness Collection). In fact, each of the four "rats"—the name given to young dancers in the corps de ballet—had been studied separately by Degas (3e Vente Degas, April 7, 8, 9, 1919, Nos. 170, 187) both in the nude and clothed. Then in groups of two or three, the artist transformed the images into a soft-ground etching, touched with pastel (Ibid., no. 241; and Loys Delteil, *Degas*, New York, 1969, no. 41, only state-Kornfeld and Klipstein Collection, Bern). Another version of our drawing with four dancers was number 200 in the third Degas Estate sale, of which several pastel versions exist.

Suprisingly, Degas did not work directly from life. As John Rewald has remarked: "He observes without painting and paints without observation." And the artist himself stated: "It is all very well to copy what you see, but it is much better to draw only what you still see in your memory."

After 1885, perhas due to failing eyesight, Degas often took counterproofs of drawings, working these up, or tracing satisfactory parts of one drawing onto another sheet and continuing from there. In a comparison of our drawing to related studies, one tends to conclude that it is indeed a reworked counterproof or tracing which stands at the end of a long creative process in which Degas shows greater interest in form than people.

Gift of Mr. & Mrs. Jan Mitchell, New York, to America-Israel Cultural Foundation, 1970
Reg. No. 187.70

אילר ז׳רמן אדגר דגה

פריס 1834 - 1917 פריס

המנוחה: ארבע רקדניות עירומות, 1898 בקירוב

פחם על-גבי נייר, 745×610 מ״מ
למטה משמאל חותמת האטליה: "Degas" (Lugt 658)
על גב הגיליון חותמת האטליה: "Ed. Degas" (Lugt 657)

תולדות הרישום: מכירה שנייה ושלישית של אטליה דגה, גלריה זורז׳ פטי, פריס, דצמבר 1918, מס׳ 265; גלריות מארלבורו, 1966; מר יאן מיטשל ורעייתו, ניו יורק
ביביליוגרפיה: "עבר והווה - מתנת יאן מיטשל למוזיאון ישראל", ירושלים, 1974, קטלוג מס׳ 15
תערוכות: "חדש וצפוי", מוזיאון ישראל, ירושלים, מאי-יוני 1970; "עבר והווה - מתנת יאן מיטשל למוזיאון ישראל", מוזיאון ישראל, ירושלים, סתיו 1974; פתיחת ביתן פלורסהיימר, מוזיאון ישראל, ירושלים, מאי 1979; "קצה הקרחון: רישומים והדפסים צרפתיים מהמאה ה-י״ט, מאוסף המוזיאון", מוזיאון ישראל, ירושלים, חורף 1983

"צריך לטפל באותו נושא עצמו עשר פעמים, אפילו מאה פעמים. אסור ששום דבר באמנות יראה כפרי המקרה" דברי דגה במכתב (מובא אצל: Douglas Cooper, *Pastels by Degas,* Basel, 1952, p. 9).

רישום זה מאפשר לנו להעיף מבט נדיר בשיטות עבודתו של דגה בשלב המאוחר של יצירתו, כאשר הגביל את עצמו לְמספר קטן של נושאים והתרכז בהעמקה ובשכלול תפיסה חזותית של תנועות גוף מסויימות. הקומפוזיציה שלנו מייצגת שלב אחד בהתעסקותו הממושכת בנושא קבוצת הרקדניות הנחות. הוא מציב אותן לאורך ספסל וכך יוצר קו אלכסוני, לומדן בעירום ומלבישן בציור הפסטל הסופי (גלריה לאמנות ומוזיאון, גלאזגו, אוסף ויליאם מקאינס). דגה למד את כל אחת מארבע ה"חולדות" - כפי שכונו רקדניות הבאלט הצעירות - בנפרד, בעירום ובלבוש (*Degas, 3e Vente,* 7, 8, 9 April, 1919, nos. 170, 187). אחרי כן קיבץ אותן בקבוצות של שתיים ושלוש (שם מס׳ 241) ותרגם אותן לטכניקה של תצריב כרומית רכה עם נגיעות פסטל (Loys Deteil, *Degas,* New York, 1969, no. 41, One State, Kornfeld and Klipstein Collection, Bern). גירסה אחרת של הרישום שלנו, המראה ארבע רקדניות, היא מס׳ 200 במכירה השלישית של דגה, וקיימות גירסות אחדות של ציור הפסטל הסופי.

דגה לא עבד מהטבע. כפי שהעיר ג׳ון ריוולד: "הוא מתבונן מבלי לצייר ומצייר ללא התבוננות". האמן עצמו אישר כי "ודאי טוב להעתיק את מה שאתה רואה, אבל הרבה יותר טוב לרשום רק את מה שאתה עדיין רואה בזיכרונך." וכך השתמש לעתים קרובות במחברותיו כבמילונים למלים אותן יכלול בעתיד במשפטים. אחרי 1885, אולי בגלל ראייתו הדועכת, לקח לעתים קרובות הטבעות הפוכות של רישומים ועיבד אותן או העתיק את החלקים שנשאו חן בעיניו אל גיליון אחר ומשם המשיך הלאה. כשאנו משווים את הרישום שלפנינו למתווים קרובים אליו, אנו נוטים להסיק שלפנינו עיבודה של הטבעה הפוכה או העתקה שעומדת בקצהו של תהליך יצירה ארוך ומראה את התעניינותו של האמן בצורות יותר מאשר בבני אדם.

מתנת מר יאן מיטשל ורעייתו, ניו יורק, לקרן התרבות אמריקה-ישראל, 1970
מספר רשום 187.70

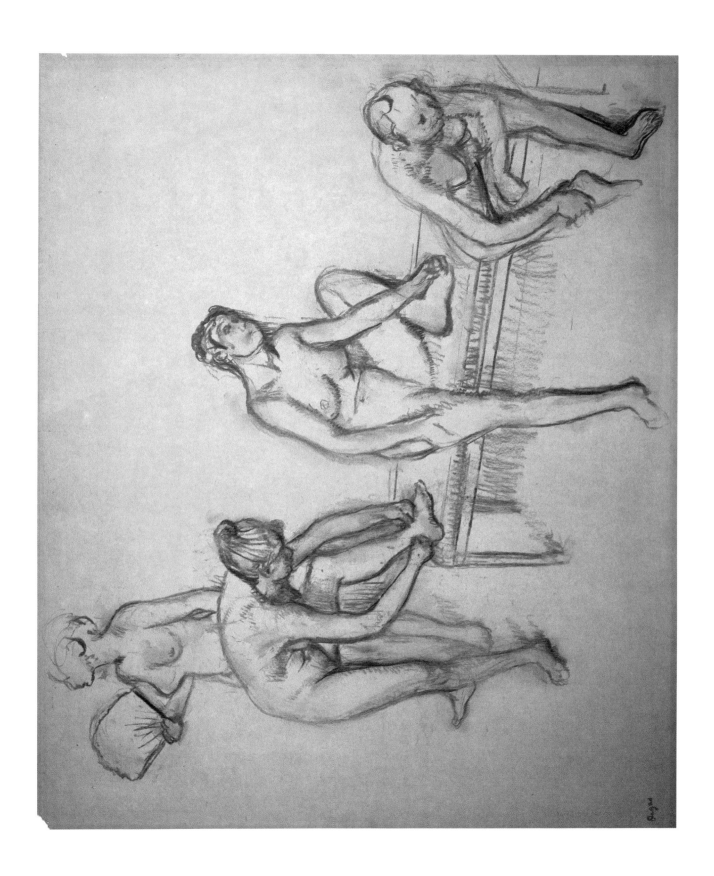

29. Eugène Delacroix

Charenton-Saint-Maurice 1798-1863 Paris

Sheet of Studies

Graphite on paper; 248 × 250 mm
Watermark: Palm Leaf

PROVENANCE: Unknown

Most of Delacroix's drawings came to light only after his death, and revealed a deep interest in copying from the work of the masters. References in his journal show a particular fascination with Rubens, as do the relatively large number of painted and drawn copies after the Baroque master.

This sheet is something of a puzzle because, although it does not bear the monogram of the sale of the artist's estate, its uncontested quality confirms an attribution to Delacroix at his best. The drawing includes passages from more than one Rubens work, suggesting the likelihood that Delacroix was working from prints reproducing the originals, rather than from the originals themselves (the artist's collection contained 100 examples of prints after Dutch and Flemish paintings), and on March 18, 1853 he wrote in his journal: "After the meeting of the Council [I] saw the admirable "Saint Just" by Rubens. The next day . . . I tried to recall it by means of a sketch from the engraving. . . ."

The head of Christ which appears twice in our sheet is probably based on Ruben's *Supper at Emmaus* (Madrid, Colecciónes Artisticas de la Casa de Alba), painted either in Italy under Caravaggio's influence, or circa 1610 in Holland; it was engraved by Willem Swanenburgh (1581?-1612) in 1611 (Max Rooses, *L'Oeuvre de P.P. Rubens*, Antwerp, 1888, vol. II, pl. 117). The priest and the infant appear, with some changes, in the *Presentation in the Temple* (Antwerp Cathedral), engraving by Paulus Pontius (1603-1658) (Ibid., vol. I, pl. 60). As neither a print nor a painting source has been identified for the study of a hand, it may be the artist's own left hand drawn as an exercise.

Delacroix was a frequent traveller, and as he visited Antwerp and Madrid, he may actually have seen both paintings. Another journal entry, this on August 10, 1850, describes his visit to the Cathedral in Antwerp the day before: "Made drawings from memory of all the things that had impressed me during my expedition to Antwerp." It is possible that our drawing may have been one result.

Gift of Marianne Feilchenfeld, Zürich, 1951
Reg. No. MP 151-1-51

איז׳ן דלקרואה

שארנטון סן מוריס 1798 - 1863 פריס

דף מתווים

עיפרון על-גבי נייר, 250×248 מ״מ
תו מים: ענף תמר

תולדות הרישום: בלתי ידועות

רוב רישומיו של דלקרואה ראו אור אחרי מותו וחשפו דרכים חדשות שבהן נקט להשגת יעדיו האמנותיים, ובניהן העתקה מיצירות אמני מופת. אזכורים ביומנו מגלים את הקסם שהילך עליו רובנס, ומלמד על כך מספרם הרב של העתקי ציורים ורישומים שעשה בעקבות האמן הבארוקי.

גיליון זה מעורר תמיהה כלשהי. אף-על-פי שאינו נושא עליו את המונוגרמה של המכירה שנעשתה לאחר מותו של האמן, הרי האיכות ללא-עוררין של הרישום מעידה כאן על יד האמן במיטבה. הרישום הוא גיליון מתווי-הכנה של העתקים שנעשו בעקבות מספר יצירות של רובנס. קרוב לוודאי שדלקרואה עבד על-פי הדפסים שנעשו בעקבות ציורי רובנס ולא מהמקור עצמו. (אוספו של דלקרואה הכיל מאה הדפסים של ציורים פלמיים והולנדיים). ב־18 במרס 1853, כתב ביומנו: ״אחרי ישיבת המועצה ראיתי את ״יוסטוס הקדוש״ מאת רובנס. למחרת ניסיתי להיזכר בו באמצעות רישומו על-פי התחריט...״

ראשו של ישו, המופיע פעמיים בגיליון שלפנינו, מבוסס קרוב לוודאי על ״סעודת הערב בעֶמָאוּס״ (מדריד, אוסף האמנות של קאסה דה אלבה), שצויירה באיטליה תחת השפעתו של קאראוואג׳ו, או בהולנד ב־1610 בקירוב. הציור עובד לתחריט בידי ו׳ סוואננבורג ב־1611 (Max Rooses, *L'Oeuvre de P.P.Rubens,* Anvers, 1888, vol II, p1.117).

הכומר והתינוק מופיעים, בשינויים אחדים (למשל כובעו של הכומר) ב״הצגת ישו בבית המקדש״ שבקתדרלת אנטוורפן, שעובדה לתחריט בידי פאולוס פונטיוס (שם, כרך 1, תמונה 60). לא זיהינו מקור מצוייר או מודפס שעל-פיו נעשה רישום היד, וייתכן שזו יד שמאל של האמן עצמו שנרשמה בתור תרגיל. דלקרואה הירבה לנסוע, ביקר במדריד וגם באנטוורפן וייתכן שראה את שני הציורים. ב־10 באוגוסט 1850 הוא מתאר ביומנו את ביקורו בקתדרלה באנטוורפן: ״רשמתי מהזיכרון את כל הדברים שהרשימו אותי בעת מסעי לאנטוורפן.״

מתנת מריאנה פיילכנפלד, ציריך, 1951
מספר רשום MP 151-1-51

30. Paul Gauguin

Paris 1848-1903 Fatu-Iwa (Marquesas Islands)

Page from the Carnet Huyghe, 1888-1901

Graphite and charcoal on lined ledger paper; 170 × 105 mm

PROVENANCE: Ambroise Vollard, Paris; Sam Salz, New York
BIBLIOGRAPHY: Ziva Amishai-Maisels, "A Gauguin Sketchbook, Arles and Brittany," *The Israel Museum News*, no. 10, Jerusalem, 1975, pp. 68-85, ill. no. 13
EXHIBITIONS: *Portables*, The Israel Museum, Jerusalem, January-June, 1983

The Israel Museum is fortunate to have a wonderful document of Gauguin's period at Arles, the *Carnet Huyghe*, a 228 page notebook—one of six to have survived the artist's eventful life. In addition to doodles, sketches, and finished studies for paintings, the notebook contains accounts and lists which give us a precious and richly varied insight into Gauguin's work, character and life-style.

The drawing on page 51 of the *Carnet* is one of a number of studies it contains for the painting, *Old Women of Arles* (Art Institute of Chicago, Gift of Annie Swan Coburn to the Mr. & Mrs. Lewis L. Coburn Memorial Collection). Some of these studies are of women, while others treat elements of the background, all used by Gauguin "analyzing and simplifying a problematic detail in pencil before copying his solution into the painting." (Bibliography, p. 72).

On the upper left of the sheet the artist studies the relationship between the two figures in the foreground; on the lower half of the sheet he searches for the proper distance between the two women in the background and one of the two in the foreground. Although the finished painting varies somewhat from these initial sketches, its linear style and even general atmosphere are already discernible in this small drawing.

Gift of Sam Salz, New York, to America-Israel Cultural Foundation, 1972
Reg. No. 43.72

פול גוגן

פריס 1848 - 1903 פאט-איווה (איי המרקיזה)

עמוד מתוך פנקס מתווים הויג, 1901-1888

עיפרון ופחם על-גבי נייר משובץ, 105x170 מ"מ

תולדות הרישום: אמברואז וולאר, פריס; סם סלץ, ניו יורק
תערוכות: "מטלטלין", מוזיאון ישראל, ירושלים, ינואר-יוני 1983

ברשותו של מוזיאון ישראל מצוי מסמך מאלף מתקופת שהותו של גוגן בארל - "פנקס הויג" - פנקס מתווים בן מאתיים עשרים ושמונה עמודים, אחד משישה ששרדו מחייו הסוערים של האמן. נוסף לשרבוטים, למתווים ולמתווי-הכנה לציורים, מכיל הפנקס גם תיאורים ורשימות המאפשרים לנו לעמוד מקרוב על יצירתו של גוגן, אופייו ואורח-חייו.

הרישום בעמוד 51 בפנקס הוא אחד מכמה מתווים שרשם גוגן לציור "הנשים הזקנות מארל" (המכון לאמנות בשיקאגו, מתנת אני סוואן קוברן לזכר מר לואיס ל' קוברן ורעייתו). באחדים מהמתווים האלה מתוארות נשים, ואילו האחרים מטפלים בפרטי הרקע, ומטרתם "לנתח ולפשט פרט בעייתי בעיפרון לפני שיעתיק את הפתרון אל הציור" (ביבליוגרפיה עמ' 72).

למעלה בצד שמאל של הדף, בוחן גוגן את היחס בין שתי הדמויות שבקדמת הציור; במחצית התחתונה של הדף, הוא מחפש את המרחק המתאים בין שתי הנשים שברקע לבין אחת מהשתיים שבקדמת הציור. הציור המוגמר עצמו שונה במקצת מהמתווים הראשוניים, אולם הגישה הקווית ואפילו האווירה הכללית ניכרות כבר במתווה הקטן.

מתנת סם סלץ, ניו יורק, לקרן התרבות אמריקה-ישראל, 1972
מספר רשום 43.72

31. Jean-Léon Gérôme

Vesoul 1824-1904 Paris

A Jew At the Wall of the Temple of Solomon in Jerusalem, ca. 1877

Graphite on paper, 358 × 230 mm
Signed and inscribed, center right: "Juif au mur du Temple de Solomon à Jérusalem. JL Gérôme au D^eur^ Reclus JLG

PROVENANCE: Reclus family
BIBLIOGRAPHY: H. Launette Ed., Goupil & Cie., Ed., *Grands Peintres Français et Etrangers,* Paris 1886, vol. 4, p. 150
EXHIBITIONS: *The Tip of the Iceberg No. I: 19th century French Prints and Drawings from the Museum's Collection*, The Israel Museum, Jerusalem, Winter, 1983; *Costumes and Customs, East and West*, The Israel Museum, Jerusalem, Spring-Summer, 1985

This drawing by Gérôme is a finished study for one of the seven figures shown praying at the Wailing Wall in the painting *Solomon's Wall, Jerusalem*, 1877 (Collection of Robert Isaacson, New York). The painting was photoengraved by Gérôme's father-in-law, Goupil, the Parisian art dealer and publisher (see Edward Strahan, Ed., *Gérôme, A Collection of the Works of J. L. Gérôme in One Hundred Photogravures*, New York, 1881, pl. LXVI).

The image changed in translation from line to paint: the figure's side-locks are more pronounced in the oil, and his position with respect to the wall is not so close. Where the drawing isolates the figure, the wall only lightly indicated, the painting features the monumentality of the wall, and the praying figure is placed center foreground.

Gérôme travelled to the Middle East for the first time in 1856, accompanied by a number of friends, among them the sculptor, Frédéric-Auguste Bartholdi (1834-1904). While it is documented that Bartholdi photographed extensively, it is not recorded whether Gérôme did the same or simply used photographs as "sketches" made in situ, completing in his studio finished drawings and paintings. If one may judge by the rather schematic shadow in the drawing, absent in the painting, the drawing was indeed based on a photograph.

The first visit was followed by seven more; these journeys and the paintings they inspired established Gérôme's reputation as a stylish ethnographic painter, a so-called "Orientalist." The artist's precise, objectively descriptive works, westernizing at first, but later expressing increasing familiarity with the specific detail of local cultures, constitute two-thirds of his entire oeuvre. Our drawing, and the painting for which it was a model, are examples of this earlier "western" approach.

Gift of Gérard Levy, Paris, on the occasion of the Bar Mitzvah of his sons Daniel-Joseph and Alexandre-Yehuda, 1981
Reg. No. 912.81

ז׳אן־לאון ז׳רום

וזול 1824 - 1904 פריס

יהודי ליד כותל מקדש שלמה בירושלים, 1877 בקירוב

עיפרון על־גבי נייר, 230×358 מ"מ
רשום וחתום באמצע מימין:
"Juif au mur du Temple de Solomon à Jérusalem. JL Gérôme au Deur Reclus JLG"

תולדות הרישום: משפחת רקלוס
תערוכות: "קצה הקרחון מס׳ 1: הדפסים ורישומים צרפתיים מהמאה ה-י"ט מאוסף המוזיאון", מוזיאון ישראל, ירושלים, חורף 1983; "מלבושים ומנהגים, מזרח ומערב", מוזיאון ישראל, ירושלים, אביב־קיץ 1985

רישום זה מעשה ידי ז׳רום הוא מתווה סופי לאחת משבע הדמויות המתפללות מול הכותל המערבי בציור "כותל שלמה, ירושלים", 1877 (אוסף רוברט איזאקסון, ניו יורק). חותנו של ז׳רום, סוחר האמנות הפריסאי והמוציא-לאור גופיל, שיעתק את הציור בטכניקת תחריט צילומי (ראה: Edward Strahan, ed., *Gérôme. A Collection of the Works of J.L. Gérôme in One Hundred Photogravures*, New York, 1881, pl.LXVI).

שינויים מספר חלו בתהליך היצירתי של הפיכת הקו לצבע: ברישום קרובה הדמות לכותל יותר מאשר בציור, ובציור פיאותיה בולטות יותר; בעוד שהרישום מתרכז בדמות והכותל רק נמסר במרומז, הרי הציור מוסר את גודלו המרשים של הכותל ומדגיש דמות אחת מתוך המתפללים על-ידי מיקומה במרכז קדמת התמונה.

ז׳רום ביקר לראשונה במזרח-התיכון בשנת 1856 בלווית כמה ידידים, ביניהם הפסל פרדריק-אוגוסט בארתולדי (1834־1904). ידוע לנו שבארתולדי הירבה לצלם בטיול, אך לא ברור אם ז׳רום נהג כמוהו, או שהשתמש בצילומים משל אחרים בתור מתווים שנעשו במקום כדי ליצור בסדנתו רישומים וציורים מוגמרים. הרישום שלנו נעשה ללא ספק על-פי צילום, כפי שמצביע הצל המוטל על הקיר (הסכימאטי מעט) המופיע ברישום, אך נעדר מן הציור.

בעקבות הביקור הראשון באו שבעה ביקורים נוספים. מסעות אלה והציורים שנעשו בהשראתם ביססו את המוניטין של ז׳רום כצייר אתנוגרפי אופנתי, "אוריינטאליסט" - כביכול. תיאוריו האובייקטיביים המדוקדקים, הנראים תחילה מערביים בגישתם, אולם לאחר מכן נעשים יותר מעורים בתרבויות המקומיות, מהווים כשני שלישים מיצירתו. הרישום שלנו והציור שבשבילו הוא נעשה מראים את הגישה ה"מערבית" המוקדמת יותר של ז׳רום אל המזרח, כאשר נמשך עדיין אל הנושאים המזרחיים המסורתיים כגון שווקים ואתרי תפילה.

מתנת ז׳ראר לוי, פריס, לרגל בר-המצווה של בניו דניאל־יוסף ואלכסנדר־יהודה, 1981
מספר רשום 912.81

Juif au mur du Temple
de Salomon à Jérusalem.
J.L. Gérôme
au Dr Reclus
J.G.

32. Gustave-Achille Guillaumet

Paris 1840-1887 Paris

Intérieur de cour en Afrique du Nord

Graphite, watercolor and gouache on paper; 470 × 625 mm
Stamped, lower right: "Atelier Guillaumet"

PROVENANCE: Jacques Fischer, Paris
EXHIBITION: *Costumes and Customs East and West*, The Israel Museum, Jerusalem, Spring-Summer 1985

In Guillaumet's account of his impressions of Algeria, a special chapter is devoted to interiors ("Les Intérieurs," G. Guillaumet, *Tableaux Algériens*, Paris, 1888, p. 177). They intrigued the artist on two accounts: they provided exotic backdrops for oriental types, and they allowed him to observe and treat specialized problems of light and atmosphere. After an initial trip to North Africa in 1862, nine trips to Algeria and Morocco followed. Guillaumet admired Delacroix, Millet, and, above all, Rembrandt. Because of his sympathetic portrayals of the people of the oases he was regarded as the orientalist counterpart of Millet.

In this watercolor, the figures are, however, subordinated to the study of architecture, which is rendered with naturalistic precision and takes into account a variety of subtle light sources within the courtyard.

Gift of I. M. Cohen, New York, Graphic Acquisition Fund to American Friends of The Israel Museum, 1984
Reg. No. 682.84

גוסטב־אשיל גיומה

פריס 1840 - 1887 פריס

פנים חצר בצפון-אפריקה

עיפרון, צבע-מים וגואש על־גבי נייר, 625×470 מ"מ
חותמת למטה מימין: "Atelier Guillaumet"

תולדות הרישום: ז׳אק פישר, פריס
תערוכות: "מלבושים ומנהגים, מזרח ומערב", מוזיאון ישראל, ירושלים, אביב־קיץ 1985

בסיפורו של גיומה על רשמיו באלג׳יריה, מוקדש פרק מיוחד למראות פְּנִים, (*"Les Intérieurs", G. Guillaumet, Tableaux Algériens,* Paris, 1888, p. 177). החצרות הפנימיות סיקרנו את האמן בתור רקע אקזוטי לאנשים אקזוטיים, ותיאורם איפשר לו להתבונן, לתעד ולעסוק בבעיות של אור ואווירה.

גיומה ביקר בצפון-אפריקה לראשונה ב־1862. בעקבות ביקור זה באו תשעה ביקורים נוספים באלג׳יריה ובמרוקו. גיומה, שהיה מעריץ של דלקרואה, מייה ובעיקר רמברנדט, נחשב למקבילו האוריינטליסט של מייה, בין השאר בגלל תיאוריו והתעניינותו האוהדים באנשי האואזיסים בדרום אלג׳יריה.

רישום זה, המראה חצר פנימית בצפון-אפריקה, אופייני לגיומה ביחס הקיים בין הדמויות האנושיות לבין האדריכלות, ובתיאור הנאטוראליסטי של האור והצל המתחשב במקורות אור בתוך התמונה. נוכחותם של האנשים אנונימית, בין שהם עוסקים במלאכה ובין שהם יושבים ללא תנועה. ברור שהאמן מייחס יותר משקל ליסודות האדריכליים מאשר לדמויות.

מתנת א"מ כהן, ניו יורק, קרן לרכישות גרפיקה, לידידי מוזיאון ישראל בארצות הברית, 1984
מספר רשום 682.84

33. Claude Monet

Paris 1840-1926 Giverny

Près d'Étretat, ca. 1868

Pastel on paper; 207 × 405 mm
Signed, lower right: "Claude Monet"

PROVENANCE: Mme. Vildrac; Reid and Lefèvre, Paris; Hirschl and Adler, New York, 1970
EXHIBITIONS: *19th and 20th Century French Paintings*, Arthur Tooth and Sons, Ltd., London, May–June 1956, no. 10; *New Acquisitions in Graphics*, The Israel Museum, Jerusalem, Winter–Spring 1972; *Impressionist Prints and Drawings*, The Israel Museum, Jerusalem, December 1974–February 1975; *The Tip of the Iceberg No. 1: 19th Century French Drawings and Prints from the Museum's Collection*, The Israel Museum, Jerusalem, Winter 1983

In 1868 Claude Monet rented a small house at Étretat, and concentrated on scenes of the sea. In terms of format, tonality, viewpoint and subject *Prés d'Étretat*, one of the artist's very rare pastels, is typical of his seascapes of the late 1860s. The format, its width nearly twice its height, and the somewhat rigid horizontal division are similar to *The Quay of the Louvre* (cf. K. S. Champa, *Studies in Early Impressionism*, New Haven and London, 1973, fig. 22). Subdued color is consistent with the paintings of late summer 1866-67, so different from other earlier works (e.g. *Terrace at Le Havre*, ibid., pl. 5). With the elimination of figures as well as the reduction of pictorial elements to sea, boats and rocks (cf. *Fisherman's Hut, Ste. Adresse*, ibid., fig. 28), Monet achieves great freedom of execution and enrichment of surface.

Gift of Abraham M. Adler, New York, to America-Israel Cultural Foundation, 1971
Reg. No. 204.71

קלוד מונה

פריס 1840 - 1926 ז׳יברני

ליד אֵטְרֶטָה, 1868 בקירוב

פסטל על-גבי נייר, 405×207 מ"מ
חתום למטה מימין: "Claude Monet"

תולדות הרישום: גב׳ וילדראק; ריד ולפבר, פריס; הרשל ואדלר, ניו יורק, 1970

תערוכות: "רכישות חדשות בגרפיקה", מוזיאון ישראל, ירושלים, חורף-אביב 1972; "רישומים והדפסים אימפרסיוניסטיים", מוזיאון ישראל, ירושלים, דצמבר 1974 - פברואר 1975; "קצה הקרחון מס׳ 1: רישומים והדפסים צרפתיים מהמאה ה-י"ט מאוסף המוזיאון", מוזיאון ישראל, ירושלים, חורף 1983

ב-1868 שכר מונה בית קטן באטרטה. "ליד אטרטה" נעשה כפי הנראה באותו פרק זמן. אף-על-פי שהרישום הוא אחד מציורי הפסטל הנדירים של האמן, הרי מבחינת הפורמאט, הטונאליות, נקודת המבט והגישה לנושא הוא אופייני לנופי הים שצייר בסוף שנות השישים למאה ה-י"ט.

בפורמאט האופקי שלו, ברוחבו (הכפול כמעט מגובהו) וכן בחלוקה האופקית, הנוקשה משהו, הוא דומה ל"רציף הלובר" (ראה K. S. Champa, *Studies in Early Impressionism,* New Haven and London, 1973, fig. 22). צבעיו המעומעמים מלמדים על הנטייה, הניכרת בציוריו מסוף קיץ 1866 עד 1867, שהופיעה כתגובת נגד לצבעוניות החריפה הקודמת שלו, כגון זו שב"מרפסת בלה-האבר" (שם, תמונה 5). הגישה המרוכזת לנושא, שהביאה לסילוק דמויות האדם ולצמצום היסודות לים, סירות וסלעים, מזכירה את "בקתת דייג, סנט אדרס" (שם, תמונה 28), והיא שאיפשרה למונה להגיע לחופש ביצוע ולהתמסר להעשרת פני השטח.

מתנת אברהם מ׳ אדלר, ניו יורק, לקרן התרבות אמריקה-ישראל, 1971
מספר רשום 204.71

Claude Monet

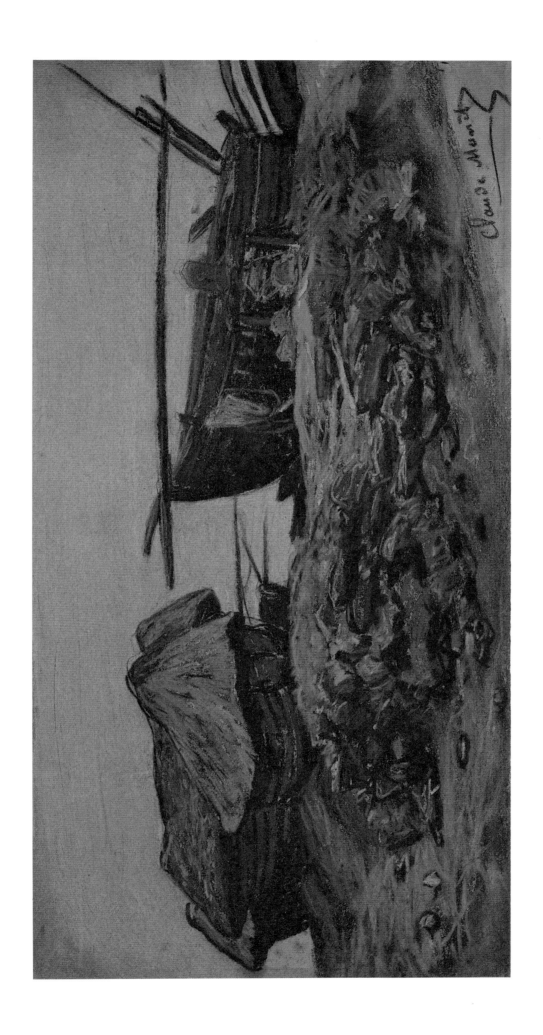

34. Camille (Jacob) Pissarro

St. Thomas, West Indies 1830-1903 Paris

Four Peasant Women Resting, ca. 1885

Charcoal on blue laid paper, 490 × 631 mm
Signed, lower right: "C.P."

PROVENANCE: Mrs. Edward Patterson, Glen Head, Long Island; Sotheby's sale, July 4, 1962, lot no. 9; Arthur Tooth & Sons Ltd., London
EXHIBITIONS: *Recent Gifts and Gifts Promised*, The Israel Museum, Jerusalem, May-June, 1970; *Past and Present: The Jan Mitchell Gift to The Israel Museum*, The Israel Museum, Jerusalem, Summer, 1974, cat. no. 27; Opening of the Floersheimer Pavilion, The Israel Museum, Jerusalem, May 1979; *The Tip of the Iceberg No. 1: 19th Century French Drawings and Prints from the Museum's Collection*, The Israel Museum, Jerusalem, Winter, 1983

Pissarro's creative methods changed over the years. During his last phase, from 1879 until his death, his major paintings resulted from an elaborate preparatory process involving many drawings. The numerous differences between the studies and the finished works indicated that the artist's approach to painting through drawing was sincere and quite different from the spontaneous recordings on canvas which characterized the method of most Impressionists.

Our drawing seems to represent the second or compositional stage of Pissarro's approach in which the figures are disposed in various attitudes. It is related to two other works—a pastel drawing (Ludovic Rodo Pissarro et Lionello Venturi, *Camille Pissarro, son art—son oeuvre*, Paris 1939, no. 1571), whose present location is unknown, and a work in tempera (Ibid, no. 1399, private collection, Paris) showing the same group of four women seen from the right. In all three works, the central figure holding the sickle is the focus of attention and the composition is constructed in a triangular shape with the figure as the apex.

Four Peasant Women Resting was probably executed in 1885, a year after Pissarro and his family had moved to Éragny and during the year when he met Seurat and Signac and joined the Neo-Impressionist group. Nevertheless, neither our drawing or the other two related works betray any traces of the Neo-Impressionists' divisionist approach. As a group, these three studies of peasant women reveal some noteworthy aspects of Pissarro's method and approach: he worked simultaneously in various media, though each has an independent history within his total oeuvre. Thus, if in his oil paintings he accepted pointillist theories, he might totally ignore them in his drawings. During the 1880s, the artist's main interest remained the human figure which he studied from many viewpoints. These figures always make contact with the ground and have been called "the rural equivalent of Degas' ballet dancers" (Richard Brettell and Christopher Lloyd, *A catalogue of the drawings by Camille Pissarro in the Ashmolean Museum*, Oxford, 1980, p. 22).

It is interesting to compare our Pissarro drawing with Van Gogh's depiction of a *Peasant Woman Digging* (cat. no. 16) done during the very same year, but expressing a totally different approach to the subject. Van Gogh stresses the peasant as a symbol of the honest toil which he sees as human fate whereas Pissarro studies the formal interaction of figures, and faces.

Gift of Mr. and Mrs. Jan Mitchell, New York, to American Friends of The Israel Museum, 1970
Reg. No. 193.70

קאמיל (יעקב) פיסארו

סן תומא, איי הודו המערבית 1830 - 1903 פריס

ארבע איכרות נחות, 1885 בקירוב

פחם על-גבי נייר מפוספס כחול, 631×490 מ"מ
חתום למטה מימין: "C.P."

תולדות הרישום: גב' אדוארד פטרסון, גלן הד, לונג איילנד; סות'ביס, 4 ביולי 1962, מוצג מס' 9; ארתור תות' ובניו בע"מ, לונדון
תערוכות: "חדש וצפוי", מוזיאון ישראל, ירושלים, מאי-יוני 1970; "עבר והווה - מתנת יאן מיטשל למוזיאון ישראל", מוזיאון ישראל, ירושלים, קיץ 1974, קטלוג מס' 27; פתיחת ביתן פלורסהיימר, מוזיאון ישראל, ירושלים, מאי 1979; "קצה הקרחון מס' 1: רישומים והדפסים צרפתיים מהמאה ה-י"ט מאוסף המוזיאון", מוזיאון ישראל, ירושלים, חורף 1983

תהליך היצירה של פיסארו השתנה במשך השנים. בתקופה האחרונה ביצירתו, משנת 1879 ועד למותו, עומדים ציוריו החשובים בסופו של תהליך ציורי מורכב הכרוך ברישומים רבים. ההבדלים המרובים בין המתווים לבין העבודה המוגמרת מעידים כי תהליך ההכנה אצל פיסארו היה נזיל עדיין, ושהקשר שלו עם האימפרסיוניזם, תנועה שאופיינה בעיקר בספונטאניות של התיעוד החזותי, לא השפיע על שיטות עבודתו.

הרישום שלנו מייצג כנראה את השלב השני בתהליך היצירה, שלב הקומפוזיציה, שבו מתוארות הדמויות בתנוחות שונות . הוא קשור ישירות לרישום פסטל שמקום הימצאו הנוכחי אינו ידוע (Ludovic Rodo Pissarro et Lionello Venturi, *Camille Pissarro, son art - son oeuvre,* Paris, 1939, no. 1571), אך נבדל ממנו בשתי הדמויות הקיצוניות שברישום הפסטל, הנראות באופן יותר חלקי מזה שברישום הפחם, ובזווית שממנה רואים את כל הקבוצה: ברישום הפחם היא נראית מלמטה, ובפסטל - במקביל למישור התמונה. קומפוזיציה אחרת בצבעי טמפרה (שם, מס' 1399) שבאוסף פרטי בפריס, מטפלת באותה קבוצה של ארבע נשים. כאן נראית הקבוצה מימין, ועל כן הדמות משמאל הורחקה עוד יותר והאשה מימין יותר שלמה. בשתי תמונות הצבע, זהה הנוף שברקע. בכל שלוש הגירסות הדמות המרכזית, המחזיקה במגל, נמצאת במוקד ההתעניינות, והקומפוזיציה בנויה בצורת משולש שדמות זו משמשת כקדקודו. הטמפרה היא העבודה המושלמת מבין השלוש, ובהחלטיותה יכולה היתה להיות העבודה המוגמרת.

הרישום "ארבע איכרות נחות" נעשה כנראה ב-1885, שנה אחרי שפיסארו ומשפחתו עקרו לאראניי, ובשנה שבה פגש את סרה וסיניאק והצטרף לקבוצה הניאו-אימפרסיוניסטית. אף-על-פי-כן, לא הרישום שלנו ולא שתי העבודות האחרות הקשורות אליו מסגירים עקבות כלשהם לגישת "החלוקה" של הניאו-אימפרסיוניסטים, אולם הם מבהירים כמה הבטים ראויים לציון בשיטותיו של פיסארו ובגישתו: הוא עבד בד בבד בכמה סגנונות וטכניקות, שלכל אחד מהם היסטוריה עצמאית בתוך מכלול יצירתו. אם בציורי השמן שלו דבק בתיאוריות הפואנטיליסטיות, הוא עשוי היה להתעלם מהן לחלוטין ברישומיו. לאורך כל שנות השמונים נשארה הדמות האנושית במרכז התעניינותו, והוא בחן אותה מזוויות ראייה שונות. דמויותיו נמצאות תמיד בקשר עם הקרקע, נחות עליה או מעבדות אותה בדרך כלשהי. ברטל ולויד מכנים את הרישומים האלה "המקבילה הכפרית לרקדניותיו של דגה" (Richard Brettell and Christopher Lloyd, *A Catalogue of the Drawings by Camille Pissarro in the Ashmolean Museum,* Oxford, 1980, p.22), ואכן דגה הוא שהשפיע על רישומי הדמויות של פיסארו בראשית שנות השמונים יותר מכל אמן אחר.

מעניין להשוות את הרישום הזה ל"איכרה חופרת" של ואן גוך (מס' 16 בקטלוג זה) שנוצרה באותה שנה עצמה, אך מבטאה גישה שונה לגמרי לנושא. ואן גוך מתעניין באיכר כסמל לגורל האנושי הנצחי המתבטא דרך צורות ותנועות הקווים, ואילו עניינו של פיסארו בדמות האנושית, בתווי הפנים וברגשות.

מתנת מר יאן מיטשל ורעייתו, ניו יורק, לידידי מוזיאון ישראל בארצות הברית, 1970
מספר רשום 193.70

35. Odilon Redon

Bordeaux 1840-1916 Paris

Vase with Wild Flowers, ca. 1900

Pastel on paper, 430 × 340 mm
Signed, lower right: "Odilon Redon"

Redon began his career following closely in the footsteps of his master, Rodolphe Bresdin. Through him, Redon became acquainted with the depth and brooding of Rembrandt and the detail of Dürer, and his early work, like Bresdin's, includes fantastic landscapes full of detailed passages. Closely linked with the Decadence movement, which expressed its sense of a decaying society by fostering a preference for works generated from the imagination, Redon devoted himself to black and white lithographs and drawings until he was in his late fifties.

The beautiful pastel in the Israel Museum reflects the change which occurred in Redon's art when he was nearly sixty. Abandoning his graphic work which had been characterized by deep sadness and fear, he turned to oil and pastel, achieving a new optimism with a rich palette of colors depicting floral themes and mythological and religious subjects. This change is attributed to his marriage to a Creole woman who is said to have arranged the flowers for the artist's paintings.

Of the florals, those rendered in pastel are especially successful in evoking the sense of magic and mystery which characterized Redon's earlier work. Seemingly straightforward depictions of garden blooms, their special aura is a result of the delicate smudging of colors as well as the isolation of their subject. Removed from the conventional accompaniment of a floral still life, the artist's flowers are made to float in a special ether, generated by the physical and optical fusion of their colors.

Bequest of Loula D. Lasker, New York to America-Israel Cultural Foundation, 1961
Reg. No. M 1052-12-61

אודילון רדון

בורדו 1840 - 1916 פריס

אגרטל עם פרחי בר, 1900 בקירוב

פסטל על-גבי נייר, 340×430 מ"מ
חתום למטה מימין: "Odilon Redon"

רדון, שלמד אצל רודולף ברדן, הלך בעקבות מורו, ויצר בתחילת דרכו נופים דמיוניים מלאי דימויים מפורטים. דרך ברדן התוודע רדון לרמברנדט ולדירר. קושרים אותו עם "התנועה הדקאדנטית" שנתנה ביטוי לתחושת ריקבונה של החברה בטיפוח היצירה שמקורה בדמיון.

עד סוף שנות החמישים לחייו הקדיש את עצמו להדפסי-אבן ולרישומים בשחור-לבן. יצירות אלה מקרינות עצב ופחד עמוקים.

רישום הפסטל שלנו משקף את השינוי שחל ביצירתו של רדון כשהיה קרוב לגיל שישים. הוא נטש את יצירתו הגרפית, פנה לשמן ולפסטל וביטא אופטימיות חדשה בלוח צבעים עשיר המתאר פרחים ונושאים מיתולוגיים ודתיים. השינוי קשור בנישואיו לאשה קריאולית שסידרה, כך אומרים, את הפרחים לציוריו של בעלה. הציורים, לכאורה תיאורים ישירים וגלויים של פרחים, אפופים בכל זאת באווירה המיסתורית האופיינית לטיפול של האמן בחלל ובבידודו של האובייקט מתוך סביבה מוכרת.

עיזבון לולה ד' לאסקר, ניו יורק, לקרן התרבות אמריקה-ישראל, 1961
מספר רשום M 1052-12-61

98

ODILON REDON

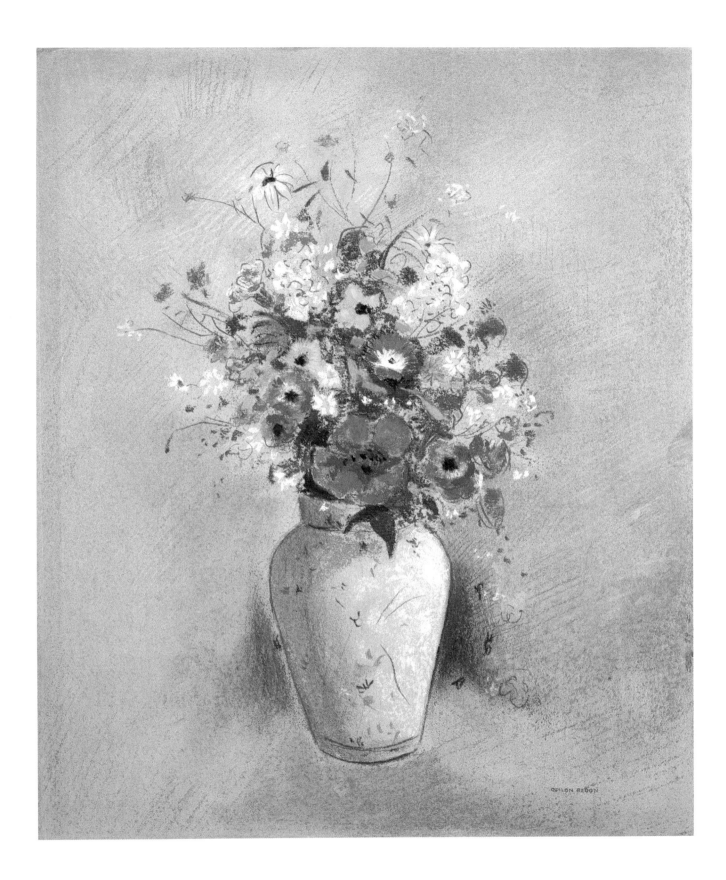

36. Paul Signac

Paris 1863-1935 Paris

View of the Seine, Paris, 1927

Black chalk and watercolor on BFK Rives wove paper, 281 × 441 mm
Signed and dated, lower right: "P Signac 1927"

Exhibitions: *Opening of the Floersheimer Pavilion*, The Israel Museum, Jerusalem, May 1979

Our drawing is of the Square du Vert Galant, a wedge-like projection cut off from the Ile de la Cité by the Pont Neuf, and always regarded as a world of its own. Behind its trees are the houses of Place Pont Neuf and Quai des Orfèvres; the projecting tower on the right is the Tour Saint-Jacques. In this lovely view of bathing on the Seine, clouds flowing in harmony with the foliage, Signac recalls the Pointillism of Seurat and subsumes each object under one unifying textural treatment.

Received from the Jewish Agency in Germany, via New York, 1950
Reg. No. M 42-11-50

פול סיניאק

פריס 1863 - 1935 פריס

מראה הסינה, פריס, 1927

גיר שחור וצבע-מים על-גבי נייר רשת BFK RIVES,
281×441 מ"מ
חתום ומתוארך למטה מימין: "P Signac 1927"

תערוכות: פתיחת ביתן פלורסהיימר, מוזיאון ישראל, ירושלים, מאי 1979

הרישום מראה את הבליטה דמויית-הטריז של איל דה לה סיטה ליד הגשר המכונה "פון נף". מאז ומתמיד ראו בו "עולם" כשלעצמו וכינוהו "כיכר האביר הירוק". מעבר לעצים חבויים הבתים שבכיכר ה"פון נף" ו"רציף הצורפים". המגדל המתנשא משמאל הוא מגדל סן ז'אק. במראה-הנוף התיירותי היפה הזה המראה מתקני רחצה על הסינה ועננים מרחפים בהרמוניה עם העלים הנישאים בזרם, מזכיר סיניאק לא רק את הפואנטיליזם של סרה, אלא גם את מארג העצמים הכלולים כולם תחת מרקם מאוחד.

התקבל מהסוכנות היהודית, גרמניה, דרך ניו יורק, 1950
מספר רשום M 42-11-50

37. Théophile Alexandre Steinlen

Lausanne 1859-1923 Paris

Two Women

Crayon on buff wove paper, 505 × 325 mm
Atelier stamp, lower left: "Steinlen" (Lugt Supplement 2312 b)

Provenance: Charles E. Slatkin Galleries, New York
Exhibitions: *Théophile Alexandre Steinlen, an Exhibition of Drawings, Pastels, Watercolors*, Oct. 18–Nov. 16, 1963, Slatkin Galleries, New York, cat. 105, ill.: *Past and Present, The Jan Mitchell Gift to the Israel Museum*, The Israel Museum, Jerusalem, Summer 1974, cat. no. 23; *Opening of the Floersheimer Pavilion*, The Israel Museum, Jerusalem, May, 1979; *The Tip of the Iceberg No. 1: 19th Century French Drawings and Prints from the Museum Collection*, The Israel Museum, Jerusalem, Winter 1983

Steinlen may be compared with Daumier, Hogarth, and Toulouse-Lautrec, all of whom depicted the lower classes, but he lacks their element of strong satire. His was a Romantic portrayal of everyday life, the work of a poet of the streets sympathetically concerned with suffering and wretchedness. Thus his efforts often focused on the full human figure centered in a composition, enveloped in light.

His drawings were used as preparatory studies for posters, illustrations, and paintings and not intended as finished works. Nevertheless, many of them can stand on their own as powerful works of art. They reveal a variety of influences and seasonings, including the Blue Period of Picasso, Art Nouveau style, the spirit of the fin-de-siècle, and the art of Millet and Forain. The Israel Museum drawing is typical: two melancholy women (prostitutes?) stroll in the foreground of a brightly lit café, isolated by the artist from the male patrons whose animated depiction contrasts sharply with that of the women. Their separate world is reinforced by pictorial means such as the contrast of lights and darks, and the viewer is left in little doubt about the mood intended by Steinlen.

Gift of Mr. & Mrs. Jan Mitchell, New York, to America-Israel Cultural Foundation, 1970
Reg. No. 196.70

תיאופיל אלכסנדר סטינלן

לוזאן 1859 - 1923 פריס

שתי נשים

גיר שמנוני על-גבי נייר רשת צהבהב, 325×505 מ"מ
חתום למטה משמאל בחותמת הסדנה: "Steinlen"
(Lugt Supp. 2312 b)

תולדות הרישום: גלריות צ'ארלס א' סלאטקין, ניו יורק
תערוכות: "עבר והווה - מתנת יאן מיטשל למוזיאון ישראל", מוזיאון ישראל, ירושלים, קיץ 1974, קטלוג מס' 23; פתיחת ביתן פלורסהיימר, מוזיאון ישראל, ירושלים, מאי 1979; "קצה הקרחון מס' 1: רישומים והדפסים צרפתיים מהמאה ה-י"ט מאוסף המוזיאון", מוזיאון ישראל, ירושלים, חורף 1983

עבודותיו של סטינלן היו תיאור רומאנטי של חיי היום-יום. כינו אותו "משורר רחוב" בגלל מחזות הסבל והאומללות השכיחים כל כך ביצירתו. אם אפשר להשוות את סטינלן להוגארת' ולדומייה שהיו דוברי המדוכאים, הוא הגביל את עצמו, בניגוד להם, כמעט אך ורק לתיאור המעמדות הנמוכים ולעולם התחתון הפריסאי, אך חסר את הנימה הסאטירית המאפיינת את דומייה וטולוז-לוטרק. הוא היה אמן אנושי לחלוטין והתעניינותו התמקדה בדמות האדם במלואה, המופיעה במרכז הדף כשהיא מוקפת אור. אף-כי רבים מרישומיו יכולים לעמוד בזכות עצמם, רק מעטים מהם נועדו להיות יצירות מוגמרות. רובם נעשו כהכנות לאיורים, כרזות וציורים.

ביצירתו של סטינלן היסודות המובהקים של אר-נובו שלובים בהלך הרוח של סוף המאה ובהשפעות רעיוניות וסגנוניות של טולוז-לוטרק, פורן, דומייה, מייה ופיסארו, וכן יש בה מודעות לת-קופה הכחולה של פיקאסו.

הרישום שלנו הוא דוגמה אופיינית לעבודתו של סטינלן. שתי הנשים (פרוצות?) שבקדמת התמונה נבדלות מהרקע ומיוצגות כזרות לו באמצעות הבעת פניהן המלאנכולית. הן חולפות דרך בית-הקפה המואר, שהאווירה האופפת את היושבים הגבריים שבו עומדת בניגוד חריף לזו של הנשים. הרקע הכהה רומז לצופה שאין ב"עולם האחר" כל נחמה לנשים. הניגוד בין הבהיר לכהה מתחדד עוד יותר בלבושן של שתי הדמויות העיקריות.

מתנת מר יאן מיטשל ורעייתו, ניו יורק, לקרן התרבות אמריקה-ישראל, 1970
מספר רשום 196.70

38. Emile Jean Horace (Horace Vernet)

Paris 1789-1863 Paris

A Group of Arabs Attending

Black and white chalk on paper, 360 × 465 mm
Inscribed, lower right: "Horace Vernet"

PROVENANCE: Jacques Fischer, Paris
EXHIBITIONS: *Costumes and Customs East and West*, The Israel Museum, Jerusalem, May-August 1985

Horace Vernet, the third in a line of distinguished painters, grandson of Claude-Joseph Vernet and Moreau le Jeune, and son of Carle Vernet, is best known for his many large-scale battle pieces commemorating the victories of Napoleon I and his successors. A product of the Romantic era, Vernet's interest in the Orient came to full expression in his depiction of Oriental types as well as in his Biblical paintings. In these works he conceived the idea of presenting the subjects of biblical tales in their "national" costumes and with "national" characteristics.

In our drawing the same group of Arabs is shown twice, on the lower left in a quick sketch of five figures, and again in the central, detailed drawing of four figures. They are clearly in an attentive pose, all looking up and in the same direction, but the rapid passage at lower left appears to have been done from life, while the main group, concerned with contours, modelling, surfaces and volumes, is the product of a later and longer session in the studio.

Vernet's first trip to Algeria was with the French Army in 1833. At the time he was a man of established reputation, and Director of the French Academy in Rome, a post he held until 1835 when he was succeeded by Ingres. The Israel Museum's drawing may be a sketch for *Arabs in their Camp Listening to a Story* (Wallace Collection, London), Vernet's best-known painting which was painted in 1833. However, it is impossible to make a definitive connection, as similar subjects are found in later works as well (see *Agar Chased by Abraham*, 1837, Museum of Fine Arts, Nantes, no. 67 in *Horace Vernet 1789-1863*, Académie de France à Rome, École Nationale Supérieure des Beaux-Arts, Paris, March–July 1980; and *The First Mass in Kabilya*, 1854, Musée Cantonal des Beaux-Arts, Lausanne, no. 99 in *The Orientalists: Delacroix to Matisse*, National Gallery of Art, Washington, D.C., July–October 1984). Dating the sheet is further complicated by the fact that Vernet's drawing style did not change significantly after 1833.

Purchased through a donation from the Ash Foundation, New York, to American Friends of The Israel Museum, 1982
Reg. No. 493.82

אמיל ז׳אן הוראס (המכוּנֶה הוראס וֶרנֶה)

פריס 1789 - 1863 פריס

קבוצת ערבים מקשיבה

גיר שחור ולבן על-גבי נייר, 465×360 מ"מ
רשום למטה מימין: "Horace Vernet"

תולדות הרישום: ז׳אק פישר, פריס
תערוכות: "מנהגים ומלבושים, מזרח ומערב", מוזיאון ישראל, ירושלים, מאי-אוגוסט 1985

הוראס ורנה, השלישי במשפחת ציירים מפורסמים, נכדם של קלוד-ז׳וזף וֶרנֶה ומורו לה זֶ׳ן ובנו של קרל ורנה, ידוע בעיקר בזכות ציורי הקרב גדולי-הממדים שלו המנציחים את נצחונות נפוליון הראשון ויורשיו. ורנה, בן העידן הרומאנטי, גילה התעניינות במזרח, שבאה לביטוי מלא בתיאורי טיפוסים מזרחיים בציוריו התנ"כיים שבהם הגה את הרעיון להציג את גיבורי הסיפורים המקראיים בתלבושותיהם "הלאומיות" ובאיפיונים "גזעיים". את מסעו הראשון לאלג׳יריה עשה עם הצבא הצרפתי ב-1833, כשהיה מנהל האקדמיה הצרפתית ברומא ועתיר מוניטין. הוא החזיק בעמדה זו עד 1835, כאשר אנגר בא במקומו. ציורו האוריינטאלי המפורסם ביותר של ורנה "ערבים יושבים במחנה ומאזינים לסיפור", כיום באוסף וואלאס בלונדון, צוייר ב-1833. אפשר שהרישום שבמוזיאון ישראל הוא מתווה-הכנה לקומפוזיציה זו. הוא מראה את אותו חלק של הקבוצה פעמיים: למטה משמאל מופיע מתווה חפוז של חמש דמויות יושבות, ואילו הרישום העיקרי בוחן בפרטות את תנוחתן של ארבע דמויות יושבות, שקועות בפעילות סבילה ומביטות בכיוון אחד. נראה שהמתווה הקטן נעשה מהטבע, ואילו הרישום המפורט, על קווי-המיתאר שבו, עיצוב הנפח, המשטחים והעומקים, הוא תוצר של עבודה ממושכת יותר לאחר-מכן בסדנה. מאחר שניתן למצוא קבוצות דומות של יושבים בציורים מאוחרים יותר של ורנה (כגון "אברהם מגרש את הגר" 1837, מוזיאון לאמנויות יפות, נאנט, מס׳ 67 ב-*Horace Vernet 1789-1863*, Academie de France à Rome, École Nationale Superieure des Beaux-Arts, Paris, March-July 1980; וה"מיסה הראשונה בקביליה" 1854, אוסף המוזיאון הקנטונאלי לאמנויות יפות, לוזאן, מס׳ 99 ב-*"The Orientalistes: Delacroix to Matisse"*, National Gallery of Art, Washington D.C., July-October 1984), ומאחר שסגנון רישומו של ורנה לא השתנה בהרבה מאז 1833, אי אפשר לקבוע בוודאות את הקשר של הרישום לקומפוזיציה האוריינטאליסטית המוקדמת יותר או לתארך את הרישום בבירור.

נרכש בתרומת קרן אש, ניו יורק, לידידי מוזיאון ישראל בארצות הברית, 1982
מספר רשום 493.82

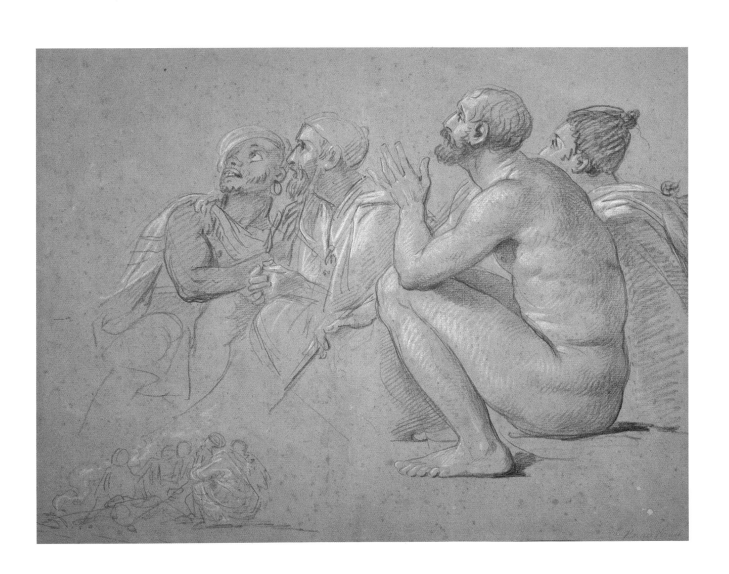

39. Jean Dubuffet

Le Havre 1901-1985 Paris

Elements in Fugitive Nature, 1954

Pen and ink, wash, Collage imprint on paper, 725 × 563mm
Signed and dated, lower right: "J. Dubuffet 54"

BIBLIOGRAPHY: Max Lorean, *Catalogue des Travaux de Jean Dubuffet*, Paris, 1968, vol. 9, fig. 100; Ygal Zalmona, "Anti-Cultural Project: Dubuffet's Works at the Israel Museum," *The Israel Museum Journal*, Jerusalem, Vol V, Spring 1986, pp. 83-94, fig. 1
EXHIBITIONS: *Jean Dubuffet, A Retrospective*, The Solomon Guggenheim Museum, New York, April-July 1973, no. 186; Grand Palais, Paris, September-December 1973

The art of Jean Dubuffet emerges from three main sources which helped his search for an alternative to established aesthetic values he considered arbitrary. These three sources are Surrealist art; the art of the naive and untrained, including images by children, psychics, prisoners and mental patients—even graffiti; and the poetry of Max Jacob, filled with irony, ambiguity and puns.

More often than not the drawings are done after paintings, as with our drawing, whose subject matter originates in the painting of 1953, The Geologist (private collection, Guggenheim catalogue, ill. no. 48). In the oil, a cross-section of geological strata is seen simultaneously from the top and side filling most of the picture's surface. There were three groups of "imprint assemblages" relating to this oil—the first, to which our sheet belongs, from December of 1953, the second from February, 1955, and the last from December, 1956. These derive from "butterfly-wing assemblages" and show an interest in cellular forms and the simulation of a microscopic view of nature. Like Paul Klee, Dubuffet's philosophical and visual range manifests a childlike wonder, and includes the innocence of animals and nature, as well as the behavior of men and machines.

Allowing the shapes taken by materials to serve as a conceptual and literally physical guide, these "imprint assemblages" were technically inventive. Dubuffet scattered a little dust or debris of some kind on a metal plate covered with printer's ink and allowed it to dry for a moment; then, laying a sheet of transfer paper on it, he quickly printed it. This was repeated with more sheets of transfer paper, occasionally altering the inked designs. The prints thus obtained were cut out, rearranged, glued together, and sometimes transferred onto lithographic stone. To Dubuffet this was a way of avoiding the arbitrary creations of the human mind in favor of a technique imitating the effects of geological processes that had produced the beauty of the fossil records. Thus Dubuffet celebrates the origins of art in terms of myths and chance events in nature.

Gift of Robert Elkon, New York, to American Friends of The Israel Museum, 1974
Reg. No. 44.74

ז׳אן דובופה

לה הבר 1901 - 1985 פריס

יסודות בטבע חמקני, 1954

עט ודיו, מגוון והטבעת קולאז׳ על-גבי נייר, 563×725 מ״מ
חתום ומתוארך למטה מימין: "J. Dubuffet 54"

יצירתו של דובופה נובעת משלושה מקורות עיקריים: מאמנות סוריאליסטית, משירתו של מאקס ז׳אקוב על משחקי המלים הדו-משמעיים שלה והכרזותיה האירוניות, ומאמנותם של הנאיבים והלא מיומנים, ובכללם ילדים, מדיומים, אסירים, חולי נפש והגרפיטי שעל קירות הרחוב. שלושה מקורות אלה עזרו לו בחיפושיו אחרי אלטרנטיבה לערכים האסתטיים הממוסדים שאותם חשב לשרירותיים.

רישומיו של דובופה נעשו על-פי-רוב בעקבות הציורים שלו. על נושאיו נמנים אנשים, מכונות, פעילויות הטבע - מהנשגב ועד המיקרוסקופי - ובעלי-חיים. בדומה לפול קלה הוא מבקש את התום והפליאה הילדותיים. הרישום שבמוזיאון ישראל נראה כמבט מיקרוסקופי בטבע. הוא שייך לקבוצה הראשונה של "אסאמבלאז׳ים מוטבעים" שראשיתה בדצמבר 1953 ואליה חזר דובופה פעמיים נוספות, בפברואר 1955 ובדצמבר 1956. נושאיה של קבוצת הרישומים הראשונה נובעים מהציור "הגיאולוג" שצייר דובופה בדצמבר 1953 (אוסף פרטי, קטלוג מוזיאון גוגנהיים, תמונה מס׳ 48), שבו חתך-הרוחב של שכבות גיאולוגיות , הנראה בד בבד מלמעלה ופנים-אל-פנים, ממלא את רוב משטח הציור. מבחינה צורנית נובעים ה"אסאמבלאז׳ים המוטבעים" מ"האסאמבלאז׳ים של כנפי הפרפר" המגלים התעניינות בצורתם של תאים, וכן מהעובדה שאצל דובופה, הצורות שלובשים החומרים משמשות מורי דרך להשראתו ולידו של האמן בבואו לעצב את צורותיו.

ה"אסאמבלאז׳ים המוטבעים" נעשו בדרך הבאה: על גיליון של רודויד המכוסה כולו בדיו דפוס, מפזרים מעט אבק או שיירים. מחכים רגע כדי שיתייבש, ואז מהדקים אליו גיליון נייר שקוף ומושכים במהירות; חוזרים על הפעולה עם גיליון נייר נוסף תוך שינוי, לעתים, של הצורות שכוסו בדיו. ההדפסים שנוצרו בדרך זו נגזרים, מסודרים בסדר שונה ומודבקים יחד. לעתים מעבירים אותם לאבן ליתוגראפית. היתה זו שיטתו של האמן להימנע מיצירות שרירותיות של הרוח האנושית לטובת טכניקה המחקה את הקטסטרופה הגיאולוגית שייצרה מאובנים. כך התקרב דובופה לצור-מחצבתה של האמנות עליו חשב במונחים של מיתוסים וכאירוע מקרי בטבע.

מתנת רוברט אלקון, ניו יורק, לידידי מוזיאון ישראל בארצות הברית, 1974
מספר רשום 44.74

40. Marie Laurencin

Paris 1883-1956 Paris

Circus

Graphite and colored pencils on paper, 480 × 334 mm
Signed, lower right: "Marie Laurencin"

Marie Laurencin was a deeply instinctual painter whose light-hearted work is close to the fashion of clothing and decor of the twenties, and the art of Foujita, Kisling, Pascin and van Dongen. Laurencin's identification with Cubism and Dada is largely the result of her friendship with some of the key artists of those movements rather than of an intellectual or aesthetic conviction reflected in her work. Her vision never shifted. Fixed on a distinct mood and taste, it is distinguished by the absence of stylistic change, a curious vision of a world peopled, as she said, by "beautiful young girls and boneless animals."

In our composition, *Circus*, the pony and the girls alike are decorative elements, not representations of actual living creatures. However it is a work from the end of the artist's life with great gestural sureness and delicacy of color and form. In treatment it is related to the series of color lithographs she produced as book illustrations, especially the 1930 edition of *Alice in Wonderland*. In Lewis Caroll's masterpiece, as in our drawing, Laurencin's figures emerge from a densely cross-hatched background as if in a brief performance for the viewer.

Gift of the artist, 1952
Reg. No. 2128.11.52

מארי לורנסן

פריס 1883 - 1956 פריס

קרקס

עיפרון ועפרונות צבעוניים על-גבי נייר, 334×480 מ"מ
חתום למטה מימין: "Marie Laurencin"

בקרקסה של מארי לורנסן הן הסוס והן הנערות משמשים כרכיבים קישוטיים בקומפוזיציה יותר משהם דמויות חיות. זיהויה של לורנסן עם הקוביזם ודאדא היה במידה רבה תוצאה של סמיכות ולאו דווקא של ראציונאליזם אינטלקטואלי או אמונה אמנותית. היא היתה ציירת אינסטינקטיבית, והגנה שוב ושוב על ראייתה המוזרה את העולם כמאוכלס ב"נערות צעירות יפות ובבעלי-חיים חסרי־עצמות", באמרה שהם מופיעים בתמונותיה כפי שהיא רואה אותם. יצירתה של לורנסן דקוראטיבית ועליזה, דומה בהידורה לאופנות הריהוט והלבוש שרווחו בשנות העשרים. עבודתה קרובה לאסכולת הציור הדקורטיבי שעליה נמנים מואיז קיסלינג, ז'ול פאסקאן, פוז'יטה וקס ואן דונגן, יותר מאשר לקוביסטים ולדאדאיסטים שהיו חבריה.

ראיית העולם של לורנסן לא נשתנתה במרוצת השנים והיא מבוססת על מצב-רוח וטעם מוגדרים. אפיונה בכך שאינה מראה את שינויי הסגנון שאנו קושרים לאמנים אחרים. אמנותה, צעירה כמו נערותיה הקטנות, לא הגיעה לגיל הבגרות.

אף-על-פי-כן, הרישום שלפנינו שייך לשלב בסוף חייה של האמנית, שבו הצורות העדינות והצבעים מראים על הפעלה משוחררת יותר של היד. בעיבודו הוא מתקרב כמדומה להדפסי-האבן הצבעוניים שלה, שנעשו בדרך־כלל כאיורים לספרים, ובעיקר לאלה שעשתה ב־1930 ל"עליסה בארץ הפלאות" של לואיס קארול, שבהם, כמו ברישום שלנו, מוצבות הדמויות על רקע מקווקו בצפיפות כאילו הגיחו מתוך הרקע להופעה קצרה בפני הצופה.

מתנת האמנית, 1952
מספר רשום 2128.11.52

41. Fernand Léger

Argentan 1881-1955 Gif-sur-Yvette

Le grand escalier, Verdun, 1916

Reed pen and ink on paper, 297 × 202 mm
Signed, titled, and dated, upper left: "Verdun le grand escalier Fleger 12-16"

PROVENANCE: Leonid Massine; Mr. and Mrs. Daniel Saidenberg
EXHIBITIONS: *Massine Collection*, Wadsworth Atheneum, Hartford, Connecticutt, no. 61; *Trends in Geometrical Abstraction after Cubism*, The Israel Museum, Jerusalem, June 1980-January 1981

Léger's *Dessins de guerre* constitute an exceptional documentary record of daily life on the front line. They were drawn between 1914 and 1917 when the artist served in the French corps of engineers in the town of Verdun which was destroyed during the long bloody battle of February-August, 1916. Léger stayed in and near the town until December, sketching the ruins in pen or pencil on any scrap of paper that came to hand. The following Spring he was gassed on the Aisne front and discharged—for him the war had ended.

This drawing of Verdun is unusual, devoid of either a military or civilian population, as most of Léger's drawings of the war treat its most human dimensions. Indeed, as the artist stated, "I left Paris completely immersed in an abstract method, a period of pictorial liberation. Without any transition I found myself on a level with the whole of the French people... The human wealth, rarity, humor and perfection that I found in certain kinds of men around me. . . ." (Jean Cassou and Jean Leymarie, *Fernand Léger Drawings and Gouaches*, London, 1973, p. 33). These war drawings are comprised of simplified geometricized components whose varied hatchings and almost brushy use of the reed pen achieve both volume and surface. In our sheet which is otherwise devoid of overt action, these black marks and the compressed abstraction of their architectural reductions provide the energy.

Léger's war experience was of continuing importance in his art, for he seems thereby to have been prevented from pursuing a more detached abstractionism. A humanist throughout his career, his iconography included the daily work of men and their machines. As he wrote, "Once I had bitten into this reality, the object was and remained essential. . . ." (Ibid., p. 33).

Gift of Mr. and Mrs. Daniel Saidenberg, New York to American Friends of The Israel Museum, 1976
Reg. No. 18.76

פרנאן לז'ה

ארז'נטאן 1881 - 1955 ז'יף-סור-איבט

גרם המעלות הגדול, ורדן, 1916

קולמוס ודיו על-גבי נייר, 202×297 מ"מ
רשום וחתום למעלה משמאל: "Verdun, le grand escalier Fleger 12-16"

תולדות הרישום: ליאוניד מאסין; דניאל זידנברג ורעייתו
תערוכות: "מגמות בהפשטה גאומטרית שלאחר הקוביזם", מוזיאון ישראל, ירושלים, יוני 1980 - ינואר 1981

רישום זה שייך לקבוצת רישומים של לז'ה מהשנים 1914-1917, שבהן שירת האמן בחיל ההנדסה הצרפתי. הרישום נושא את התאריך 1916 ומתאר את העיר ורדן שנהרסה בקרב הארוך והאכזרי של פברואר-אוגוסט 1916. לז'ה שהה בוורדן ובסביבתה כל חודש דצמבר ורשם מתווים של העיר ההרוסה, בעט או בעיפרון, על כל פיסת נייר שנזדמנה לידו. באביב 1917 הורעל בגאז בחזית אֵן ולאחר מכן שוחרר מהצבא; לגביו המלחמה הסתיימה.

"רישומי המלחמה" של לז'ה מהווים תיעוד יוצא-דופן של חיי החיילים במחנות ובאזורי האש. הרישומים, שנעשו במקום ההתרחשות, מתארים את הצדדים הרגילים ולאו דווקא את הצדדים יוצאי-הדופן בחוויית המלחמה של האמן.

הרישום שלפנינו חריג בכך שהוא מתאר את העיר ריקה מאזרחים או מחיילים, בעוד שמרבית הרישומים עוסקים בקלסתרה האנושי של המלחמה, הבט שהשפיע על לז'ה יותר מכל: "עזבתי את פריס שקוע כולי במתודה אבסטראקטית, תקופה של שחרור ציורי. ללא כל מעבר מצאתי את עצמי על רמה אחת עם כל העם הצרפתי... העושר האנושי, הנדירות, ההומור והשלמות שמצאתי אצל אנשים מסויימים סביבי..." (Jean Cassou and Jean Leymarie, *Fernand Léger Drawings and Gouaches*, London, 1973, p. 33).

רישומי המלחמה של לז'ה עושים שימוש במרכיבים גיאומטריים פשוטים. הקִוקוּו המשתנה והמצטלב של הקולמוס, שבאמצעותו מושגים המשטחים הנפחיים והשטוחים, תורם גם לדראמה של הרישום שנעדרת ממנו פעולה גלויה.

שנות המלחמה ורישומי המלחמה מהווים שלב חשוב באמנותו של לז'ה, ונראה שהם ניתקוהו מן החיפוש אחרי ההפשטה המוחלטת. התעניינותו מכאן ואילך מתמקדת בחיי היום-יום של האדם והמכונה. לז'ה נועד להישאר הומאניסט כל חייו: "לאחר שנגסתי פעם אחת במציאות הזו, האובייקט היה ונשאר חיוני בשבילי" (שם, עמ' 33).

מתנת מר דניאל זידנברג ורעייתו, ניו יורק, לידידי מוזיאון ישראל בארצות הברית, 1976
מספר רשום 18.76

Verdun
12-16

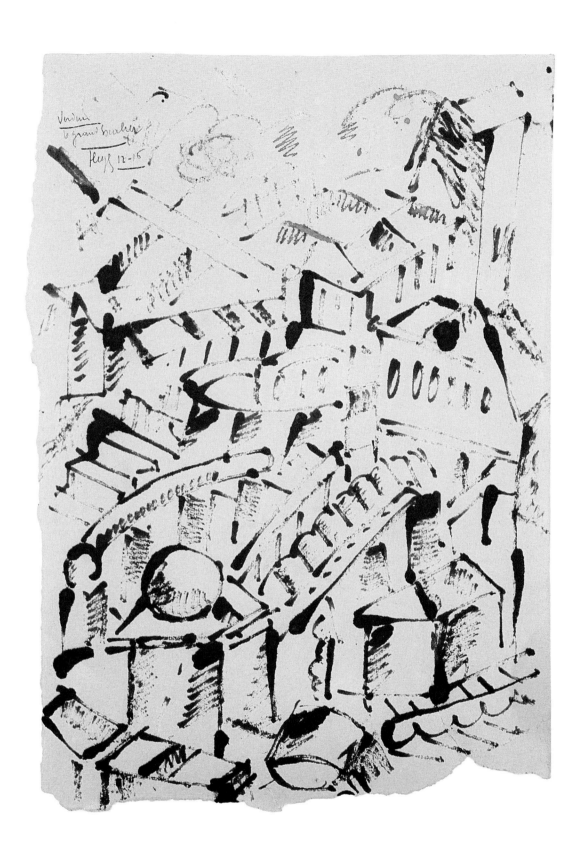

42. Henri Matisse

Cateau-Cambrésis 1869-1954 Nice

Still Life, 1941

Pen and ink on wove paper, 510 × 650 mm
Signed, lower right: "Henri Matisse 41"
Inscribed, lower right: "au Musée Bezalel de Jérusalem" and "G5"
Inscribed, verso: "G5" and matting instructions

BIBLIOGRAPHY: Alfred H. Barr, *Matisse, His Art and His Public*, The Museum of Modern Art, New York, 1951, p. 268, ill. p. 265
EXHIBITIONS: *Henri Matisse, Prints and Drawings*, The Israel Museum, Jerusalem, Ocober-December, 1971, cat. no. 63

1941 was a difficult year for Matisse. In addition to the war and the recent separation from his wife, his health had deteriorated considerably, with two serious operations in March and April. He did not return from Lyons to Nice until May of that year, weakened to the point of almost continuous confinement to bed. During this convalescence when painting constituted a considerable effort, his drawing flourished.

During 1941 and 1942 a group of one hundred and fifty-eight drawings was produced, and published in 1943 by Martin Fabiani (*Dessins: Thèmes et Variations*, Paris, 1943, edition of 950, with an introduction by the poet Louis Aragon). The volume is divided into seventeen sections lettered from A to P, each section introduced with a charcoal study of a theme, followed by three to nineteen variations executed in crayon or pen and ink. These variations move from painterly, tonal handling to a pure linear treatment. Matisse called the project "a motion picture film of the feelings of an artist" (Barr, p. 268, quoted from the artist's letter to his son, Pierre, February 1945).

Our drawing is variation 5 from theme "G", a group dealing with still life compositions. It includes several objects such as a pewter jug and a round platter with handles, both familiar to us from photographs of groups of objects owned and frequently drawn and painted by the artist (e.g. *The Pewter Vase*, 1916 or 1917, Cone Collection, Baltimore; *Still Life with Lemons*, 1939, Paul Rosenberg Galleries, New York; *Red Still Life with Magnolias, Nice*, 1941, Musée National d'Art Moderne, Paris). Matisse has created brilliant variations between series, within themes, and inside the compositions themselves, with repetitions of echoing shapes and lines.

Gift of the artist, 1952
Reg. No. 2129.11.52

אנרי מאטיס

קאטו־קאמברזיס 1869 - 1954 ניצה

טבע דומם, 1941

עט ודיו על־גבי נייר רשת, 650×510 מ"מ
חתום למטה מימין: "Henri Matisse 41"
רשום למטה מימין: "Au Musée Bezalel de Jérusalem"; "G5"
על גב הגיליון: "G5" והוראות פספרטו

תערוכות: "אנרי מאטיס, רישומים והדפסים" מוזיאון ישראל, ירושלים, אוקטובר-דצמבר 1971, קטלוג מס' 63

1941 היתה שנה קשה למאטיס. בנוסף למלחמה ולפרידתו מאשתו, חלה הרעה במצב בריאותו, ובחודשים מרס ואפריל נותח פעמיים בליון. רק בחודש מאי חזר לניצה ונשאר רוב הזמן רתוק למיטתו. בתקופת החלמתו החל לצייר ולרשום במיטה. היתה זו תקופת פריחה לרישומיו. הרישום שלנו נעשה באוקטובר 1941, והוא שייך לקבוצה של מאה חמישים ושמונה רישומים שיצר האמן בשנים 1942-1941 ושפורסמו ב-1943 (M. Fabiani, *Dessins: Thèmes et Variations*, Paris, 1943, מהדורה בת 950 עותקים, עם הקדמה מאת לואי אראגון).

הספר מכיל שבע-עשרה סדרות, מסומנות באותיות A-P. בראש כל סידרה מופיע מתווה פחם המציג את נושאה, ולאחריו שלוש עד תשע-עשרה ואריאציות בגיר שמנוני או בעט ודיו הנעות בין מתווה ציורי טונאלי ועד לגישה קווית לנושא. מאטיס קרא למכלול הוואריאציות הזה "סרט קולנוע על רגשות האמן" (Barr עמ' 268, ציטטה ממכתב האמן לבנו פייר בפברואר 1945).

הסידרה המסומנת G היא קבוצה של שש קומפוזיציות על נושא טבע דומם, והרישום שלנו הוא הוואריאציה החמישית. מופיעים בו מספר עצמים, כגון קנקן בדיל ומגש עגול בעל ידיות, שניהם מוכרים לנו מתוך צילומים של קבוצות חפצים בבעלותו של האמן שצויירו ונרשמו בידו. (למשל "קנקן הבדיל", 1916 או 1917, אוסף קון, בולטימור; "טבע דומם עם לימונים", 1939, גלריות פול רוזנברג, ניו יורק; ו"טבע דומם אדום עם מגנוליה", ניצה, דצמבר 1941, המוזיאון הלאומי לאמנות מודרנית, פריס). שיטת הוואריאציות על נושא והדגמים החוזרים מצויים הן בין הסדרות והן בקומפוזיציות עצמן, שבהן אנו מוצאים הדים לצורות ולקווים.

מתנת האמן, 1952
מספר רשום 2129.11.52

Bezalel
Henri Matisse 41

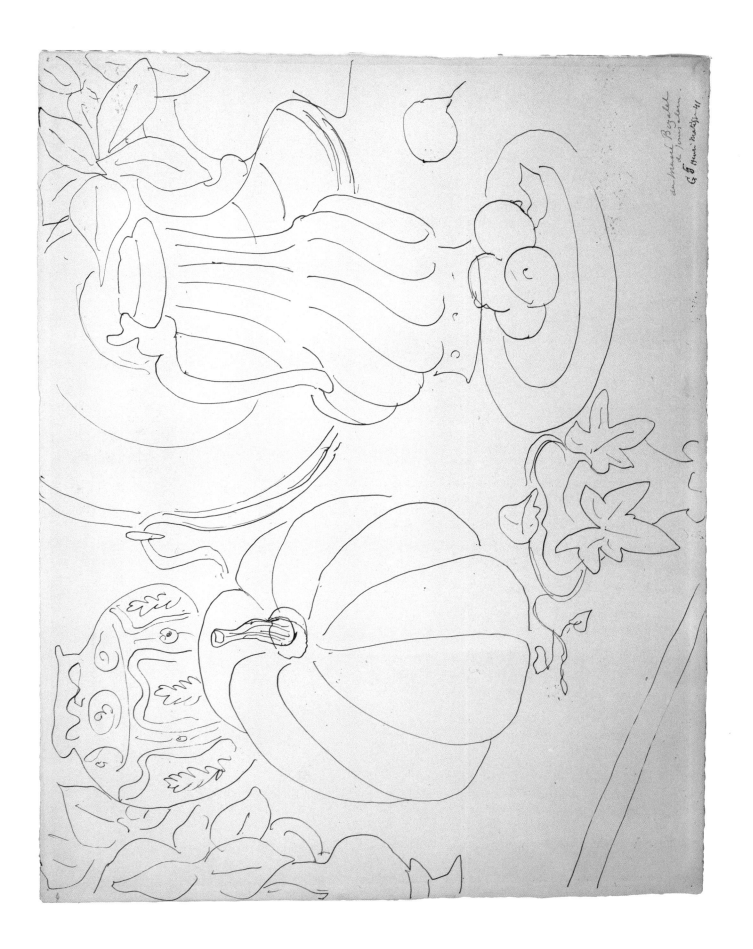

43. Jules Pascin (Julius Mordecai Pincas)

Vidin 1885-1930 Paris

A Lady and a Hunchback in a Café, ca. 1908-9

Graphite and watercolor on paper, 345 × 265 mm
Stamped, lower right: "Atelier Pascin"

EXHIBITIONS: *The Sensuous Line*, The Israel Museum, Jerusalem, Winter 1978; *Opening of the Floersheimer Pavilion*, The Israel Museum, Jerusalem, May 1979

Pascin's figures seem to acknowledge the spectator and they usually invite approach. If no eye contact is established with us, the artist still manages to convey a powerful observation of mood. In the case of our drawing, however, one's reaction might be to look away.

A Lady and a Hunchback in a Café was executed in Paris, the artist's home from 1905 until his death. It is charged with fin-de-siècle satire and decadence so characteristic of Pascin's years of association with the periodical *Simplicissimus*. Pascin has juxtaposed a mean-looking hunchback with an attractive, if aging demi-mondaine. Jugendstil's flowing line and broad disregard of detail effect a sensuous severity, a decorative and nostalgic mood somehow combined with a nearly geometric minimalism.

The Israel Museum owns approximately one hundred oil paintings, watercolors and drawings by Jules Pascin, representing nearly every period and medium of his oeuvre.

Gift of Joseph Pincas, brother of the artist, Paris, 1950
Reg. No. 2098-3-50

ז׳ול פאסקאן (יוליוס מרדכי פנקס)

וידין 1885 - 1930 פריס

גברת וגיבן בבית-קפה, 1909-1908 בקירוב

עיפרון וצבע-מים על־גבי נייר, 265×345 מ״מ
חותמת העיזבון למטה מימין: "Atelier Pascin"

תערוכות: "הקו החושני", מוזיאון ישראל, ירושלים, חורף 1978; פתיחת ביתן פלורסהיימר, מוזיאון ישראל, ירושלים, מאי 1979

אוסף מוזיאון ישראל, המכיל קרוב למאה ציורי שמן, אקווארלים ורישומים של פאסקאן, מייצג את יצירתו האמנותית על כל תקופותיה ואת סוגי החומרים שבהם עבד. "גברת וגיבן בבית-קפה" נעשה בפריס שבה גר פאסקאן החל מ-1905. הרישום משקף מאפיין בולט ביצירתו - השימוש בדמות האדם כדי למסור את הלך־הרוח הדקאדנטי של ראשית המאה. במקרה שלנו נוצר יסוד סאטירי, זכר לקשריו של האמן עם כתב־העת "סימפליציסימוס", על־ידי הניגוד שבין דמותו הכהה של הגיבן הזקן והמרושע למראה לבין הגברת הכבודה שנראית בכל זאת ספק־צנועה. היסוד הסאטירי, המתלכד כאן עם מלנכוליה פריסאית כללית, נמסר בקומפוזיציה מורכבת מקווים זורמים בנוסח היוגנדשטיל ומהתעלמות צורנית מפרטים. כדאי לשים לב לצורה הגיאומטרית כמעט של זרועות הגבר וידיו ולצורת גוף האשה.

דמויותיו של פאסקאן מכירות בנוכחות הצופה וכאילו מזמינות אותו להתקרב. גם כשלא נוצר מגע עין עם המסתכל, הן מוסרות את כוח ההתבוננות של האמן ואת מצב הרוח שביקש לשקף. אנחנו, לעומת זאת, נגיב אולי בהסבת מבט מנומסת ונחפש לנו שולחן אחר.

מתנת אחי האמן, יוסף פנקס, פריס, 1950
מספר רשום 2098-3-50

44. Jules Pascin (Julius Mordecai Pincas)

Vidin 1885-1930 Paris

Femme en Culotte, ca. 1925

Black chalk on wove paper; 550 × 387 mm
Signed, lower right: "Pascin"
Inscribed, verso: "Femme en culotte; Avril 192. . non" and matting instructions.

EXHIBITIONS: *Pascin-100 oil paintings, watercolors and drawings*, Bezalel National Museum, Jerusalem, November 1958; *The Sensuous Line*, The Israel Museum, Jerusalem, Winter 1978

Although Pascin's themes derive from Degas and Toulouse-Lautrec, he sees in the female subject less human resilience and more tragic passivity than they. His women, often very young, are already broken or trapped, indifferent, bored, and helpless. Pascin has drawn and painted these creatures to whom life has not been kind in every possible pose, nude and clothed. Not connected to any particular movement in Paris, but closer in spirit to the Rococo masters, it is "joie-de-vivre," vivid impressions of the life of Paris, and an infatuation with women which Pascin shares with Lautrec. In his mature work he assimilates the planar modelling of Cézanne, and from Expressionism he has learned the richness of outline.

Femme en Culotte, in the transitional mood of the 1920s, reflects a total lack of interest in either formal questions or academic representation. Made in Paris after Pascin had returned from a six-year stay in the United States, our sheet, like the majority of the artist's work, betrays a sensual interest in the female figure which is more redolent of boudoir than brothel. The prostitutes of Degas are more raw, the women of Matisse less real.

Gift of Joseph Pincas, brother of the artist, Paris, 1950
Reg. No. 2094-3-50

ז'ול פאסקאן (יוליוס מרדכי פנקס)

וידין 1885 - 1930 פריס

אשה בבגדים תחתוניים, 1925 בקירוב

גיר שחור על-גבי נייר רשת, 387×550 מ"מ
חתום למטה מימין: "Pascin"
רשום על גב הגיליון: "Femme en culotte, Avril 192 non"
וכמו כן הוראות מסגור

תערוכות: "פאסקאן - 100 ציורי-שמן, צבעי-מים ורישומים מאוספי בית הנכות", בית הנכות הלאומי בצלאל בירושלים, נובמבר 1958; "הקו החושני", מוזיאון ישראל, ירושלים, חורף 1978

נושאי ציורי הנשים של פאסקאן שאובים מדגה ומטולוז-לוטרק, אלא שהוא מתמקד פחות בגמישות הגוף האנושי ויותר בסבילותן הטראגית של נשים שהחיים לא האירו להן פנים.

פאסקאן צייר ורשם נשים בכל התנוחות האפשריות: לבושות ועירומות, לעתים קרובות שעונות וכאילו נכנעות, או אדישות, משועממות וחסרות תקווה. נשים צעירות מאד לעתים קרובות, ואף-על-פי-כן כבר מובסות על-ידי החיים, לכודות בגורלן.

פאסקאן לא נקשר מבחינה אמנותית באף אחד מזרמי האמנות בפריס והיה קרוב ברוחו לאמני הרוקוקו הצרפתיים ולקומפוזיציות "שמחת החיים" שלהם. בדומה לטולוז-לוטרק היה צמא-חיים ומוקסם מהאשה בכל תהפוכותיה, ונחשב למייצג אופייני של "אסכולת פריס".

"אשה בבגדים תחתוניים" נעשה בפריס לאחר שובו של פאסקאן משהות של שש שנים בארצות הברית. הוא משקף את הישגיו של אמן בשל שספג שמץ מעיצוב המשטחים של סזאן, קווי-מיתאר כהים מהאקספרסיוניזם והתרשמויות מחיי פריס. כמו כן מעיד הרישום על העדר כל עניין בשאלות צורניות ובתיאור ריאליסטי של הבשר ועל הקו החושני האופייני לאמן.

כמו רוב ציוריו ורישומיו, הוא משקף את התעניינותו בדמות הנשית בדרך מיוחדת במינה שאינה כה מחוספסת כמו אצל הפרוצות של דגה, אך טבועה בחותם הבשרנות ובודואר הרוקוקו. הלך-הנפש שולט ביצירתו של פאסקאן. זהו הלך-נפש חושני בן-חלוף של שנות העשרים, הנע בין שמחת החיים של מאטיס לבין האמת של דגה.

מתנת אחי האמן, יוסף פנקס, פריס, 1950
מספר רשום 2094-3-50

GERMAN AND AUSTRIAN SCHOOLS
אסכולות גרמנית ואוסטרית

45. Rudolph von Alt

Vienna 1812-1905 Vienna

Nürnberg Courtyard, 1880

Watercolor on paper, 516 × 375mm
Signed, lower right: "R. Alt"
Inscribed, lower left: "Nürenberg 22 Sept 1880"

PROVENANCE: Count Lanckoronski (?)

Unfortunately, Rudolph von Alt is as yet little known outside of his native Austria. However, he was without question one of the greatest European watercolorists of the Nineteenth century. The son of Jacob von Alt (1789-1872), also a fine watercolorist, Rudolph was a prodigy and was enrolled in the Viennese Academy at the age of fourteen. Not unlike his father, he made a reputation for the views he recorded on his extensive travels in his native country and abroad. In fact, he commenced his view painting as a child while accompanying his father, and they even worked together on projects commissioned by the court, including a series of 129 watercolor views intended for the amusement of the slow-witted Ferdinand I. An independent in his relationship to the artistic currents of his time, the esteem in which he was held was such that in the 1890s, as a man in his eighties, von Alt was elected leader of the Vienna Secession, the Austrian avant-garde.

Above all, it is as a technician that von Alt can not fail to engender the admiration of artists, for in his mature works particularly, his use of watercolor achieves a distinctive and remarkable sparkling quality. This is accomplished through the careful application of tiny spots of color as opposed to washes, so that much of the whiteness of his paper comes through. Often, stones, bricks, leaves, etc. are defined not by drawing darker lines about them, but by allowing the paper around a passage of pigment to delineate contours. Thus even when his colors are of a limited range, such as is the case in his depiction of many topographic subjects, von Alt achieves a quality of light, usually sunlight, which has an uncanny verisimilitude.

The very fine watercolor in the Israel Museum illustrates von Alt's abilities well. Dating to 1880, a period of exceptional accomplishment, this dramatic, wide angle view of a Nürnberg courtyard glitters with light and detail, effects which his technique mastered. Though preoccupied with his participation in the preparation of a wedding album of works by Austrian artists for Crown Prince Rudolph and Crown Princess Stephanie, von Alt went to Nürnberg on the 29th of August, 1880 at the behest of Count Lanckoronski to paint the courtyard of a large Bürger house (see Walter Koschatzky, *Rudolph von Alt*, Salzburg, 1975, pp. 183 and 289, nos. 80/21 and 80/22). Our work must be one of those listed by Koschatzky as having been exhibited in 1892. (Ibid., p. 289)

Museum Purchase, 1952
Reg. No. M 1716-11-52

רודולף פון אלט

וינה 1812 - 1905 וינה

חצר בנירנברג, 1880

צבע-מים על-גבי נייר, 375×516 מ"מ
חתום למטה מימין: "R. Alt"
רשום למטה משמאל: "Nürenberg 22 Sept 1880"

תולדות הרישום: הרוזן לאנקורונסקי (?)

למרבית הצער, רודולף פון אלט כמעט שאינו מוכר עדיין מחוץ לאוסטריה, מולדתו. אף-על-פי-כן, היה ללא ספק אחד מאמני צבע-המים הגדולים באירופה במאה ה-י"ט. רודולף, בנו של יעקב פון אלט (1872-1789), גם הוא אמן צבע-מים מעולה, היה ילד פלא ונרשם לאקדמיה הווינאית בגיל ארבע-עשרה. כמו אביו, קנה לו שם בזכות מראות הנוף שצייר במסעותיו הרבים בארצו ומחוצה לה. למעשה, החל בציורי הנוף שלו כילד כשנלווה לאביו, והם גם שיתפו פעולה בעבודות שהוזמנו על-ידי חצר המלוכה, לרבות סידרה בת מאה עשרים ותשעה נופים בצבע-מים שנועדה לבדר את פרדיננד הראשון קשה-התפיסה. פון אלט יצר ללא תלות בזרמים האמנותיים של תקופתו, וההוקרה שזכה לה היתה כה רבה עד שבשנות התשעים למאה הקודמת, בהיותו בשנות השמונים שלו, נבחר לנשיא הכבוד הראשון של הסצסיון הווינאי, האבאנגארד האוסטרי.

מעל לכל, מיומנותו הטכנית של פון אלט היא שהקנתה לו את הערצת הציירים, משום שבעבודותיו, בעיקר הבשלות, צבעי-המים מקבלים איכות מנצנצת מיוחדת במינה. זאת השיג באמצעות הנחה זהירה של כתמי צבע זעירים כניגוד למגוונים, כך שהרבה מלובן הנייר מבצבץ מבעד לצבע. הוא מגדיל לעתים קרובות אבנים, לבנים, עלים וכדומה לא על-ידי רישום קווים כהים יותר מסביב להם, אלא על-ידי מתן אפשרות לנייר שמסביב לקטע של פיגמנט לסמן את קווי-המיתאר שלו. כך, גם כאשר הוא משתמש בטווח צבעוני מוגבל, כגון בתיאור נושאים טופוגרפיים רבים, משיג פון אלט איכות של אור, בדרך כלל אור שמש, בעלת גיווני צורה שאין כמותם.

צבע-המים הנאה שבמוזיאון ישראל מדגים היטב את יכולתו של פון אלט. הוא נעשה ב-1880, תקופה של הישגים יוצאי דופן. מראה דרמאטי ורחב-זווית זה של חצר בנירנברג מנצנץ בשפע אור ופרטים, אפקטים ששלט בהם היטב. אף-כי היה טרוד בהכנת אלבום הנישואים שהכיל יצירות של אמנים אוסטריים בשביל נסיך הכתר רודולף ונסיכת הכתר סטפאני, נסע פון אלט לנירנברג ב-29 באוגוסט 1880 בהזמנתו של הרוזן לאנקורונסקי, לצייר חצר פנימית של בית עירוני גדול (ראה Walter Koschatzky, *Rudolph von Alt*, Salzburg, 1975, pp. 183, 289, nos. 80/21, 80/22). היצירה שלפנינו היא בוודאי אחת מאלה המופיעות ברשימת התמונות שהוצגו ב-1892, הנזכרת אצל קושאצקי (שם, עמ' 289).

רכישה, 1952
מספר רשום M 1716-11-52

46. Adolph von Menzel

Breslau 1815-1905 Berlin

The Jewish Cemetery in Prague, 1852

Graphite on paper, 206 × 129 mm
Signed and inscribed, lower center: "A. Menzel Prag"

Menzel visited Prague twice, once in 1852, and again in 1873. The present drawing was created during the summer of his first trip there and is related to an oil sketch of the same year mentioned in a letter to his friend Arnold (Hans Wolff, *Adolph von Menzels Briefe*, Berlin, 1914, p. 158). In that letter, the artist explains that his paintings, studies, and drawings "are reminders of the thousands of things I saw and experienced." Essentially an observer and uncompromising realist seeking to show things as they really are, Menzel traveled often for exploration and research, returning home with notebooks filled and with many new ideas for paintings.

Three images, the Israel Museum's drawing, an oil sketch of the Jewish Cemetery (No. 84, Hugo von Tschudi, *Adolph von Menzel: Abbildungen Seiner Gemälde und Studien*, Munich, 1906), and an oil painting of the Altneu Synagogue (1853) in Prague (Wallraf-Richartz Museum, Cologne, Inv. no. 3005) records Menzel's fascination with the Jewish community in Prague. The oil sketch is considerably larger than our drawing and the cemetery is seen from a different angle—the group of tombstones on the right in the drawing are to the left in the oil sketch (Menzel is known to have painted with his right hand and to have drawn with the left!).

A drawing entitled *Brunnen am Fischmarkt in Regensburg, 1852* (*Adolph Menzel Gemalde, Zeichnungen*, Nationalgalerie, Berlin, DDR, 1980, ill. no. 271, p. 264), and of identical size to our sheet is most probably from the same sketchbook; the visit to Regensburg took place as well during the summer of 1852.

Primarily a graphic artist, Menzel moved from a concentration on line toward painterliness, especially in the late drawings; however, *The Jewish Cemetery in Prague* still shows the artist employing line to its utmost richness of effect; the brushy tangle of trees is a wonderful example of the Romantic "bizarre" and an allusion to the inexorable passage of time. Menzel may even have been influenced by an early familiarity with the elements of Japanese art, as Japan had indeed just been opened to the West in the early 1850s.

Gift of L. Bollag, Zurich, 1953
Reg. No. 4457-5-53

אדולף פון מנצל

ברסלאו 1815 - 1905 ברלין

בית-העלמין היהודי בפראג, 1852

עיפרון על-גבי נייר, 129×206 מ"מ
חתום ורשום למטה במרכז: "A. Menzel Prag"

ידוע לנו על שני ביקורים של מנצל בפראג, האחד ב-1852 והשני ב-1873. רישום זה נעשה בביקורו בקיץ 1852, והוא קשור למתווה השמן שנעשה באותה שנה ונזכר במכתבו של מנצל לחברו ארנולד Hans Wolff: *Adolph von Menzels, Briefe,* Berlin, 1914,) p. 158). מנצל מסביר במכתב זה שציוריו, מתוויו ורישומיו "הם תזכורות לאלפי הדברים שראיתי וחוויתי". במהותו היה מנצל מתבונן וריאליסט בלתי מתפשר שביקש להראות את הדברים כפי שהם, ועל כן הירבה לנסוע למטרות גילוי ומחקר וחזר הביתה עם פנקסי מתווים גדושים ברעיונות חדשים לציורים.

שלוש תמונות מתעדות את הקסם שהילכה עליו הקהילה היהודית בפראג: הרישום שבמוזיאון ישראל, מתווה שמן המראה את בית-העלמין היהודי (H. von Tschudi,. *Adolph von Menzel, Abbildungen Seiner Gemälde und Studien,* Munich, 1906, no. 84 וציור שמן המתאר את בית-הכנסת הישן-חדש בפראג, 1853, (מוזיאון ואלראף-ריכרדס, קלן, מס' 3005). מתווה השמן גדול באופן ניכר מהרישום שלנו ונעשה מזווית שונה - קבוצת המצבות מימין ברישום נראית משמאל בציור (ידוע כי מנצל צייר ביד ימין ורשם ביד שמאל).

רישום בשם "באר בשוק הדגים ברגנסבורג", 1852, בעל מידות זהות לרישום שלנו, מקורו קרוב לוודאי באותו פנקס מתווים, מאחר שהביקור ברגנסבורג נעשה באותו קיץ שבו ביקר בפראג *Adolph Menzel, Gemalde Zeichnungen,* Nationalgalerie,) .(Berlin, DDR, 1980, ill. no. 271, p.264

מנצל, שהיה בראש ובראשונה אמן גרפי, עבר מן ההתרכזות בקו לעבר הציורי. הרישומים המאוחרים הם לאמיתו של דבר ציורים בשחור-לבן, אולם "בית-העלמין היהודי בפראג" עדיין מראה שמנצל משתמש בקו בכל עושרו. יש ברישום גם מן ה"מוזר" הרומאנטי בתיאור הסבך המרמז על הזמן הרב שחלף. התיאור המעודן של העצים וענפיהם יכול להצביע על הכרה ראשונית של אמנות יפאן. יפאן נפתחה זה מקרוב למערב בראשית שנות החמישים, וייתכן שהאמן כבר נתן את לבו לכמה יסודות באמנותה.

מתנת ל' בולאג, ציריך, 1953
מספר רשום 4457-5-53

47. Ernst Barlach

Wedel 1870-1938 Rostock

Weeping Women, ca. 1911

Charcoal on paper; 420 × 520 mm
Signed, lower left: "E. Barlach"

PROVENANCE: Unknown.

Barlach always claimed that his "mother tongue was the human body," and in this drawing of weeping women we do hear the voice of the sculptor. The monolithic figures are drawn in a style which avoids all unnecessary detail in favor of larger gestures—broadly hatched lines seeming to carve the form into three-dimensionality. *Weeping Women*, however, appears to have no connection to a specific sculpture.

The Israel Museum drawing closely resembles a drawing of 1911, *Der Neue Tag* (The New Day), both in the relationship of the figures to one another, and in general treatment (Friedrich Schult, *Ernst Barlach, Werkverzeichnis, Band III: Die Zeichnungen*, Hamburg, *1971, no. 793*). We may date our drawing from this period, after the artist's extensive involvement with the ornamentalism of Jugendstil, and a crucial trip to Russia in 1906. At this time in Barlach's work, figures are frozen in some particular gesture, as if symbolizing an idea. Later, near the end of World War I, his drawings become more expressive and more dynamic, but always uninhibitedly realistic.

Museum Purchase, 1958
Reg. No. P 302-3-58 o.s.

ארנסט בארלאך

וֶדֶל 1870 - 1938 רוסטוק

נשים בוכיות, 1911 בקירוב

פחם על-גבי נייר, 520×420 מ"מ
חתום למטה משמאל: "E. Barlach"

תולדות הרישום: בלתי ידועות

המבנה המונוליתי של הדמויות, התלת־ממדיות המושגת על-ידי הקִווּקוּו המצטלב והגישה הכללית הנעדרת כל פירוט מיותר, עושים את "נשים בוכיות" לרישומו של פַּסָל. כדי למסור את ה"בכי", השתמש בארלאך בקונבנציה של ניגוב העיניים בפיסת לבוש מורמת, והפנים המיוסרים מושגים במינימום קווים הנוטים כולם כלפי מטה. שתי הדמויות סטאטיות וכבדות. לא נעשה מאמץ רב להיכנס לפרטים; רק לאחת מהנשים כף יד עם אצבעות, וגם אלה נראות כמפוסלות.

בגישה וביחסים בין שתי הדמויות מזכיר רישום זה את הרישום משנת 1911 הנקרא "היום החדש" (*Der Neue Tag,* Friedrich Schult: *Ernst Barlach Werkverzeichnis: Band III Die Zeichnungen,* Hamburg 1971 No. 793;), ועל-כן אפשר כנראה לתארך אותו סביב תקופה זו.

שלב זה בעבודתו של בארלאך בא לאחר מעורבות ממושכת עם היוגנדשטיל והקישוטיות שלו, ומסע לרוסיה ב-1906 שנחשב למכריע בהתפתחות יצירתו. הדמויות שרשם לאחר המסע ברוסיה נראות כאילו קפאו בעיצומה של תנועה מסויימת המסמלת רעיון. בארלאך טען תמיד ששפת אמו היא הגוף האנושי׳ וחיפש אחר אמנות שבא יגיעו הצורה והתוכן להרמוניה מושלמת.

לקראת סוף מלחמת-העולם הראשונה ולאחריה נעשו רישומיו של בארלאך יותר דינמיים, אקספרסיביים ולעתים, כמו בתקופה מוקדמת בהרבה, סיפוריים. הריאליזם שלו, חסר-העכבות, קושר אותו עם סטינלן. לרוב רישומיו, כמו לזה שלפנינו, אין קשר ישיר ליצירתו הפיסולית.

רכישה, 1958
מספר רשום P 302-3-58 o.s.

48. Jules Bissier

Freiburg-im-Breisgau 1893-1965 Ascona

8 May 1961

Watercolor on paper; 187 × 267mm
Signed and dated, lower right: "8 Mai 61 g Jules Bissier"

The art of Jules Bissier seems to combine the wit of Paul Klee with the atmosphere of Giorgio Morandi. Since all of his early work was destroyed by a fire in Germany in 1934, his aesthetic development is difficult to trace. However, after the fire, he sought forms that conveyed immateriality, discovering in the art of the Far East, specifically in the purity and liveliness of Chinese calligraphy, a stylistic answer to his insistent questions.

From 1930 to 1945 Bissier refrained entirely from using color. Finally the artist found a way of evoking the "immaterial" in the small, irregular color "enamels" which brought him fame during the last decade of his life. Our watercolor, *8 May 1961*, is typical of this best known phase, a little self-contained world whose only title is its date—a tribute to the artist's regard for the unknown, freshly experienced each new day. Bissier's art has been termed "devotional," and over time his work, like medieval miniatures, developed a refinement and transparency which may be seen as a valid contemporary expression of spirituality.

Gift of Mr. & Mrs. David Kluger, New York, to America-Israel Cultural Fundation, 1965
Reg. No. 80-4-65

ז׳ול ביסייה

פרייבורג אים בריסגאו 1893 - 1965 אסקונה

8 במאי, 1961

צבע-מים על-גבי נייר, 267x187 מ"מ
חתום ומתוארך למטה מימין: "8 Mai 61g Jules Bissier"

אמנותו של ז׳ול ביסייה מאחדת את סגנונו של פול קלה עם האווירה של מוראנדי. קשה להתחקות אחר התפתחותו של ביסייה עצמו משום שכל עבודותיו המוקדמות נשמדו בדליקה בגרמניה ב-1934. במשך כל שנות יצירתו השתדל למצוא צורות שתבטאנה אי-גשמיות, ולבסוף מצא באמנות המזרח הרחוק דרך שענתה על שאלותיו הדוחקות. ב-1920 אימץ לעצמו את טכניקת הדיו הקאליגראפית הטהורה ומלאת-החיים של סין, ובין השנים 1945-1930 נמנע משימוש בצבע. הוא גילה את האפקטים הרוחניים שאותם חיפש באמצעות השימוש באמייל, והמיני-אטורות הקטנות והלא-סימטריות שלו היקנו לו תהילה בינלאומית בעשור האחרון לחייו.

"8 במאי 1961" הוא ציור אופייני לשלב הידוע ביותר ביצירתו של ביסייה. זהו עולם קטן, עומד ברשות עצמו, והתאריך שעליו משמש לו כותרת, הוקרה להיחשפותו של האמן אל הלא-נודע כפי שהיא נחווית מדי יום ביומו.

אמנותו של ביסייה כונתה אדוקה, בדומה למיניאטורות מימי הביניים. במשך השנים נעשתה יותר ויותר טהורה, שקופה, רוחנית ומתעלה לכדי אוניברסאליות בת-חלוף.

מתנת מר דויד קלוגר ורעייתו, ניו יורק, לקרן התרבות אמריקה-ישראל, 1965
מספר רשום 80-4-65

8. Mai 61 g
Julius Bissier

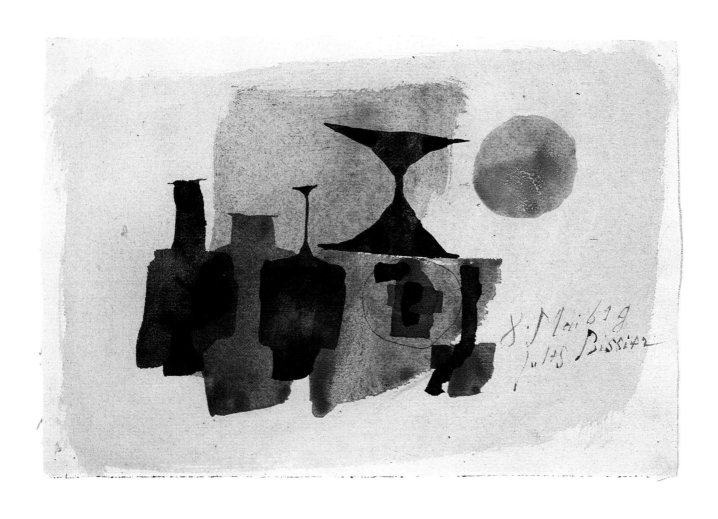

49. Käthe Kollwitz

Königsberg 1867-1945 Moritzburg

Working Woman in a Cape, Standing, 1908
Verso: Two Male Nudes

Charcoal, black chalk, and graphite on paper; 470 × 625 mm
Verso: graphite
Signed and dated, lower center: "Käthe Kollwitz 08"

Bibliography: Otto Nagel, *The Drawings of Käthe Kollwitz*, New York, 1972, ill. no. 461
Exhibitions: *Käthe Kollwitz*, The Israel Museum, Jerusalem, Winter 1971-72, cat. no. 101

The deeply moving art of Käthe Kollwitz is almost entirely concerned with social issues; indeed, at times it reflects a perfect visual argument for socialist philosophy. Working principally in the graphic media, etchings, lithographs, and drawings, she uses monochromatic values to express the plight of the working class, the miseries of war, and the tragedies of maternal loss, disease, and death. The Israel Museum's drawing is a preparatory study for one of the figures in "Jahreswende" (New Year), December 1908, part of the artist's series on the desperate condition of working-class women, *Bilder von Elend* (Pictures of Misery) which was published in *Simplicissimus*, Munich's progressive satirical journal. In the drawing the figure pulls her short jacket close, her gesture and facial expression an image of resignation.

The back of the sheet, in an entirely different mood, is a study for the book-plate Kollwitz made in 1908 for her seventeen year old son, Hans (August Klipstein, *Käthe Kollwitz, Verzeichnis des Graphischen Werkes*, Bern, 1955, no. 99); another study for the book-plate is in Nagel, no. 1174.

Bequest Willy Kaufmann, Jerusalem, 1947
Reg. No. M 398-3-47

קתה קולביץ

קניגסברג 1867 - 1945 מוריצבורג

פועלת עומדת עוטה שכמייה, 1908

פחם, גיר שחור ועיפרון על־גבי נייר, 625×470 מ"מ
על גב הגיליון: שני עירומים גבריים
עיפרון
חתום ומתוארך למטה במרכז: "Käthe Kollwitz 08"

תערוכות: "קתה קולביץ", מוזיאון ישראל, ירושלים, חורף 1971־1972, קטלוג מס' 101

אמנותה של קולביץ אינה אמנות־לשם־אמנות, אלא אמנות המעבירה מסר סוציאלי ולעתים אף סוציאליסטי. קולביץ, שהיא בראש ובראשונה אמנית גרפית, משתמשת בשחור ובלבן כבאמצעי ההבעה העיקריים שלה. בנושאיה שולט הצד הקודר של הקיום האנושי, מצוקתו של מעמד הפועלים, מלחמה, מוות ורעב, וכן המחלה המובילה לפירוד ולאובדן המעיבים על אושר האמהות.

הרישום שבמוזיאון ישראל הוא מתווה-הכנה לאחת משתי הדמויות המופיעות ב"שנה חדשה", חלק מהסידרה של קולביץ "תמונות מצוקה" שפורסמה בגיליון דצמבר 1908 של כתב־העת הסאטירי־פרוגרסיבי "סימפליציסימוס" המינכני. בסידרה זו ביקשה האמנית להביא לידיעת הציבור את מצבה הנואש של האשה בת מעמד הפועלים. מצוקתה של האשה נמסרת בעיקר באמצעות תנוחת הראש ויד שמאל, הרשומה שוב במהופך בצד ימין של הגיליון. ברישום הסופי (ביבליוגרפיה מס' 463) מחזיקה האשה בשכמייה כאילו מצאה מסתור מתחתיה, וכל כולה אומרת כניעה.

בגב הגיליון, השונה לחלוטין באווירתו, מופיע מתווה ללוח אקס־ליבריס שעשתה קולביץ לבנה הבכור, הנס (נולד ב־1892) (August Klipstein, *Käthe Kollwitz, Verzeichnis des Graphischen Werkes*, Bern 1955, no. 99). מתווה דומה נוסף לאותו לוח הוא בביבליוגרפיה מס' 1174.

עיזבון וילי קאופמן, ירושלים, 1947
מספר רשום M 398-3-47

50. Hans Richter

Berlin 1888-1976 Locarno

Portrait of Johannes Baader, 1915

Gouache, ink and wash on paper; 350 × 237 mm
Signed and dated, lower right: "HR 15"

PROVENANCE: Hans Richter Estate
BIBLIOGRAPHY: Johannes Baader, *Oberdada*, LahnGressen, 1977, no. 30; Hans Richter, *Opera Grafica dal 1902 al 1969*, Italy, 1976, p. 32; Ruth Apter-Gabriel, "Hans Richter's 'Portrait of Johannes Baader'," *The Israel Museum Journal*, Vol. 3, Spring 1984, p. 82
EXHIBITIONS: *Hans Richter, 1888-1976, Dessins et Portraits Dada*, Musée de l'Abbaye Sainte-Croix, Les Sables-d'Olonne, 1978, ill. cat. no. 2; *Hans Richter*, Akademie der Kunst, Berlin, January-March 1982; *Hans Richter—Ausstellung*, Kunsthaus Zürich, April-June 1982

Hans Richter's *Portrait of Johannes Baader* is a document of collaboration between two of the Dada movement's foremost contributors, and predates Dada in Berlin by three years. One of three known portraits of Baader by Richter (*Opera Grafica*, figs. 31, 32, 33), it bears the inscription "A+," as it was the proud author's habit to grade his own work (Marion von Hofacker, director of the Richter Estate)!

Johannes Baader called himself a "Superdada." He was born in 1876, and was trained as an architect. In 1917, he stood for election to the Reichstag at Saarbrucken, and in that same year plotted with others the "establishment" of a non-existent "Christ Society," planning to name himself president. Members of the society would be free from "temporal" authority, and thus be automatically unfit for military service. Such non-conformist and rebellious activities made Baader a unique embodiment of the Dada spirit in Berlin. As early as 1920, Baader was also the first artist to make giant collages from life-size posters (Raoul Hausmann, in *Richter*, *Dada Art and Anti-Art*, London, 1965, p. 127).

Richter treated the Israel Museum's portrait of Johannes Baader as a still life constructed of acute triangles and parallelograms in analytic Cubist style, although he failed to maintain a consistently flat picture-plane in the background. Ultimately, the powerful and dour visage owes much to the important Cubist, Fauve and Futurist art which was introduced to Berlin in 1913 through an exhibition organized by Dr. Herwarth Walden, a champion of the avant-garde. Richter considered Cubism "by far the most important step made in our century" (C. Gray, ed., *Hans Richter by Hans Richter*, London, 1971, p. 24).

Gift of I. M. Cohen, New York, Graphics Acquisition Fund to American Friends of The Israel Museum, 1983
Reg. No. 127.83

האנס ריכטר

ברלין 1888 - 1976 לוקארנו

דיוקן יוהאנס באדר, 1915

גואש, דיו ומגוון על-גבי נייר, 237×350 מ"מ
חתום ומתוארך למטה מימין: "HR15"

תולדות הרישום: עיזבון האנס ריכטר

"דיוקן יוהאנס באדר", המקדים את תנועת דאדא בברלין בשלוש שנים, הינו מסמך של שיתוף פעולה אמנותי בין שניים מהחברים החשובים ביותר בתנועה. זהו אחד משלושה דיוקנאות לפחות של באדר שרשם ריכטר בשנת 1915 (Richter, *Opera Grafica*, תמונות 31, 32, 33), ושזכה לציון "A+" מידי יוצרו הגאה, כפי שרשום על הפספרטו. (לדברי מאריון פון הופאקר, מנהלת עיזבון ריכטר, נהג ריכטר לחלק ציונים לעבודותיו).

יוהאנס באדר קרא לעצמו "סופר־דאדא". הוא נולד בשנת 1876, למד אדריכלות וגילם בנונקונפורמיזם שלו ובמרדנותו את רוח דאדא הברלינאית. בשנת 1917 היה מועמד בבחירות לרייכסטאג בגארבריקן. באותה שנה, יחד עם אחרים, תכנן להקים ארגון מדומה בשם "חברת ישו הנוצרי" שהוא יהיה נשיאו. החברים ב"חברה" הזו לא יהיו כפופים עוד לשלטון בר־חלוף ולפיכך לא יהיו כשרים לשרות צבאי. לדברי ראול האוסמן, חברו הקרוב, היה באדר האמן הראשון (ב־1920) שעשה קולאז׳ים ענקיים מכרזות בגודל טבעי (Hans Richter, *Dada Art and Anti-Art*, London, 1965, p. 127).

ציור דיוקנאות היה עיסוקו העיקרי של ריכטר בשלב הקדם־דאדא שלו. רישום זה מראה את גירסת ריכטר לקוביזם, שהשפיע עליו תחילה בשנת 1913, שעה שהרוַארט ואלדן, לוחם פעיל למען אמנים אבאנגארדיים, הביא לברלין את התערוכה החשובה הראשונה של אמנות קוביסטית, פוטוריסטית ופובית. הקוביזם של ריכטר מקוטע־גיאומטרי יותר מאשר אנאליטי או סינתטי. הראש מזכיר את באדר, ועם זאת הוא עוצב כאילו היה טבע דומם המורכב ממשולשים חדי־זווית וממלבנים. האמן, שחתר למישור-תמונה שטוּח, לא היה מסוגל להיות עקבי לחלוטין כשטיפל ברקע של הראש. אף-על-פי-כן, ריכטר ראה בקוביזם "במידה רבה את הצעד החשוב ביותר שנעשה במאה שלנו": (C. Gray ed., *Hans Richter by Hans Richter*, London, 1971, p. 24).

מתנת א"מ כהן, ניו יורק, קרן לרכישות גרפיקה, לידידי מוזיאון ישראל בארצות הברית, 1983
מספר רשום 127.83

51. Egon Schiele

Tulln on the Danube 1890-1918 Vienna

Cowering Boy (Paul Erdmann?), 1915

Tempera on paper, 313 × 473 mm
Signed and dated, lower right (within a square): "Egon Schiele 1915"

PROVENANCE: Unknown

Although Schiele died at the age of twenty-eight, and his artistic career barely spanned a single decade, the artist's productive years can be divided into three distinct periods: the early work, influenced by Gustav Klimt and Jugendstil; a mature style, starting about 1910, in which his individuality emerged and asserted itself; and the late period of exaggerated mannerist poses, obsessive fleshy female nudity, and an almost pathological featuring of sexual organs.

The boy depicted in this exceptional drawing resembles Paul Erdmann, the young nephew of Schiele's wife, Edith. (Another watercolor of Paul is reproduced as plate 181 in Rudolf Leopold's *Egon Schiele—Paintings, Watercolors, Drawings*, London, 1973, whereabouts unknown). He also resembles numerous earlier self-portraits—but by the year of this drawing, 1915, Schiele was a twenty-five year old young man, just married, and his self-portraits are of a sexually preoccupied male, not of a sad boy. (Ibid., Nos. 167, 168, 170, 179, etc.).

The discomfort the drawing evokes derives from the "ornamental" poses of the boy's figure and from the ambiguity of the space in which he sits with no indication of either a specific location or seat of any sort.

Purchase, 1953
Reg. No. M 4146-3-53

אגון שילֶה

טולן על הדנובה 1890 - 1918 וינה

נער קורֵס (פול ארדמן?), 1915

טמפרה על-גבי נייר, 473×313 מ"מ
חתום ומתוארך למטה מימין בתוך ריבוע: "Egon Schiele 1915"

תולדות הרישום: בלתי ידועות

אף-על-פי שמת בגיל עשרים ושמונה ושהקריירה האמנותית שלו משתרעת בקושי על-פני עשור אחד, אפשר לחלק את שנות יצירתו של שילה לשלוש תקופות - תקופה מוקדמת, שבה הושפע עמוקות מגוסטב קלימט ומהיוגנדשטיל, תקופה בשלה, שהחלה ב-1910, שבה התגבש סגנונו האישי ותקופה מאוחרת המצטיינת בתנוחות מנייריסטיות מוגזמות, בתיאור אובססיבי של עירום נשי בשרי ובדבקות כמעט פתולוגית בהבלטת אברי המין.

הנער המופיע ברישום יוצא-דופן זה מזכיר את פול ארדמן, אחיין צעיר של אשת האמן, אדית. (רישום אחר בצבע-מים המראה את פול ארדמן מופיע כלוח 181 בספר: Rudolph Leopold, *Egon Schiele, Paintings, Drawings, Watercolors*, London, 1973; מקום המצאו הנוכחי אינו ידוע.) הוא מזכיר גם את שילה עצמו כפי שהוא מופיע בדיוקנאות עצמיים רבים בתקופה יותר מוקדמת. אף-על-פי-כן, ב-1915 היה אגון שילה בן עשרים וחמש, והדיוקנאות העצמיים שלו מאותה תקופה אינם מתארים אותו כנער עצוב, אלא כגבר שנישא לא-מכבר והמין מעסיק אותו ללא הרף (שם מס' 167, 168, 170, 179 וכו'). אי-הנוחות שגורמת דמות זו מקורה בעיקר בתנוחה "הקישוטית" שלה ובהעדר רקע שיצביע על סביבתו של הנער ועל מקום ישיבתו.

רכישה, 1953
מספר רשום M 4146-3-53

52. Egon Schiele

Tulln on the Danube 1890-1918 Vienna

Standing Nude, 1917

Graphite, charcoal, and tempera on paper, 456 × 295 mm
Signed and dated, lower right within a square: "Egon Schiele 1917"

Schiele's psychological awareness, exercised in Sigmund Freud's Vienna, as well as his draughtsmanship link him with Toulouse-Lautrec; his eroticism suggests Beardsley and Modigliani; and his palette points to a knowledge of Matisse and the Fauves. In his art, figures are isolated from any background as though suspended in a neutral space.

Our female figure is drawn to be perceived vertically, as the position of the artist's signature proves; however, she is not standing firmly on her feet, and her pronounced three-dimensionality seems to arise from a combination of poses which focus sensuously on her intimate parts.

In 1915, the twenty-five year old Egon Schiele married and was drafted into the army, returning to Vienna in 1917 as Corporal Schiele. The young wife of the artist, Edith, most probably served as the model for The Israel Museum's drawing. Drawings of Edith undergo an evolution, from a naturalistic portrait of the petit-bourgeois housewife she was in the early days of the marriage (Rudolf Leopold, *Egon Schiele, Paintings, Watercolors, Drawings*, London, 1973, pl. 188) to the later object of her husband's sexual fantasies, as in our example.

Gift of Robert J. Mayer, New York, to America-Israel Cultural Foundation, 1967
Reg. No. 238-67

אגון שילֶה

טולן על הדנובה 1890 - 1918 וינה

עירום עומד, 1917

עיפרון, פחם וטמפרה על-גבי נייר, 295×456 מ"מ
רשום למטה מימין בתוך ריבוע: "Egon Schiele 1917"

הארוטיקה של שילֶה מזכירה את בירדסלי ומודיליאני. מודעותו הפסיכולוגית צמחה בווינה של פרויד, סגנון רישומו קושר אותו עם טולוז-לוטרק ולוח צבעיו מצביע על ידיעת מאטיס והפובים.

דמויותיו של שילה נטולות על-פי-רוב רקע, כאילו היו תלויות בחלל נייטראלי. דמות האשה שלפנינו, שנועדה להיראות במאונך, כפי שמצביעה חתימתו של האמן, אינה עומדת איתן על רגליה. תיאורה, שהוא תלת-ממדי במפורש, נובע, כמדומה, מצירוף של תנוחות המתרכז באיבריה החושניים האינטימיים.

לאחר שנשא אשה וגוייס בשנת 1915, חזר רב-טוראי שילֶה לווינה ב-1917. אשת האמן הצעירה, אדית, שימשה קרוב לוודאי כמודל לרישומיו. מעניין לציין את ההתפתחות שחלה באופן הצגתה של אדית: בתחילה, זמן קצר לאחר נישואיהם, הופיעה כעקרת בית בורגנית קטנה, כפי שאכן היתה (Rudolf Leopold, *Egon Schiele. Paintings, Watercolors, Drawings*, London, 1973, pl.188), וכעבור זמן, כמו בדוגמה שלפנינו, כמושא הפנטאסיות הארוטיות של בעלה האמן.

מתנת רוברט ג' מאייר, ניו יורק, לקרן התרבות אמריקה-ישראל, 1967
מספר רשום 238.67

53. Alfred Otto Wolfgang Schulze (Wols)

Berlin 1913-1951 Paris

Ville Déserte (Deserted City), 1947

Ink, wash and watercolor on paper; 132 × 184mm
Inscribed, lower right: "Wols"
Inscribed on mat, verso: "Ville déserte 1947"

From the beginning of his very brief artistic career (1940-1951), Wols was fascinated with the pure pictorial power of line and surface. The subject of the Israel Museum's drawing is one of the artist's favorites—"All that I dream takes place in a very big, very beautiful unknown city full of streets with vast suburbs, I dare not draw it" (Werner Haftmann, editor, *Wols Watercolors, Drawings, Writings*, New York, 1965, p. 53; ibid, *Vision of a City, Enchantment of a City, Magic City, nos.* 57, 72, 80). This city of the mind is in the mold of Kafka, and Kubin, and can be felt in the imaginary communities of the artist, Charles Simmons.

Wols, who grew up in Berlin and Dresden, settled in Paris in 1932, but soon left for Spain. After he was arrested as a German refugee during the second World War, and released, he moved to Cassis, then to Dieulefit, and finally to Paris. Our drawing, which dates from 1947, was executed one year after he had begun to paint large scale canvases of intense concentration.

It is curious that Wols discovered in photography, finally, what Klee called "the primal realm of psychic improvisation." In a combination of Klee's technique, Kandinsky's free graphic style, and Surrealism's themes, he invented the movement variously termed "Art Autre," "Art Informel," or "Tachism." At the age of 39, weakened by alcohol abuse, the artist died.

Gift of Herman Elkon, New York to American Friends of The Israel Museum, 1975
Reg. No. 3.75

אלפרד אוטו וולפגנג שולצה (המכונֶה ווֹלס)

ברלין 1913 - 1951 פריס

עיר נטושה, 1947

דיו, מגוון וצבע-מים על-גבי נייר, 184×132 מ"מ
רשום למטה מימין: "Wols"
על גב הגיליון: "ville déserte 1947"

כבר בתחילת דרכו האמנותית הקצרה (1951-1940) הוקסם וולס מכוחם של אמצעים ציוריים טהורים: קו ומשטח.

הנושא המתואר ברישום זה היה מהחביבים ביותר על האמן. "כל חלומותי מתרחשים בעיר אלמונית יפה מאד, גדולה מאד, מלאה רחובות, ולה פרברים רחבים, אינני מעז לרשום אותה" (אמרתו של וולס, מצוטטת אצל: Werner Haftmann ed., *Wols, Watercolors, Drawings, Writings,* New York, 1965, p. 53; "Vision of a City", "Enchantment of a City", "Magic City", מס׳ 57, 72, 80). אין כל סימנים כי עירו הנטושה של וולס היתה אי פעם מיושבת. זוהי בעצם עיר של הרוח, האידיאה של עיר נטושה, חלק מאותו ז׳אנר שאליו שייכות הקהילות המדומיינות של קפקא וקובין, או בימינו, צ׳ארלס סימונס.

וולס, שגדל בברלין ובדרזדן, התיישב בפריס ב-1932. כעבור זמן קצר יצא לספרד, ובזמן המלחמה, לאחר שנעצר כפליט גרמני ושוחרר, גר בקאסיס ובדיולפי. רישום זה נעשה כשנה לאחר שהאמן החל לצייר תמונות שמן גדולות-ממדים שדרשו ממנו ריכוז מירבי. דווקא באמצעות הצילום הצליח לבסוף לפתח את אמנותו האישית כל כך, שחקרה את מה שקלה כינה "הממלכה הראשונית של אימפרוביזציה פסיכית" ושפתחה במגמה החדשה המכונה טאשיזם, אמנות - אל-צורנית או "אחרת", ששילבה את סגנונו הגרפי החופשי של קאנדינסקי עם הטכניקה של פול קלה והגישה התימאטית של הסוריאליסטים.

מתנת הרמן אלקון, ניו יורק, לידידי מוזיאון ישראל בארצות הברית, 1975
מספר רשום 3.75

WOLS

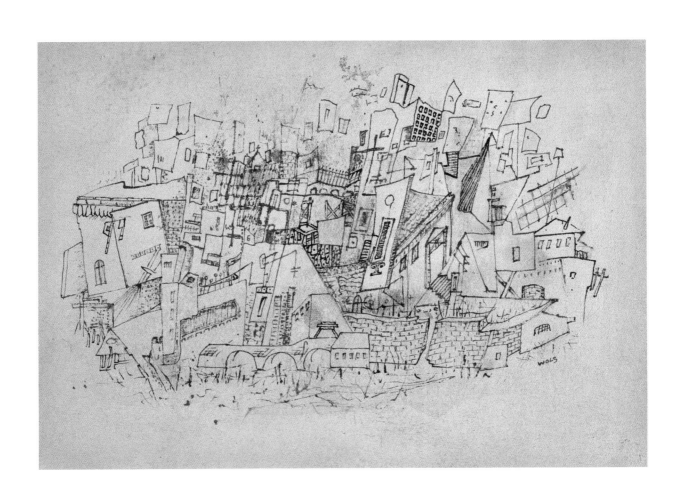

ISRAELI SCHOOL
אסכולה ישראלית

54. Avigdor Arikha

Bukovina 1929-

Noon at Champrond, 1969

Brush and ink on paper, 314 × 241 mm
Signed, lower center (in Hebrew and Roman characters): "Arikha"
Dated, lower right: "7/VIII/69"

Exhibitions: *Arikha: Dessins*, 1965-1970, Centre National d'Art Contemporain, Paris, December, 1970, ill.; *Avigdor Arikha: 39 Ink Drawings, 1965-1972*, Los Angeles County Museum, Los Angeles, 1972; *Avigdor Arikha: Ink Drawings 1965-1972*, Marlborough, New York, December, 1972, ill.; *Avigdor Arikha: Ink Drawings, 1965-1972*, Fort Worth Art Center Museum, Fort Worth, Texas, 1973 and Everson Museum of Art, Syracuse, New York, 1973

Arikha's early drawings are mostly book illustrations. Linear, virtuoso, dynamic, they are carried out in pen and ink or graphite. Until 1965 the artist painted and drew abstractly. Then working with recognizable subject matter, from 1965 to 1973 he confined himself to drawing and printmaking, abandoning abstraction. His more recent drawings are accomplished in two distinct techniques: linear graphite or silverpoint (mostly portraits), and painterly ink and dry brush.

Arikha paints and draws from nature and his works are usually done in one session; he records his subjects life-size, that is, at the size he sees them from where he is. A true Impressionist in many respects, it could be said that the rich variations of his black and white dry brush drawings convey a color experience.

Noon at Champrond depicts the heat of the sun, the feeling of which is conveyed by the direct whiteness of the bare paper, an active component of the drawing—the light penetrating through the treetops and the dark shade offer relief and shelter. The division of the sheet creates both horizontal and vertical symmetry, stressing the flatness of the space.

Gift of Paul Schupf, Hamilton, New York, to American Friends of The Israel Museum, 1985
Reg. No. 540.85

אביגדור אריכא

בוקובינה 1929 -

צהריים בשאנרון, 1969

מכחול ודיו על-גבי נייר, 241x314 מ"מ
חתום למטה במרכז: "אריכא Arikha"
מתוארך למטה מימין: 7/VIII/69

רישומיו המוקדמים של אריכא היו בעיקר עיטורים לספרים. רישומים אלה, קוויים, וירטואוזיים ודינמיים, נעשו בעט ודיו או בגרפיט. בתחילת דרכו צייר ורשם בסגנון מופשט. בשנת 1965 נטש את ההפשטה ועד שנת 1973 הגביל את עצמו לרישומים ולהדפסים. רישומיו מהשנים האחרונות מבוצעים בשתי טכניקות שונות: רישומים קוויים בעיפרון או בחרט כסף, בעיקר דיוקנאות, ורישומים ציוריים בדיו ובמכחול יבש.

אריכא מצייר ורושם מהטבע. עבודותיו נעשות בהמשך אחד והוא רושם את נושאיו בגודלם הטבעי, כלומר, כפי שהוא רואה אותם ממקום הימצאו. במובנים רבים הוא אימפרסיוניסט אמיתי. ברישומי המכחול היבש שלו בשחור-לבן, מוסרים הגיוונים העשירים את חווית הצבע.

"צהריים בשאנרון" מביע את תחושת חום השמש, הנמסרת על-ידי הלובן הישיר של הנייר החשוף המשמש מרכיב פעיל ברישום, האור החודר דרך צמרות העצים והצל הכהה המציע הקלה ומחסה. חלוקת הדף יוצרת סימטרייה אנכית ואופקית כאחד ומדגישה את שטיחותו של החלל.

מתנה פול שופף, המילטון, ניו יורק, לידידי מוזיאון ישראל בארצות הברית, 1985
מספר רשום 540.85

55. Franz Bernheimer

Munich 1911-

Drawing, 1967

Graphite on paper, 510 × 730 mm
Signed and dated, lower right: "FB67"

EXHIBITIONS: *Franz Bernheimer Drawings and Watercolors*, The Israel Museum, Jerusalem, December 1972-January 1973

Bernheimer is a devout draughtsman whose basic tool is line, usually graphite, sometimes red chalk, often touched with wash. The drawings recall his early study of biology and medicine—they seem somehow internal, perhaps anatomical, but almost always are as unfamiliar as they are precise.

The artist claims only that his work is subconscious, linked to music, existing in time with its own inner rhythms; but he also admits to an assimilation of elements of the Baroque and of Art Nouveau. In our drawing, like a page from a curious journal of inner events, an illusion of depth is created through overlapping planes whose contoured forms seems to have surface—although the minimal hatching employed has no precise connection with these nearby forms.

Gift of the artist, 1969
Reg. No. 23.69

פרנץ ברנהיימר

מינכן 1911 -

רישום, 1967

עיפרון על-גבי נייר, 730×510 מ"מ
חתום ומתוארך למטה מימין: "FB 67"

תערוכות: "פרנץ ברנהיימר – רישומים וצבעי-מים", מוזיאון ישראל, ירושלים, דצמבר 1972 – ינואר 1973

ברנהיימר הוא רשם נלהב והקו משמש לו כמכשיר בסיסי. על-פי-רוב הוא נעשה בעיפרון ולעתים בגיר אדום ומודגש במגוונים. תכופות מכונים רישומיו "אנאטומיים", ואכן הם נראים כאיברים פנימיים, על דימוייהם המוגדרים והלא מוכרים המזכירים את עברו כתלמיד ביולוגיה ורפואה. האמן, המודה כי הטמיע בתוכו במידה מסויימת יסודות של אר-נובו ובארוק, טוען עם זאת כי צורותיו תת-הכרתיות וקשורות במוזיקה; הן קיימות בזמן ויש בהן ריתמוס פנימי, כוח ועוצמה משלהן.

ברישום זה, הנראה כדף מתוך יומן אירועים פנימיים, נוצרת אשליית העומק באמצעות שימוש במשטחים חופפים. הצורות המשורטטות בקווי-מיתאר נראות כאילו יש להן שטח, אם כי להצללה המעטה אין קשר ממשי לקווי-המיתאר הסוגרים עליהן.

מתנת האמן, 1969
מספר רשום 23.69

56. Itzhak Danziger

Berlin 1916-1977 Tel Aviv-Jerusalem Road, near Ramla

Suggested Rehabilitation of Quarry Wall, 1971

Graphite, brush, India ink, white gouache, ball-point pen, and collage on paper, 113 × 221 mm

PROVENANCE: The artist
BIBLIOGRAPHY: *The Rehabilitation of the Nesher Quarry*, February-November, 1971, Jerusalem, 1972, ill. pp. 35-36; Yona Fischer, "A Tale of One Quarry," *Ariel*, no. 31, Jerusalem, 1972, pp. 52-65; *Itzhak Danziger*, Jerusalem, 1981, pp. 10-11; Yona Fischer, "The Rehabilitation of the Nesher Quarry," in Mordechai Omer, editor, *Itzhak Danziger Makom*, Tel Aviv, 1982 fig. 4
EXHIBITIONS: "*Rehabilitation of the Nesher Quarry*," The Israel Museum, Jerusalem, March-May, 1972; *Homage to Itzhak Danziger*, The Israel Museum, Jerusalem, September-October, 1977; *Itzhak Danziger*, The Israel Museum, Jerusalem, Summer 1981, no. 188

Itzhak Danziger's life was a constant search for artistic expression of the unique qualities of the land of Israel. In the thirties he belonged to the "Canaanites," a group of artists who regarded the country's pagan Biblical forebears as the truest source of artistic meaning in Israel. Danziger's sculpture of 1939, Nimrod, depicts an ancient hunter—it is one of the milestones of modern Israeli art.

In the last ten years of his life Danziger sought ways to reclaim for nature what had been destroyed by the demands of an increasingly industrial society, and to restore the ecological balance wherever possible. His most important project, executed in 1971, prepared and documented with numerous drawings, was the rehabilitation of the abandoned Nesher quarry near Haifa where the slopes of Mount Carmel had been scarred by continuous excavation. In the Israel Museum drawing appear a variety of suggestions for restoration of one quarry wall 500 meters long, each section of collage exploring a different method.

In Section A, between drawn sections to the right are trees, bushes and shrubs on a terraced surface; Section B presents a diagonal area above the view planted with trees, bushes and ground-covering shrubbery. The project took nine months, and by the end of 1971 the stony gap had been transformed into welcoming green land.

Purchase, Riklis Fund, 1974
Reg. No. 43.74

יצחק דנציגר

ברלין 1916 - 1977 כביש ירושלים-תל אביב, בקרבת רמלה

הצעת שיקום לקיר מחצבה, 1971

עיפרון, מכחול, דיות, גואש לבן, עט כדורי וקולאז' על-גבי נייר, 113×221 מ"מ

תולדות הרישום: האמן
ביבליוגרפיה: "שיקום מחצבת נשר, פברואר-נובמבר 1971", ירושלים, 1972, עמ' 35-36; "יצחק דנציגר", ירושלים, 1981, עמ' 10-11; יונה פישר, "שיקום מחצבת נשר", מרדכי עומר, עורך, "יצחק דנציגר, מקום", תל אביב, 1982, תמונה 4
תערוכות: "שיקום מחצבת נשר", מוזיאון ישראל, ירושלים, מרץ-מאי 1972; "מחווה ליצחק דנציגר", מוזיאון ישראל, ירושלים, ספטמבר-אוקטובר 1977; "יצחק דנציגר", מוזיאון ישראל, ירושלים, קיץ 1981, קטלוג מס' 188

חייו של דנציגר היו חיפוש נצחי אחרי ביטוי אמנותי של המיוחד במינו בארץ-ישראל. בשנות השלושים השתייך לקבוצת אמנים שקראו לעצמם "כנענים" וראו בעמי הארץ האליליים הקדומים את המקור האמיתי לביטוי אמנותי בישראל.' פסלו "נמרוד" משנת 1939, המתאר את הצייד הקדמוני, הוא ציון דרך אמיתי באמנות ישראל.

בעשר שנותיו האחרונות חיפש דנציגר דרכים לשקם את הטבע שנהרס בשל צרכיה של החברה התעשייתית ולהחזיר לו את מאזנו האקולוגי. הפרוייקט החשוב ביותר שלו, שבוצע ב-1971, היה שיקום חלקי של מחצבת "נשר" הנטושה ליד חיפה, שכרייתה הממושכת פגעה קשות במדרונות הכרמל. הפרוייקט הוכן ותועד על-ידי האמן ברישומים רבים שעסקו בהבטים השונים של השיקום. הרישום הזה מצביע על הדרך לשקם קיר שארכו חמש-מאות מטרים במחצבה. כל קטע בגיליון המודבק מציע שיטה משלו. חלק א', המסמן את החלל שבין שני חתכים הרשומים מימין, מראה היכן לשתול עצים, שיחים ושרכים על משטח הטראסה; בחלק ב', המלבן הקטן הרשום בעיפרון מעל הנוף יועד לשתילת עצים, שיחים ושרכים מתפשטים לרוחב על שטח אלכסוני. הפרוייקט בוצע במשך תשעה חודשים ב-1971, ובסופו הפכה הפרצה הפעורה במדרון ההר לארץ ירוקה.

נרכש באמצעות קרן ריקליס, 1974
מספר רשום 43.74

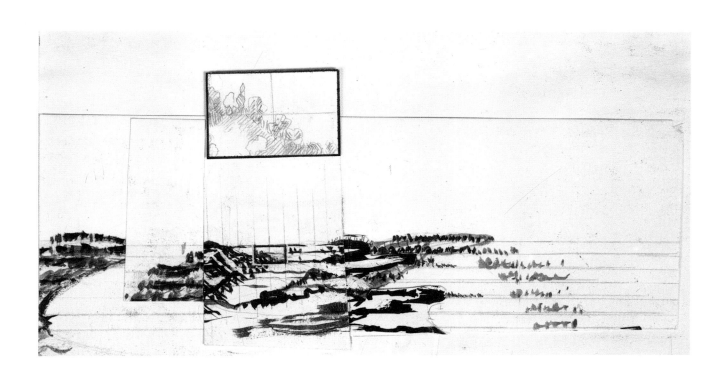

57. Michel Haddad

Tunis 1943-1979 Paris

La Pyramide, 1975

Verso: Geometrical sketches
Pen and India ink, acrylic, and graphite on paper, 295 × 418 mm
Signed, lower right: "m.h. 75"
Inscribed, lower center (partially in mirror script): "AU CENTRE DE LA SPHERE LA PYRAMIDE EST VIOLETTE; la pyramide"
Inscribed, lower left: "Il faut bien parfois simplifier abusivement les situations trahir l'existence par une representation . . . Mais pas toujours!"

PROVENANCE: The artist; Debel Gallery, Jerusalem

Haddad's tormented and torn world is painfully recorded here in a set of forms drawn from a personal mythology and an aesthetic rife with emotion. Created just four years before his suicide, the objects on the sheet float in a void, bits and pieces of an existence without foundation. Among the scattered fragments of a headless figure, a disembodied dog's head, and other unidentifiable forms, there are "signs of sanity, orientation anchors" such as arrows, words, and numerals (Igael Zalmona, *Review of the Memorial Exhibition*, Debel Gallery, Ma'ariv, November 1979).

The use of mirror script suggests the psychopathology of a hidden self in a deceptive continuity with the diaries of Leonardo. Haddad's art, however, is closer to Dubuffet, Alechinsky and Picasso if it is not, indeed, entirely personal.

Purchase, Riklis Fund, 1976.
Reg. No. 583.76

מישל חדד

טוניס 1943 - 1979 פריס

הפירמידה, 1975

עט ודיו עם מעט אקריליק ועיפרון על-גבי נייר, 418×295 מ"מ
חתום למטה מימין: "m.h.75"
רשום למטה במרכז, בחלקו בכתב ראי: "Au Centre De La Sphere La Pyramide est Violette; la pyramide"
רשום למטה משמאל בעיפרון: Il faut bien parfois simplifier abusivement les situations trahir e'existence par une représentation... mais pas toujours"
על גב הגיליון: מתווים גיאומטריים שונים

תולדות הרישום: האמן; גלריה דבל, ירושלים

נפשו המעונה של חדד ועולמו הקרוע באים כאן לביטוי כואב בסידרת צורות שאובות מתוך המיתולוגיה האמנותית והרגשית האישית שלו. העצמים הללו, שנרשמו ארבע שנים לפני התאבדותו של האמן, צפים בחלל ריק. רובם שברים ורסיסים קטנים בקיום נעדר בסיס - אדם בלי ראש, כלב בלי גוף, צורות לא מזוהות, שביניהן הוא מפזר "סימני שפיות, עוגני התמצאות" (יגאל צלמונה, סקירה על תערוכת הזיכרון למישל חדד בגלריה דבל, "מעריב", נובמבר, 1979), חצים, מלים, ספרות. השימוש בכתב ראי מרמז על אני אחר סמוי הממשיך מן הבחינה האמנותית את יומני ליאונ-ארדו דה וינצ'י. אפשר לנסות ולגלות השפעות של פיקאסו, דובופה ואלשינסקי על חדד, אבל מעל לכל, אמנותו היא ביטוי אישי.

נרכש באמצעות קרן ריקליס, 1976
מספר רשום 583.76

AU CENTRE DE LA SPHERE LA PYRAMIDE EST VIOLETTE
la pyramide
il faut bien parfois simplifier abusivement les situations
trahir l'existence par une representation... Mais pas toujours!
m. h. 75

58. Josef Hirsch

Beuthen, Germany 1920-

Untitled, 1980

Wash on paper, 360 × 478 mm
Signed and dated, lower right (Hebrew): "Josef Hirsch 1980"

PROVENANCE: The artist

Joseph Hirsch has drawn the figure exclusively in India ink wash, and until 1970, entirely from his imagination. In that year he began to work from nature and to include still-life as a subject. His brilliant technique, distortion, and manipulation suggest links to Goya, to Zen painters, and to the German Expressionists; bitterly humorous figures in strange spaces, seated, alone with their aloneness, are enveloped in the rich coloristic spectrum of black.

The man in our drawing seems to sit precisely nowhere in hopeless meditation examining the viewer, in search of help. Foreshortening and rich brushwork distort his form, adding both objectively and subjectively to our discomfort and to his.

Purchased through a donation from the Israel Discount Bank Foundation, 1981
Reg. No. 172.81

יוסף הירש

בוטן, גרמניה 1920 -

ללא כותרת, 1980

מגוון על-גבי נייר, 478×360 מ"מ
חתום ומתוארך למטה מימין: "יוסף הירש 1980"

תולדות הרישום: האמן

הירש רושם בדיות ומתרכז בדמות האנושית. עד 1970 רשם מהדמיון, ובשנה זו החל לרשום מהטבע ופנה גם אל הטבע הדומם.
טיפולו הטכני הווירטואוזי והעיוותים הצורניים מגלים את הקשר שלו לאקספרסיוניזם הגרמני ומגיעים עד לציור זן ולרישומי גויה. דמויותיו הומוריסטיות ומרירות, מוקפות חלל נטול ממשות, יושבות לבדן בבדידותן. הוא רושם אותן בטונאליות עשירה הנעה מהלבן, דרך גווניו המרובים של האפור ועד לשחור המוחלט.
האיש ברישום זה יושב כמדומה במרכז שום-מקום, מהרהר בחוסר תקווה, מביט בצופה כמבקש עזרה. צורות הקצרה ומשיחות מכחול עשירות מעוותות את גופו ומוסיפות לאי-הנוחות של הדמות ושל הצופה כאחד.

נרכש באמצעות קרן בנק דיסקונט, 1981
מספר רשום 172.81

59. Marcel Janco

Bucharest 1895-1984 Ein Hod

Portrait of Tristan Tzara, ca. 1916

Graphite on paper, 665 × 400 mm

PROVENANCE: Tristan Tzara Collection, 1968; Kornfeld and Klipstein, Bern, Auktion 152, 13–15 June, 1974, ill. lot no. 405
EXHIBITIONS: *Dada: Dokumente, Exhibit of the Month*, The Israel Museum, September 1974; *Homage to Elisheva Cohen*, The Israel Museum, Jerusalem, Spring 1975; *Marcel Janco, Special Exhibit*, The Israel Museum, Jerusalem, September–November, 1980; *Dada-Constructivism, The Janus Face of the Twenties*, Annely Juda Fine Arts Gallery, London, September–December, 1984

Marcel Janco's portrait of Tristan Tzara renders the seated figure in the manner of early Cubism. It is constructed of triangles and rectangles, alternately shaded or left blank. The only curves on the sheet are those which outline the chair, stressing the illusion of a third dimension. Obviously done from life, this drawing, like Hans Richter's *Portrait of Johannes Baader* (cat. no. 50), documents the collaboration of two of the Dada movement's founders. Here, however, is the Zurich version of Dada, associated with "Cabaret Voltaire," Hugo Ball, and *Dada* magazine.

The principal expression of Dada in Zurich was poetry. Tzara (1896-1963), originally Sami Rosenstein, was the driving force behind experiments with new types of poetry, and he is widely credited with the invention of the term "Dada." His "Static Poetry" consists of words printed on separate placards arranged on a row of chairs whose order was changed with each raising and lowering of the curtain. His "Accidental Poems" were, like Dada collages, created with a pair of scissors.

Tzara's book, *La Premiere Aventure Céleste de Monsieur Antipyrine* was illustrated with color woodcuts by Janco in 1916, but the two men's association with Zurich Dada was short lived. Tzara left for Paris in 1919 and turned to the influence of Surrealism in 1931; Janco left Dada in 1922, when it seemed saturated with Surrealism, and returned to Rumania where he worked as an architect with his brother. In 1941 he emigrated to Israel and founded the artists' colony Ein Hod.

Gift of Ruth Burger, U.S.A., in memory of her brother, Benjamin Golin, 1974
Reg. No. 624.74

מרסל ינקו

בוקרשט 1895 - 1984 עין הוד

דיוקן טריסטאן צארה, 1916 בקירוב

עיפרון על-גבי נייר, 400×665 מ"מ

תולדות הרישום: אוסף טריסטאן צארה עד 1968; קורנפלד וקליפשטיין, ברן, מכירה פומבית 152, 13-15 יוני, 1974, מוצג מס' 405, תמונה
תערוכות: "מוצג החודש" מוזיאון ישראל, ירושלים, ספטמבר 1974; "מחווה לאלישבע כהן", מוזיאון ישראל, ירושלים, אביב 1975; "מרסל ינקו", תצוגה מיוחדת, מוזיאון ישראל, ירושלים, ספטמבר-נובמבר 1980

מרסל ינקו מציג בדיוקן טריסטאן צארה את הדמות היושבת בסגנון הקוביזם המוקדם. הדמות בנויה ממשולשים וממלבנים מוצלים וחשופים לסירוגין. הקווים המעוגלים היחידים על גיליון הנייר הם אלה התוחמים את הכסא ומדגישים את אשליית המימד השלישי. הרישום, שנעשה בבירור על-פי מודל חי, בדומה ל"דיוקן יוהנס באדר" שרשם האנס ריכטר, מתעד שיתוף פעולה בין שניים ממייסדי הדאדא הבולטים ביותר. לפנינו גירסת ציריך של הדאדא, המזוהה עם "קבארט וולטיר", הוגו באל וכתב-העת "דאדא".

כלי הביטוי העיקרי של דאדא-ציריך היה השירה. צארה, במקורו סאמי רוזנשטיין (1963-1896), היה הכוח המניע שמאחורי הניסויים בסוגי השירה החדשים, ולזכותו נזקפת המצאת המלה "דאדא". ה"שירה הסטאטית" שלו מורכבת ממלים מודפסות על כרטיסים נפרדים שהונחו על שורת כיסאות שסדרם שונה עם כל הרמת מסך. "השירים האקראיים" שלו, בדומה לקולאזים של הדאדא, נוצרו בעזרת זוג מספריים.

ספרו של צארה, *"La Première Aventure Céleste de Monsieur Antipyrine"*, אוייר בחיתוכי-עץ צבעוניים של ינקו בשנת 1916, אולם הקשרים של השניים עם תנועת דאדא בציריך לא האריכו ימים. צארה עקר לפריס ב-1919 והצטרף לאחר מכן לסוריאליזם. ינקו חזר לרומניה ב-1922 לאחר שהות קצרה בפריס, ועבד כאדריכל עם אחיו. מאוחר יותר עלה לארץ והקים את כפר האמנים עין הוד.

מתנת רות בורגר, ארצות הברית, לזכר אחיה, בנימין גולין, 1974
מספר רשום 624.74

60. Leopold Krakauer

Vienna 1890-1954 Jerusalem

Thistle, 1953

Black chalk on paper, 560 × 760 mm
Signed and dated, lower right: "LK53"

PROVENANCE: The artist's widow
EXHIBITIONS: *Leopold Krakauer*, The Israel Museum, Jerusalem, Summer 1974, no. 35

Leopold Krakauer was a professional architect and, but for a few early Cubist portraits, drew only three subjects—the landscape around Jerusalem, trees, or thistles. These later drawings are marked by German and Austrian Expressionism; in scale and severity they evoke a religious dimension: a tree will sometimes turn into a crucifix, or thistle into a crown of thorns.

Although Krakauer drew indoors he always kept a group of thistles on his drawing table, devoting himself to their representation during the last years of his life. For him they symbolized this land, arid but tough. In our drawing the thistle is bent to the ground, yet alive, its center reminiscent of the great eye in a Redon flower.

Acquisition, 1964
Reg. No. M 3841-10-64

ליאופולד קרקאור

וינה 1890 - 1954 ירושלים

קוץ, 1953

גיר שחור על-גבי נייר, 760×560 מ"מ
חתום ומתוארך למטה מימין: "LK53"

תולדות הרישום: אלמנת האמן
תערוכות: "ליאופולד קרקאור", מוזיאון ישראל, ירושלים, קיץ 1974, קטלוג מס' 35

קרקאור, אדריכל במקצועו, התרכז ברישומיו בשלושה נושאים: הנוף סביב ירושלים, עצים וקוצים.

בעוד שהדיוקנאות המעטים שרשם בראשית דרכו מגלים השפעה קוביסטית, טבועים רישומי הטבע בחותם האקספרסיוניזם הגרמני והאוסטרי. הם מכילים יסוד פנתאיסטי בטהרתם וברחבותם. היסוד הדתי מודגש במיוחד בעצים ההופכים לעתים לצלב, ובברקנים המתפתחים לנזר קוצים. קרקאור רשם בתוך כותלי הבית, אך תמיד היו קוצים על שולחן עבודתו. שנות חייו האחרונות הוקדשו כמעט אך ורק לרישום קוצים. בעיניו, הם מייצגי הארץ הצחיחה, יבשים אך חזקים, מטאפורות של החיים. ה"קוץ" שלנו עקום, שרוע על הקרקע ועם זאת פורח בכוח. מרכזו מזכיר במקצת את העיניים והראשים של אודילון רדון המגיחים מתוך פרחים וירחים.

רכישה, 1964
מספר רשום M 3841-10-64

61. Moshe Kupferman

Jaroslav 1926-

Drawing, 1972

Graphite on wove paper, 497 × 695 mm
Signed and dated (Hebrew), lower right: "Kupferman 1972"

PROVENANCE: The artist
EXHIBITIONS: *Beyond Drawing*, The Israel Museum, Jerusalem, Spring 1974, cat. no. 37

Kupferman's drawings seem to have infinite depth, their numerous layers augmenting without covering or cancelling each other. In 1974 the artist called these drawings "preoccupations" and discussed their "detachment from the condition of completeness" (*Beyond Drawing*, The Israel Museum, Jerusalem 1974). In this sense, Kupferman's drawings are about the creative process itself, as he moves back and forth within the drawing adding layers, or subtracting with the white of erased lines.

His work has been called "single-minded and persistent; (it) invites a constant reinterpretation" (Yona Fischer, *Moshe Kupferman—Paintings, Works on Paper 1963-1984*, The Israel Museum, Jerusalem/Tel Aviv Museum, Tel Aviv, 1984-1985, p. 61). It has also been described as "setting harmony as its goal, and the difficulty of achieving it as its theme" (Sara Breitberg, *Kupferman*, The Tel Aviv Museum, Tel Aviv, 1978).

In 1969 Kupferman introduced the grid into his work as a repeating, fundamental pattern and an anchor against the creative surge. Our drawing is typical of his work of the '70s, its grid and erased white lines suggesting "less is more" in a dialogue of graphite, paper, line and layer.

Purchase, Riklis Fund, 1974
Reg. No. 837.74

משה קופפרמן

יארוסלב 1926 -

רישום, 1972

גרפיט על-גבי נייר רשת לבן, 497×695 מ"מ
חתום ומתוארך למטה מימין: "קופפרמן 1972"

תולדות הרישום: האמן
תערוכות: "רישום - מעל ומעבר", מוזיאון ישראל, ירושלים, אביב 1974, קטלוג מס' 37

רישומיו של קופפרמן נראים כבעלי עומק אינסופי, ורבדיהם המרובים מוסיפים זה לזה מבלי לכסות או לבטל. כשדיבר האמן ב-1974 על ניתוקן של היצירות ממצב סופי, כינה אותן "התעסקויות" ("רישום - מעל ומעבר", מוזיאון ישראל, ירושלים, 1974). במובן זה עוסקות עבודותיו של קופפרמן בתהליך היצירה, מראות את האמן נע קדימה ואחורה בתוך ה"עומק" של רבדי רישומיו, לעתים מוסיף, לעתים גורע באמצעות מתיחת קווים לבנים במחק.

עבודתו של קופפרמן כונתה "עיקשת" ו"מתמידה", ועם זאת היא "מזמינה שיפענחוה שוב ושוב" (יונה פישר, "משה קופפרמן - ציורים, עבודות על נייר 1963-1984", מוזיאון ישראל, ירושלים, ומוזיאון תל אביב, תל אביב, 1984-1985, עמ' 5). היא תוארה כקובעת את ההרמוניה כמטרתה ואת הקושי להשיגה כנושאה (שרה ברייטברג, "קופפרמן", מוזיאון תל אביב, תל אביב, 1978). ב-1969 הוא מכניס את רשת קווי השתי והערב לעבודתו כדפוס בסיסי חוזר ונשנה המשמש כעוגן לדחף היצירה הסוער שבו.

רישום זה מייצג את יצירותיו של האמן משנות השבעים המוקדמות בשימושו ברשת הקווים, בקווי המחיקה הלבנים ובגישה המנחה של ה"פחות הוא יותר" בדיאלוג שבין הגרפיט-הנייר-הרובד.

נרכש באמצעות קרן ריקליס, 1974
מספר רשום 837.74

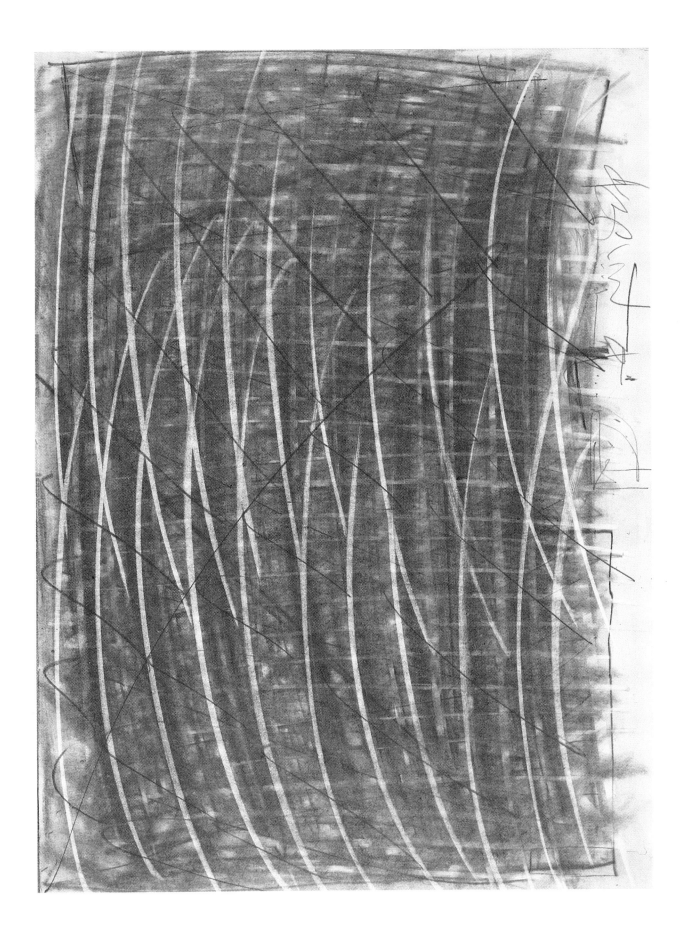

62. Else Lasker-Schüler

Elberfeld 1869-1945 Jerusalem

Jews from Samarkand

Colored chalks and graphite on paper, 220 × 175 mm
Signed lower left: "Else Lasker-Schüler"
Inscribed, lower center: "Juden aus Samarkand, Jerusalem"

EXHIBITIONS: *Homage to Elisheva Cohen*, The Israel Museum, Jerusalem, Spring, 1975; *Else lasker-Schüler, Drawings*, The Israel Museum, Jerusalem, December 1975, cat. no. 49, ill.

Elsa Lasker-Schüler was an eccentric free spirit, a poet and an artist who often illustrated her own poems, combining elements of ancient Egyptian art, such as drawing the figure in profile, with elements of German Expressionism. From 1903 to 1911 she was married to Herwarth Walden, the important Berlin dealer in Expressionism, publisher of the periodical *Der Sturm*, and owner of the gallery by the same name.

This drawing was done in Jerusalem, Lasker-Schüler's home from 1939 until her death six years later. Its color and subject may be considered "Oriental," while it is drawn in a naively expressionistic style of linear distortions.

Gift of Dr. Max Eitingon, Jerusalem, 1946
Reg. No. M 5488-11-46

אלזה לאסקר-שילר

אלברפלד 1869 - 1945 ירושלים

יהודים מסמרקנד

גירים צבעוניים ועיפרון על-גבי נייר, 220×175 מ"מ
חתום למטה משמאל: "Else Lasker-Schüler"
רשום למטה במרכז: "Juden aus Samarkand, Jerusalem"

תערוכות: "מחווה לאלישבע כהן", מוזיאון ישראל, ירושלים, אביב 1975
"אלזה לאסקר-שילר, רישומים," מוזיאון ישראל, ירושלים, דצמבר 1975,
קטלוג מס. 49

אלזה לאסקר-שילר, משוררת אקסצנטרית ופורקת-עול, עיטרה לעתים קרובות את שיריה. באמנותה שלובים יסודות מצריים עתיקים כגון דמויות בפרופיל, עם יסודות של האקספרסיוניזם הגרמני שאותם ספגה בברלין בעת שהיתה נשואה (1911-1903) להרוורת ואלדן, המוציא-לאור של כתב-העת "דר שטורם", בעל גלריית שטורם ואחד האנשים שעודדו את האמנות האקספר-סיוניסטית בגרמניה.

"יהודים מסמרקנד" נעשה בירושלים שבה השתקעה המשוררת ב-1939 ומתה ב-1945. הרישום מזרחי בצבעוניותו ובנושאו ואקספרסיוניסטי-נאיבי בסגנונו הקווי המעוות.

מתנת ד"ר מקס איטינגון, ירושלים, 1946
מספר רשום M 5488-11-46

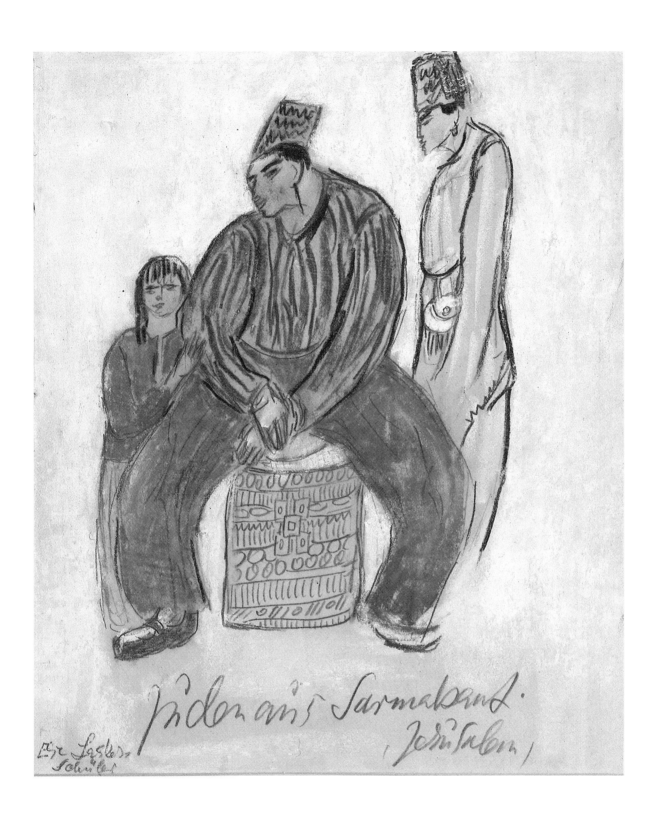

Juden aüs Sarmakand.
(Jerüsalem)
Else Lasker-Schüler

63. Uri Lifshitz

Givat Hashlosha 1936-

Portrait of Yossef Zaritsky, 1982

Graphite, watercolor and crayon on paper, 1000 × 700 mm
Signed, lower left (Hebrew): "U Lifshitz"

PROVENANCE: Gordon Gallery, Tel Aviv
EXHIBITIONS: *The Tip of the Iceberg No. 2: New Acquisitions of Israeli Art*, the Israel Museum, Jerusalem, August, 1983

Lifshitz is a virtuoso of line, and cleaves to realism, although his working process may sometimes obscure the point of departure. He works in series, and often from photographs, as in this portrait of the late Israeli master, Yossef Zaritsky. Facial features are drawn in detail and achieve a close likeness, but the body which carries Zaritsky's head (in a characteristic hat) is like a great block. The paper's large scale accentuates the distinct presence of the figure, and to the artist's great credit, with no loss in quality of draftsmanship.

Purchased through a donation from the Israel Discount Bank Foundation, 1982
Reg. No. 860.82

אורי ליפשיץ

גבעת השלושה 1936 -

דיוקן יוסף זריצקי, 1982

עיפרון, צבע-מים וגיר שמנוני על-גבי נייר, 700×1000 מ"מ
חתום למטה משמאל: "א. ליפשיץ"

תולדות הרישום: גלריה גורדון, תל אביב
תערוכות: "קצה הקרחון מס׳ 2: רכישות חדשות באמנות ישראלית", מוזיאון ישראל, ירושלים, אוגוסט 1983

ליפשיץ הוא וירטואוז הקו. האקספרסיוניזם שלו, בין שהוא מופשט ובין שהוא פיגורטיבי, קשור תמיד למציאות, אלא שלפעמים מטשטש התהליך היצירתי את נקודת המוצא הזו. על-פי-רוב הוא עובד בסדרות ומשתמש בצילומים בתור בסיס, כמו בדיוקן זה של הצייר המנוח יוסף זריצקי. בעוד תווי-הפנים רשומים בפרטות שיש בה דומות רבה, משורטט הגוף כגוש כבד הנושא עליו את הראש בכובע האופייני, וגודלו של הגיליון מדגיש את נוכחותה הבולטת של הדמות.

נרכש באמצעות קרן בנק דיסקונט, 1982
מספר רשום 860.82

64. Pinhas Litvinowsky

Novogreveisk, Russia 1894-1985 Jerusalem

Yemenite Ecstasy, ca. 1920

Red chalk on paper, 589 × 433 mm

BIBLIOGRAPHY: *Baruch Agadati—Artist of the Hebrew Dance* (in Hebrew), Tel Aviv, 1925, cat. no. 15
EXHIBITIONS: *Agadati—4 Faces*, Rubin Museum, Tel Aviv, June-October 1985

Pinhas Litvinowsky studied at the Art School in Odessa, and then in Jerusalem in 1912 at the Bezalel Academy. After only a brief stay, however, he returned to Russia to study with Professor Kronovsky in the Academy at St. Petersburg, specializing in drawing. These drawings show the influence of early Matisse, while his early paintings are in turn influenced by Douanier Rousseau. By the 20s Litvinowsky, who came to Jerusalem once again in 1919, was assimilating Russian Cubism, as he would later the art of Rouault and Picasso.

Our drawing, depicting a dancing Yemenite figure in three different poses, was probably done in the 1920s. Its angular forms, parallel lines and frozen movement reflect the artist's interest in Cubism and result in a dynamic tension. Used as an illustration in Baruch Agadati's book on Hebrew dance, the drawing may well have been done from life at an Agadati recital.

Anna Ticho Bequest, 1980
Reg. No. 3055.80

פנחס ליטבינובסקי

נובוגרבייסק, רוסיה 1894 - 1985 ירושלים

אקסטאזה תימנית, 1920 בקירוב

גיר אדום על-גבי נייר, 433x589 מ"מ

ביבליוגרפיה: "ברוך אגדתי - אמן הריקוד העברי", תל אביב, 1925, קטלוג מס' 15
תערוכות: "אגדתי - 4 פנים", בית ראובן, תל אביב, יוני-אוקטובר 1985

ליטבינובסקי החל את לימודיו בבית-הספר לאמנות באודיסה. הוא בא לירושלים ב-1912 ללמוד בבית-הספר "בצלאל", אולם חזר לרוסיה זמן קצר אחרי בואו. שם, למד באקדמיה בפטרבורג אצל הפרופסור קרונובסקי והתרכז ברישום. ב-1919 שב לירושלים והתיישב בה.

ברישומיו המוקדמים של ליטבינובסקי ניכרת השפעתו של מאטיס המוקדם, בעוד ציוריו משקפים את גישתו הנאיבית של אנרי רוסו. בשנות העשרים ספג את הגירסה הרוסית של הקוביזם ובשלב מאוחר יותר את השפעתם של רואו ופיקאסו.

רישום זה המתאר דמות תימנית רוקדת בשלוש תנוחות שונות, נעשה קרוב לוודאי בשנות העשרים המוקדמות. הוא משקף את התעניינותו של האמן בקוביזם, על צורותיו הזוויתיות, קוויו המקבילים הישרים והקפאת התנועה היוצרת מתח. ייתכן מאד שהרישום, המופיע בספרו של אגדתי על הריקוד העברי, נרשם מהטבע בעת רסיטל של אגדתי.

עיזבון אנה טיכו, 1980
מספר רשום 3055.80

65. Shalom Moskovich (Shalom of Safed)

Safed 1887-1980 Safed

Abraham Settles in Beersheba

Gouache, India ink, and graphite on paper, 351 × 498 mm
Signed, lower right (Hebrew): "Shalom Moskovich"
Identifying inscriptions: "Ishmael, Abraham, Beersheba, Eshel, Shalom Aleichem, the house of our father Abraham"

BIBLIOGRAPHY: *Images from the Bible*, Woodstock, New York, 1980, ill. p. 97
EXHIBITIONS: *Terre d'Israel, Reves et Réalités*, Le Grand Palais, Paris, June–July, 1985

A watchmaker by profession, Moskovich, known as Shalom of Safed, began to create naive paintings late in life. His works are pictorial narratives—flat and linear; they remind one of children's drawings, ancient wall paintings, and illuminated manuscripts. Bible stories are his subject, their principal figures literally identified by inscription. Moskovich's compositions are often divided into different scenes depicted simultaneously and symmetrically.

In this gouache, Abraham is on the left welcoming visitors, the traditional blessing, "Shalom Aleichem," (Welcome in peace) inscribed above them. The central structure is identified as "The House of the Patriarch Abraham," and on the right, wearing a fez and holding a large key, Ishmael approaches the house. On the upper left the location is identified as Beersheba, and the tree is the tamarisk planted there by Abraham (Genesis, 21;33). The folk-art elements in Moskovich's work show him continuing the local tradition of naive painting existing in 19th century Eretz Israel, i.e. the paintings of Moshe Ben Itzhak Misrachi (Shah) (Yona Fischer ed., *Art and Craft in 19th century Eretz Israel*, Jerusalem, 1979, fig. 93, 94).

Museum Purchase, 1956
Reg. No. M 1507-7-56

שלום מושקוביץ

צפת 1887 - 1980 צפת

אברהם מתיישב בבאר שבע

גואש, עיפרון ודיות על-גבי נייר, 351×498 מ"מ
חתום למטה מימין: "שלום מושקוביץ"

שלום מושקוביץ, שען שנודע בכינוי "שלום מצפת", החל לצייר את ציוריו התמימים בזקנתו. יצירותיו הן ציורים סיפוריים שטוחים וקוויים המזכירים ציורי ילדים, ולא פחות מזה ציורי קיר עתיקים וכתבי-יד מאויירים. נושאי ציוריו הם סיפורי המקרא והדמויות הראשיות מזוהות בכותרות. משטח היצירה מחולק לסצינות שונות המתוארות סימולטנית, ומבנהו סימטרי.

היסודות העממיים המצויים ביצירתו של מושקוביץ מגלים אותו כממשיך את מסורת הציור הנאיבי שהתקיימה בארץ-ישראל במאה ה-י"ט, למשל ציוריו של משה בן יצחק מזרחי (שאה) (יונה פישר, עורך, "אמנות ואומנות בארץ ישראל במאה ה-י"ט", ירושלים, 1979, תמונות 93, 94).

רכישה, 1956
מספר רשום M 1507-7-56

בית של אברהם אבינו
שלום עליכם
אברהם
באר שבע
אשל
ישמעאל

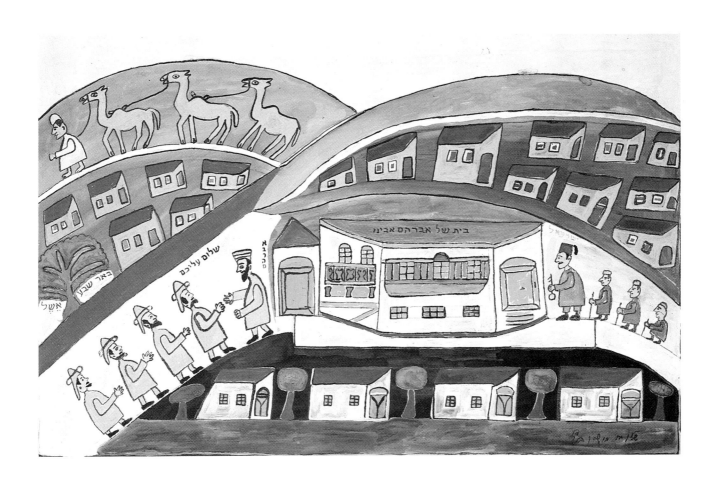

66. Anna Ticho

Brünn 1894-1980 Jerusalem

Stony Slope, 1972

Charcoal on paper, 695 × 495 mm
Signed, lower left: "A. Ticho"

EXHIBITIONS: *Anna Ticho: Fifty Years of Drawings*, The Israel Museum, Jerusalem, March-May, 1978; Fitzwilliam Museum, Cambridge, July-October, 1982; Ben Uri Gallery, London, January-February, 1983; The Jewish Museum, New York, October, 1983-February, 1984; Jewish Community Center of Greater Washington, Rockville, Maryland, September, 1984; Musée des Beaux Arts de Montréal, Montréal, November, 1984; Jewish Community Museum, San Francisco, February, 1985

Anna Ticho was one of Israel's best known and most respected artists, and her main subject was Jerusalem. In her early drawings she concentrated on the city's houses and people; later she depicted its surrounding landscape, the Judean Hills. These early works, betraying a Viennese influence, were done from nature in pencil or ink, while the drawings she executed during the last fifteen years of her life in her studio, their format considerably larger, were often in colored chalks. They are mature, free, lively and personal, the fruit of many years of regarding nature, absorbing its forms, colors, and movements. Ticho rarely dated her works; their chronology is established by reconstructing periods of her life, its journeys and relationships.

In this drawing belonging to the last phase of her creative life, she exploited the inherent characteristics of the soft charcoal line to its utmost. The illusion of space and depth is created through the various lengths of strokes, gradual darkness in the foreground turning lighter toward the background and the horizon. The overall impression is one of vastness and attachment to the earth and its structures.

The Anna Ticho bequest, 1980
Reg. No. 419.80

אנה טיכו

ברון, אוסטריה 1894 - 1980 ירושלים

מדרון מסולע, 1972

פחם על-גבי נייר, 495×695 מ"מ
חתום למטה משמאל: "A. Ticho"

תערוכות: "אנה טיכו - חמישים שנות רישום", מוזיאון ישראל, ירושלים, מרס-מאי 1978

ירושלים היא הנושא המרכזי ביצירתה של אנה טיכו. ברישומיה המוקדמים התרכזה בבתי העיר ובאנשיה. אחרי כן תיארה את סביבות העיר, את הרי יהודה. רישומיה אלה, המסגירים את רקעה הווינאי, נעשו מן הטבע על נייר בגודל בינוני בעיפרון או בדיו. בחמש-עשרה השנים האחרונות לחייה רשמה בסדנתה על גיליונות גדולים בהרבה ולעתים קרובות בגירים צבעוניים. אלה הם רישומים בשלים, משוחררים, מלאי חיים ואישיים - פרי שנות התבוננות רבות בטבע וספיגת צורותיו, צבעיו ותנועותיו. אנה טיכו לא נהגה לתארך את רישומיה, והכרונולוגיה שלהם נקבעת על-פי שחזור תקופות בחייה, מסעות וקשרים.

ברישום פחם זה מהתקופה האחרונה בחייה היצירתיים, היא מנצלת את התכונות הסגוליות של קווי החומר הרך הזה עד תומן. אשליית החלל והעומק נוצרת באמצעות אורכם המשתנה של הקווים, כהות מדורגת בקדמת התמונה ההולכת ומתבהרת לקראת האופק. הרושם הכללי הוא של מרחב והתקשרות אל האדמה ומבניה.

עיזבון אנה טיכו, 1980
מספר רשום 419.80

67. Aviva Uri

Safed 1927-

Landscape II, 1960

Black chalk on paper, 492 × 692 mm
Signed and dated, lower right: "Aviva Uri 60"

BIBLIOGRAPHY: *Beyond Drawing*, Jerusalem, cat. no. 1, ill.; *Aviva Uri Drawings*, Tel Aviv, cat. no. 11, ill.; *Aviva Uri, Zeichnungen 1956-1984*, Düsseldorf, 1984, cat. no. 8, ill.
EXHIBITIONS: *Beyond Drawing*, The Israel Museum, Jerusalem, Spring, 1974; *Aviva Uri Drawings*, The Tel Aviv Museum, Tel Aviv, May–March, 1977; *Aviva Uri Zeichnungen 1956-1984*, Stadtische Kunsthalle, Düsseldorf, June–July, 1984

Aviva Uri's drawing has developed from the linear to the painterly, from manipulation of external forms to a subjective personal representation; her flowing line has achieved an unprecedented independence in the brief history of Israeli draughtsmanship.

Realism is for Uri only a point of departure, and the sheet of paper an entire universe which she enters by introducing either a stain, a form, or a line to lead her and show her the way. Then she abandons reality for a high stylization and an ascetic denial of detail, returning to it with quite idiosyncratic symbols and forms later.

In this sheet Uri represents landscape, or the idea of landscape (the horizontal division she favors often implies heavenly and earthly elements), and in a strong evocation of the art of the Orient, the line itself becomes the actual subject.

Gift of Yona Fischer, Jerusalem, 1985
Reg. No. 647.85

אביבה אורי

צפת 1927 -

נוף II, 1960

גיר שחור על-גבי נייר, 492×692 מ"מ
חתום ומתוארך למטה מימין: "אביבה אורי 60"

ביבליוגרפיה: "רישום מעל ומעבר" ירושלים, 1974, קטלוג מס' 1, תמונה; "אביבה אורי, רישומים", תל-אביב, 1977, קטלוג מס' 11, תמונה
תערוכות: "רישום מעל ומעבר", מוזיאון ישראל, ירושלים, אביב 1974; "אביבה אורי, רישומים", מוזיאון תל אביב, תל אביב, מרס-מאי 1977; "מתנות מובטחות", מוזיאון ישראל, ירושלים, אביב-קיץ 1985

רישומיה של אביבה אורי התפתחו מן הקווי אל הציורי, מטיפול בצורות חיצוניות אל השימוש בייצוגים אישיים סובייקטיביים, בעוד הקו הזורם שלה מגיע לעצמאות ללא תקדים בהיסטוריה הקצרה של הרישום הישראלי. המציאות משמשת לה כנקודת-מוצא, וגיליון הנייר – היקום כולו. היא "נכנסת" לתוכו על-ידי הנחת כתם, צורה או קו ה"מובילים" אותה, מורים לה את הדרך. היא נוטשת את המציאות בעזרת סגנון ושלילה סגפנית של הפרטים הקטנים, כדי לחזור אליה אחרי כן כשהיא משתמשת בצורות ובסמלים אישיים לחלוטין.

בגיליון זה מציגה אביבה אורי נוף, או אידיאה של נוף. החלוקה האופקית המועדפת על האמנית מכוונת לעתים קרובות ליסודות שמיימיים וארציים, כשהקווים והצורות בחלק התחתון מרמזים על מרקם האדמה, ואחר כך נעשים יותר מעורבים ובולטים, בעוד הקו עצמו נעשה, באופן המזכיר ציור סיני ויפאני, לנושא האמיתי.

מתנת יונה פישר, ירושלים, 1985
מספר רשום 647.85

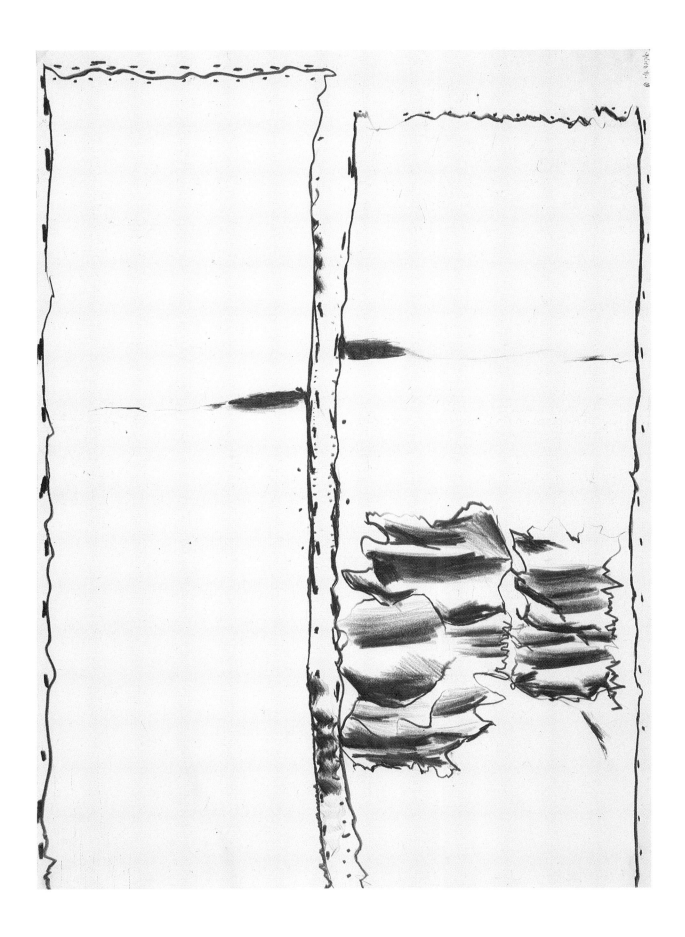

68. Yossef Zaritsky

Borispol, Ukraine 1891-1985 Tel Aviv

Safed, ca. 1924

Watercolor and black chalk on paper, 633 × 621 mm
Signed and dated, lower right (Hebrew): "Y. Zaritsky 192. ."

BIBLIOGRAPHY: Ariel, no. 27, Jerusalem, 1970, ill. between pp. 24-25; Michael Avi-Yonah, *The Holy Land*, Jerusalem, 1972, ill. pp. 242-243; L.Y. Rahmani, *The Museums of Israel*, Jerusalem, 1976, p. 84, pl. 91; *Tribute to Zaritsky*, Jerusalem, cat. no. 3; Mordecai Omer, *Zaritsky Retrospective*, Tel Aviv, 1984, ill. cat. no. 47; *De La Bible à Nos Jours*, Paris, 1985, cat. no. 293
EXHIBITIONS: *Four Israeli Artists*, The Israel Museum, Jerusalem, August–October 1974; *Tribute to Zaritsky*, The Israel Museum, Jerusalem, Autumn 1981; *Zaritsky Retrospective*, The Tel Aviv Museum, Tel Aviv, Winter 1984; *De la Bible à Nos Jours*, Grand Palais, Paris, June–July 1985

One of Israel's most noted abstract painters, Yossef Zaritsky studied at the Art Academy in Kiev and was influenced there by the watercolors of Mikhail Alexandrovitch Vrubel (1856-1910). The methodical construction of a picture with small mosaic-like marks is characteristic of work from Zaritsky's Russian period. After immigrating to Eretz Israel in 1923, he combined this method with lively brushstrokes and recorded the landscape he wandered, working in watercolor alone until 1941.

Safed was most probably painted about a year after his arrival in the Holy Land, and reflects the artist's early response to the local landscape, climate, and atmosphere. Zaritsky's method of dividing a composition into predominantly dark and "clear" areas evokes in rich organic forms the spiritual atmosphere of Safed, the cradle of *Kabbala*. The light section on the right shows actual details of houses and greenery in the town.

Purchase, Riklis Fund, 1969
Reg. No. 313.69

יוסף זריצקי

בוריספול, אוקראינה 1891 - 1985 תל אביב

צפת, 1924 בקירוב

צבע-מים וגיר שחור על-גבי נייר, 633×621 מ"מ
חתום ומתוארך למטה מימין: "י. זריצקי ...192"

ביבליוגרפיה: "מחווה לזריצקי", ירושלים, 1981, קטלוג מס' 3; מרדכי עומר, "זריצקי-רטרוספקטיבה", תל אביב, 1984, קטלוג מס' 47
תערוכות: "ארבעה אמנים ישראלים", מוזיאון ישראל, ירושלים, אוגוסט-אוקטובר 1974; "מחווה לזריצקי", מוזיאון ישראל, ירושלים, סתיו 1981, קטלוג מס' 3; "זריצקי - רטרוספקטיבה", מוזיאון תל אביב, תל אביב, חורף 1984, קטלוג מס' 47

זריצקי, שלמד באקדמיה לאמנות בקייב, הושפע מצבעי-המים של מיכאיל אלכסנדרוביץ' ורובל (1910-1856), שדרכו השיטתית לבנות תמונה באמצעות מגעים קטנים דמויי פסיפס נראית בעיקר בעבודותיו של זריצקי מהתקופה הרוסית. לאחר עלייתו ארצה ב-1923, היפנה האמן את שיטת "הפסיפס" של ורובל לשימוש חופשי ברישומי מכחול תוססים שקיבלו השראתם ממוטיבים שפגש בנדודיו. הוא הגביל את עצמו בעיקר לצבעי-מים עד 1941. "צפת" נעשה קרוב לוודאי בשנה השנייה לעלייתו ארצה. הציור משקף את תגובתו המוקדמת לאקלים ולנוף המקומיים ואת דרכו לחלק את הקומפוזיציה לאזורים שבהם שולטות לסרוגין "כהות" ו"בהירות". בעוד השטח הכהה משמאל פחות מגובש והוא מרמז בעיקר על האווירה הרוחנית של צפת - ערש הקבלה, מראה החלק הבהיר פרטים ממשיים של בתים וצמחייה.

נרכש באמצעות קרן ריקליס, 1969
מספר רשום 313.69

ITALIAN SCHOOL
אסכולה איטלקית

69. North Italian School

Portrait of a Man, First quarter of the 16th Century

Ink and watercolor on parchment; 312 × 271 mm

PROVENANCE: Unknown

The stern, dignified youth depicted in this drawing seems to belong to the high ranks of society. The ribbon of an order is seen around his neck, but the emblem of the order itself does not appear on the drawing.

The sheet has been at the Museum for close to thirty years and to date, its precise origin and attribution remain a puzzle. Over the years, some of the most prominent scholar-connoisseurs have examined the drawing or its photograph and an astonishing variety of expertise has been obtained. Bernard Berenson believed it to belong to the Milanese School and dated it to about 1490. Hyatt Mayor also suggested Milan as the origin, but saw, in addition, French influences, Milan being at the time a meeting place of French and Italian culture. He dated it to 1510-1530. Yet another opinion was given by Paul J. Sachs and Agnes Mongan who suggested that the drawing had a Burgundian origin. A. E. Popham suggested that the personage represented might be Philip the Fair, Duke of Burgundy and dated the work somewhat earlier than Mayor, 1500-1510. Based on the opinions of these respected authorities, it seems reasonable to conclude that the portrait was done by an artist who lived near the northern border of Italy and that its date of origin should be fixed in the first quarter of the sixteenth century.

Purchased from A. Rosner, Tel Aviv, 1958
Reg. No. P 698-8-58

אסכולה איטלקית-צפונית

דיוקן גבר, 1500 - 1520 בקירוב

דיו וצבע-מים על-גבי קלף, 271×312 מ"מ

תולדות הרישום: בלתי ידועות

הצעיר הנכבד וחמור-הסבר המתואר ברישום זה נראה כבן אצילים. צווארי עטור בסרט של מיסדר מסויים, אולם סמל המיסדר עצמו אינו מופיע ברישום.

הרישום נמצא במוזיאון קרוב לשלושים שנה ומקורו ושיוכו נותרו חידה עד היום. כמה מחוקרי האמנות החשובים בחנו אותו או את צילומו במשך השנים וחיוו דעות מגוונות להפליא: ברנרד ברנסון סבר שהרישום שייך לאסכולה המילאנזית ותיארך אותו ב-1490 בקירוב. גם היאט מאיור הצביע לעבר מילאנו, אך ראה בו גם השפעות צרפתיות מאחר שמילאנו היתה בעת ההיא מקום מפגש לתרבויות צרפת ואיטליה. הוא תיארך אותו בין השנים 1530-1510. דעה אחרת קיבלנו מפול ג' סאקס ומאגנס מונגאן שמיקמו את הרישום בסביבות בורגונדיה. א"א פופהאם תיארך אותו ב-1500-1510 ושיער שהדמות המתוארת עשויה להיות פיליפ היפה, הדוכס מבורגונדיה. על-פי הנאמר לעיל ניתן להסיק שהדיוקן נעשה בידי אמן שחי קרוב לגבולה הצפוני של איטליה בין השנים 1520-1500.

נרכש מא. רוזנר, תל אביב, 1958
מספר רשום P 698-8-58

70. Polidoro da Caravaggio

Caravaggio ca. 1490-1500-1543(?) Messina

Two Standing Men

Black chalk heightened with white on brown paper; 233 × 185mm
Verso: Study of legs and drapery
Black chalk

PROVENANCE: A. Rosner, Tel Aviv
BIBLIOGRAPHY: Elisheva Cohen, "A Drawing by Polidoro da Caravaggio," *The Israel Museum News*, Jerusalem, 1972, p. 62
EXHIBITIONS: *Homage to Elisheva Cohen*, The Israel Museum, Jerusalem, Spring, 1975

Original drawings by Polidoro are extremely rare and most of the sheets attributed to him are copies which often serve as the only surviving testimony of the original works. Born in Lombardy, Polidoro arrived in Rome around 1520 and joined Raphael's studio. Shortly thereafter he started working independently with Maturino, specializing in monochrome frescoes and sgraffiti, decorating many façades of Roman palaces. These are now, for the most part, destroyed, having been ravaged by constant exposure to light and extreme variations in temperature.

One building which still carries fragments of the original paintings is Palazzo Milesi. Its façade was recorded at the end of the 19th century by Enrico Maccari in an engraving based both on the actual remaining fragments and on earlier engravings executed in the 16th and 17th centuries. Maccari's print (bibliography, ill. 2) shows the general division of the façade and its various decorative elements. Among the figures depicted between the windows on the first floor the two from our drawing appear in the second element on the left, with some differences worth noticing. The engraving includes the Roman warrior raising his hand to hold the toga, while the statuette he holds has been omitted. The left arm of the other man, shown to be reaching out in our drawing (and cut at the sheet's edge), is folded over his breast, and the shield or boat prow in the lower right hand corner of the sketch does not appear.

The rest of the façade can be reconstructed on the basis of engravings by Bartoli, Saenredam, Goltzius, Galestruzzi and others, but there is no single print of only the two men. However, there exists in the British Museum a drawn copy, apparently made in preparation for a lost engraving which repeats the posture of the two men and their respective features. Elisheva Cohen (bibliography, p. 65) suggests that "Maccari, who had no engraved records of the two figures and was unaware of the existence of either an original drawing or a copy made at a time when the façade was still intact, had added details at his own discretion."

Squared for transfer, our drawing was, presumably, a preliminary work for the painted façade. Polidoro's forceful style, as seen in this characteristic example of the artist's draughtsmanship, may derive from his intensive study of antique sculpture, combining strong, sure outlines with soft, expressive modelling of the figure.

Gift of Yekutiel Federman, Tel Aviv, 1960
Reg. No. P 1073-2-60

פולידורו דה קאראוואג׳ו

קאראוואג׳ו 1500-1490 בקירוב - 1543 (?) מסינה

שני גברים עומדים

גיר שחור עם מבהקים לבנים על־גבי נייר חום, 185×233 מ״מ
על גב הגיליון: מתווה רגליים וקפלים
גיר שחור

תולדות הרישום: א׳ רוזנר, תל אביב
ביבליוגרפיה: אלישבע כהן, ״רישום מאת פולידורו דה קאראוואג׳יו״ חדשות מוזיאון ישראל, ירושלים, תשל״ב, עמ׳ 61
תערוכות: ״מחווה לאלישבע כהן״, מוזיאון ישראל, ירושלים, אביב 1975

רישומים מקוריים מאת פולידורו נדירים מאד. רוב הרישומים המיוחסים לו הם העתקים המשמשים כיום כעדות היחידה לציוריו המקוריים. פולידורו נולד בלומבארדיה, הגיע לרומא ב־1520 בקירוב ועבד בסדנתו של רפאל. זמן קצר אחרי כן החל לעבוד באופן עצמאי עם מאטורינו, והתמחה בציורי קיר מונוכרומיים ובסגראפיטי שפיארו חזיתות רבות בארמונות רומא וכיום נהרסו כמעט כליל בעקבות חשיפה ממושכת לאור ושינויי טמפרטורה. פאלאצו מילזי הוא אחד הבניינים הנושא עליו עדיין שרידים מהציורים המקוריים. חזיתו תועדה בסוף המאה ה-י״ט בידי אנריקו מאקארי בתחריט המבוסס על הקטעים הממשיים שעל הבניין ועל תחריטים שנעשו במאות ה-ט״ז וה-י״ז. התחריט (ביבליוגרפיה, תמונה 2) מראה באופן ברור את החלוקה הכללית של החזית ואת היסודות הקישוטיים השונים שבה. בדמויות המתוארות בין חלונות הקומה הראשונה, אפשר לראות את שתי הדמויות מתוך הרישום שלנו בחלק השני משמאל. כדאי לציין הבדלים אחדים: התחריט מראה את הלוחם הרומי מרים את ידו לאחוז בטוגה, בעוד שהדמות הקטנה שעל זרועו הושמטה. זרועו השמאלית של האיש מימין הפשוטה הצידה ברישום (אם כי נקטעה בשולי הגיליון), מקופלת על חזהו, והסירה בצד ימין נעלמה. את שאר החזית אפשר לשחזר על בסיס תחריטים מאת בארטולי, חולציוס, זאנרדאם, גאלסטרוצי ואחרים, אולם אין שום הדפס של שני הגברים האלה. באוסף המוזיאון הבריטי קיים רישום שנעשה כנראה כהכנה לתחריט שאבד. הוא חוזר על התנוחה של השניים ומראה את סמליהם. אלישבע כהן (ביבליוגרפיה עמ׳ 65) סבורה ש״מאקארי, שלרשותו לא עמדה עדות חיה של תחריט (במקור - פיתוח נחושת) על צורתן של שתי הדמויות ולא ידע על קיומם של רישום מקורי או העתק שנעשה בתקופה בה היתה החזית במצב תקין, הוסיף על דעת עצמו את החלקים שבתקופתו כבר לא ניתן היה לראות״.

הרישום שלפנינו, שסומן במשבצות להעברה, היה קרוב לוודאי עבודת הכנה לציור חזית הבניין. ייתכן מאד שסגנון רישומו החזק של פולידורו עוצב על-ידי המתווים הרבים שהקדיש לפיסול העתיק. גיליון זה הוא דוגמה אופיינית לאמנות הרישום של פולידורו המאחדת קווי-מיתאר חזקים ובוטחים עם עיצוב נפחי רך ואקספרסיבי של הגוף האנושי.

מתנת יקותיאל פדרמן, תל אביב, 1960
מספר רשום P 1073-2-60

71. Annibale Carracci

Bologna 1560-1609 Rome

Landscape with Tree and Tree Trunk

Pen and iron-gall ink on paper; 194 × 297 mm
Watermark: unidentified

PROVENANCE: Unknown

The Carracci family of artists founded an important school of painting which sought to unite the best characteristics of the earlier masters in one system. The Carracci brothers Agostino (1557-1602) and Annibale as well as their cousin Lodovico Carracci (1555-1619) were all excellent draughtsmen and exercised a profound influence on subsequent Bolognese drawing.

The attribution of our drawing to Annibale Carracci, perhaps the family's most noted artist, was first suggested by Dr. Joseph Goldyne and confirmed by Otto Kurtz and Diane DeGrazia, who placed the work in Annibale's Bolognese period. Dr. Goldyne supported his attribution by comparing the Israel Museum's drawing with *A Seashore with the Sun Setting*, no. 74 in Sotheby's catalogue of *The Ellesmere Collection of Drawings by the Carracci* (July 11, 1972). Indeed, the treatment of sun and sailboats on the Ellesmere sheet is related to the setting sun and the boat in our drawing. However, the Ellesmere drawing has been dated as late as 1609, the year of the artist's death, and is lighter and sketchier than the Israel Museum's drawing.

These differences point toward an earlier date for our composition, and reinforcing such evidence are the Venetian influence of Titian and Campagnola seen in the use of shadows to darken entire passages rather than to model specific forms. Also suggestive of an early date is the presence of a beautiful, flowing decorative line, later abandoned in favor of more energetic and vigorous expression. The attribution of our drawing may be further substantiated by a comparison of the passage of a distant town with the outline of the city of Bologna in the four preparatory studies for Christ Church's *Madonna and Child above Bologna* (Two studies are at the Albertina and two at Chatsworth; all are reproduced as no. 80 in Donald Posner's *Annibale Carracci*, London, 1971).

Acquired through exchange with A. Rosner, Tel Aviv, 1969
Reg. No. 376.69

אניבאלה קאראצ׳י

בולוניה 1560 - 1609 רומא

נוף עם עץ וגזע

עט ודיו עפצים על־גבי נייר, 194×297 מ״מ
תו מים: לא מזוהה

תולדות הרישום: בלתי ידועות

האמנים בני משפחת קאראצ׳י הקימו אקדמיה חשובה לציור שביקשה לאחד את המאפיינים הטובים ביותר של האמנים בשיטה אחת. האחים קאראצ׳י, אגוסטינו (1602-1557) ואניבאלה ובן־דודם לודוביקו (1619-1555), היו רשמים מעולים שהשפיעו רבות על הרישום בבולוניה.

את ייחוסו של רישום זה לאניבַּאלֶה קאראצ׳י, המפורסם שבאמני המשפחה, הציע לראשונה ג׳וזף גולדין. אוטו קורץ ודיאנה דגרציה אישרוהו, והציעו לתארך אותו בתקופתו הבולונית של קאראצ׳י. ייחוסו של גולדין מבוסס על השוואה בין הרישום שלנו לבין ״חוף עם שקיעת השמש״ (Sotheby's: *The Ellesmere Collection of Drawings by the Carracci,* July 11, 1972, no. 74), שבו הטיפול בשמש השוקעת ובסירות המפרש מזכיר את השמש השוקעת והסירה ברקע של הרישום שלנו. עם זאת, לרישום אלסמר נקבע התאריך המאוחר 1609, שנת מותו של הצייר, והוא קל יותר וחטוף יותר מזה שבמוזיאון ישראל - עובדה שיכולה להצדיק את קביעת התאריך המוקדם לרישומנו.

ברישום זה ניכרת בברור השפעה ונציאנית - ובעיקר זו של טיציאן וקמפאניולה - בצללים המשמשים ליצירת אזורים כהים ולאו דווקא לעיצוב צורה בדרך אופיינית לרישומיו המוקדמים של אניבאלה. כן אופיינית להם זרימת הקו הדקורטיבי היפהפה שנזנח מאוחר יותר כטובת ביטוי נמרץ ועז יותר. ייחוס הרישום לאניבאלה קאראצ׳י נראה משכנע עוד יותר כשמשווים את מתווי העיר המרוחקת שברישומנו עם קווי־המיתאר של העיר בולוניה בארבעה מתווי־הכנה ל״מדונה עם הילד מעל בולוניה״ מאוסף כנסיית ישו. (שני מתווים באלברטינה ושני מתווים באוסף צ׳אטסוורת׳ מופיעים בספרו של דונלד פוזנר: Donald Posner, *Annibale Carracci,* London, 1971, no. 80).

נרכש בהחלפה עם א׳ רוזנר, תל אביב, 1969
מספר רשום 376.69

72. Aurelio Luini

Luino 1539-1593 Milan

Figure Studies

Pen, brown ink and wash over traces of black chalk on paper; 401 × 264mm
Inscribed, lower right: "Au Luini"; upper right: "M," and upper left: "3"

PROVENANCE: Giuseppe Vallardi (*Lugt* 1223; Pacini (*Lugt* 2011); A. Rosner, Tel Aviv
EXHIBITIONS: *New Acquisitions, Old Master Drawings*, Bezalel National Museum, Jerusalem, 1957, no. 21; *Old Master Drawings from the Collection of the Israel Museum*, The Israel Museum, Jerusalem, Fall–Winter, 1972–73

The attribution of this sheet to Aurelio Luini was initially suggested by Julian Stock and confirmed by Dr. Giulio Bora.

Strongly influenced by his father, Bernardino, Aurelio is known through the work of Lomazzo and other contemporary writers. Still rather obscure, the artist is slowly becoming more familiar to scholars through the increasing number of paintings and drawings attributable to him.

In our sheet of studies, Aurelio's hand is obvious: there is a wide variety of lines, the relaxed figures characteristically fill the page, and interrupted contours and washes establish bodily volumes. Also, his treatment of the human form displays a sure knowledge of anatomy and a particular interest in motion. Though our drawing can not be related to known paintings, Dr. Bora kindly referred us to other, similar sheets by Aurelio Luini in the Albertina and at the British Museum.

Museum Purchase, 1957
Reg. No. MP 105-4-57

אורליו לואִינִי

לואינו 1539 - 1593 מילאנו

מתווי דמויות

עט, דיו חומה ומגוון מעל עקבות גיר שחור על-גבי נייר,
264×401 מ"מ
רשום וחתום למטה מימין: "Au. Luini"; למעלה משמאל: "3";
למעלה מימין: "M"

תולדות הרישום: גוזפה ואלארדי (Lugt 1223); פאצ׳יני (Lugt 2011);
א׳ רוזנר, תל אביב
תערוכות: "רכישות חדשות, רישומי מופת", בית הנכות הלאומי בצלאל בירושלים, 1957, קטלוג מס׳ 21; "רישומי מופת מאוסף מוזיאון ישראל", מוזיאון ישראל, ירושלים, סתיו־חורף 1972-1973

רישום זה יוחס לאורליו לואיני על-פי הצעתו של ג׳וליאן סטוק שאומתה לאחר מכן על ידי ג׳וליו בורה.

אורליו לואיני הושפע עמוקות מאביו ברנארדינו, אך ראוי שיגלוהו בזכות עצמו. הוא מוכר דרך כתבי לומאצו וכותבים אחרים בני זמנו, וגם בזכות המספר ההולך וגובר של ציורים ורישומים שאפשר לייחס לו. בגיליון מתווים זה ניכרת ידו של אורליו בדמויות רפויות-המפרקים ובקווי-המיתאר המהוססים המלווים במגוונים המשויים להם נפחיות, כשם שהיא ניכרת בדרך שבה הוא ממלא את הגיליון כולו במתווים רבים של דמויות שאי אפשר לקשרן לציורים ידועים. טיפולו של לואיני בגוף האדם מראה על ידע באנטומיה והתעניינות מרוכזת בגוף בתנועה.

ג׳וליו בוֹרה הפנה אותנו באדיבותו לדפים דומים אחרים מאת לואיני במוזיאון הבריטי ובספריית האלברטינה בווינה.

רכישה, 1957
מספר רשום MP 105-4-57

73. Jacopo Negretti (Palma Il Giovane)

Venice ca. 1548-1628 Venice

Meeting between a Doge and a Commander

Brown ink and wash, heightening in white on coarse brown paper, 202 × 285 mm
Inscribed, lower center: "J.U. Palma"; inscribed on verso: "G.P.n. 4:246"

PROVENANCE: Padre Sebastiano Resta (Lugt 2992) ?; private collection Los Angeles; Zeitlin and Ver Brugge, Los Angeles

Considered the leading Venetian painter of the late sixteenth and early seventeenth centuries, Palma Giovane was also the most prolific painter and draughtsman of his period. He received his earliest training in the studio of his father, Antonio, and "drew constantly," putting into Venetian practice the famous advice more commonly associated with The Carracci in Bologna. Using a variety of graphic media, his drawings ranged from swift pen and ink sketches which study one figure to more complex compositions using chalks, ink and wash. After three years in Pesaro (1564-1567) in the entourage of Guidobaldo della Rovere, Duke of Urbino, Palma was sent to Rome for further study. Settling in Venice in 1570, his most ambitious effort was the painting series for the Ducal Palace, executed between 1578 to 1584. The major Venetian influences on Palma are those of Titian and Tintoretto; while in Rome, he was most influenced by Michelangelo. His fluency and competence as a draughtsman have renewed appreciation for his drawings as important documents of Venetian Mannerism.

Never previously published, our drawing apparently represents the consignment of authority by the Doge to a Venetian commander, and one is tempted to assume that it is related to one of the paintings in the Ducal Palace. However, no such precise composition has been identified. Since the sheet belongs stylistically to the artist's mature Venetian period, when drawing had ceased to be primarily a preparatory activity, it could be a variant exercise based on a composition developed much earlier in his career.

Gift of the Goldyne Family, San Francisco, to American Friends of The Israel Museum, 1975
Reg. No. 475.75

יאקופו נגרטי (המכונֶה פאלמה איל ג׳ובאנה)

ונציה 1548 בקירוב - 1628 ונציה

פגישה בין הדוג׳ לבין מפקד

דיו חומה ומגוון עם מעט מגוון לבן על־גבי נייר חום מחוספס,
285×202 מ"מ
רשום למטה במרכז: "J.U. Palma"
רשום על גב הגיליון: "G.P.n.4: 246"

תולדות הרישום: הכומר סבסטיאנו רסטה (Lugt 2992)?; אוסף פרטי, לוס אנג׳לס; זייטלין וור ברוגה, לוס אנג׳לס

פאלמה, הפורה ביותר מבין ציירי ונציה במאה ה-ט"ז, קיבל את ראשית חינוכו בסדנת אביו אנטוניו. הוא הירבה לרשום ובכך הגשים בוונציה את ההמלצה המזוהה בדרך כלל עם בני קאראצ׳י בבולוניה. הוא השתמש באמצעים גרפיים מגוונים ורישומיו נעים בין מתווים מהירים של דמות אחת בעט ובדיו לבין קומפוזיציות מורכבות וסטאטיות במקצת. לאחר שעשה שלוש שנים (1567-1564) בפזארו בחבורת גידובאלדו דלה רוברה, הדוכס מאורבינו, נשלח פאלמה לרומא להמשך לימודיו. ב-1570 חזר והשתקע בוונציה. בין השנים 1584-1578 עבד בארמון הדוכס בוונציה.

ההשפעות הוונציאניות העיקריות על פאלמה היו אלה של טיציאן וטינטורטו. ברומא הושפע בעיקר ממיכלאנג׳לו.

רישום זה נעשה בתקופה הבשלה של פאלמה בוונציה. מאחר שהוא מתאר כנראה את הדוג׳ בעת הענקת סמכות לגנרל ונציאני, אפשר לשער כי הרישום קשור לאחד מהציורים שבארמון הדוכס, אולם ציור כזה לא זוהה עד כה. הרישום נעשה בסגנונו המאוחר ביותר של פאלמה, כאשר הרישום חדל להיות פעולת הכנה מעיקרו, ולכן ייתכן שיש בו חזרה על נוסחות קומפוזיציה ודמויות שפיתח האמן בשלבים קידמים בדרכו האמנותית.

מתנת משפחת גולדין, סן פראנציסקו, לידידי מוזיאון ישראל בארצות הברית, 1975
מספר רשום 475.75

74. Cesare Pollini

Perugia ca. 1560-ca. 1630 Perugia

Battle of the Amazona

Pen, brown ink and wash over red chalk on paper, 210 × 275 mm
Illegible inscription in brown ink, lower center

PROVENANCE: Collection I. D. Boehm (*Lugt* 271); Dr. H. Feuchtwanger, Jeruselum

Cesare Pollini's hand was first recognized in 1950 by Philip Pouncey on the basis of a drawing of the Holy Family in the collection of Christ Church, Oxford, which bore the artist's name in a 17th century inscription (James Byam Shaw, *Old Master Drawings from Christ Church*, Oxford, 1972-1973, no. 57). Information about the artist is scant, although it is recorded that he was a miniaturist from Perugia. In his drawings he seems to have used two different techniques, pen and brown ink and wash over a preliminary drawing in red chalk, or pen and brown ink heightened with white on colored prepared papers. Most of the surviving sheets attributed to Pollini, including the one considered here, are in the former technique.

The Israel Museum's drawing is pure mannerism, reflecting Michelangelo's influence. Although it is not related to any of the five miniatures ascribed to the artist, it is strikingly close to a group of drawings in the Staatliche Graphische Sammlung, Munich (nos. 2228-2231). It is especially close to a drawing of what appears to be the same subject, no. 2230, having the same sense of movement and space, the same exaggerated poses, and executed in the identical media, although the drawing in Munich seems darker. The strong chiaroscuro, dramatic foreshortening and repeated curving contours create the "beautiful chaos" of high Mannerism.

Acquired by exchange, 1957
Reg. No. MP 219-12-57

צ׳זארה פוליני

פרוג׳ה 1560 - 1630 בקירוב פרוג׳ה

קרב האמזונות

עט, דיו חומה ומגוון מעל גיר אדום על-גבי נייר, 210×275 מ״מ
כתובת לא קריאה בדיו חומה למטה במרכז

תולדות הרישום: אוסף י״ד בוהם (Lugt 271); דר׳ פויכטוואנגר, ירושלים

סגנונו של צ׳זארה פוליני זוהה לראשונה ב-1950 על-ידי פיליפ פאונסי על בסיס רישום ״המשפחה הקדושה״ באוסף כנסיית ישו באוקספורד, שעליו נרשם ״צ׳זארה פוליני״ בכתב-יד מהמאה ה-י״ז (James Byam Show, *Old Master Drawings from Christ Church*, Oxford, 1972-1973, no. 57). מעט מאד ידוע לנו על האמן מלבד שנזכר כצייר מיניאטורות מפרוג׳ה. נראה שהשתמש בשתי טכניקות שונות ברישומיו: האחת עט, דיו חומה ומגוון מעל רישום ראשוני בגיר אדום (רוב הרישומים המיוחסים לפוליני ששרדו, ובכללם זה שבמוזיאון ישראל, נעשו בטכניקה זו), והשנייה, עט, דיו חומה ומגוון עם מבהקים לבנים על-גבי נייר שנצבע בורוד או בצבע אחר.

הרישום שלנו, שנעשה בסגנון מנייריסטי מובהק, מסגיר את השפעתו של מיכלאנג׳לו. אף-על-פי שאינו קשור לאף אחת מחמש המיניאטורות של האמן הקיימות כיום, הוא קרוב במידה מפתיעה לקבוצת רישומים שלו (מס׳ 2228; 2229; 2230; 2231) באוסף הגרפי הממלכתי במינכן, בעיקר למספר 2230 המתאר כנראה נושא דומה באותה טכניקה, על התנוחות המוגזמות של הדמויות והתחושה החזקה של התנועה והמרחב. הרישום שבמינכן נראה כהה יותר. הדמויות, הבנויות באמצעות אור וצל, וההקצרה העזה של הסוסים, מדגישות בקומפוזיציה את תחושת החלל והעומק. כל היסודות האלה חוברים יחד ויוצרים אנדרלמוסיה יפה.

נרכש בהחלפה, 1957
מספר רשום MP 219-12-57

75. Girolamo Francesco Maria Mazzola, (Il Parmigianino)

Parma 1503-1540 Casal maggiore

Studies of Heads

Pen and brown ink and wash on sanguine prepared paper, 102×75 mm

PROVENANCE: Sotheby's, London, 1958 (?)
BIBLIOGRAPHY: Meira Perry-Lehmann, "Parmigianino's Studies of Heads," *The Israel Museum Journal*, Jerusalem, 1984, Vol. III, pp. 80-82

Studies of Heads was probably done during the latter part of Parmigianino's stay in Rome, 1524-1527, or at the beginning of his Bolognese period, 1527-1531. The sheet presents eleven heads in a variety of poses, some repeated two or three times. This is characteristic of the artist's method of trial and error prior to deciding on a final composition. Most of the studies are executed in the gracious manner of Raphael, especially the youth in the center and the bearded man, each appearing three times. When carried to an extreme, this style reaches the Mannerism of late Raphael or the *Last Judgement* of Michelangelo, as in the study of the boy, center, or the woman, upper center.

The composition's small scale suggests that it may have been part of a larger drawing; additionally, a close examination of the left edge of the sheet shows parallel hatching which suggests the accenting of a passage now cut from our drawing. Perhaps the work is a fragment of a page from the sketchbook mentioned by Popham (Arthur E. Popham, *The Drawings of Parmigianino*, New York, 1953, p. 45).

The technique of pen, ink and wash is consistent with Parmagianino's drawing during the period we are considering —1524-1531; however, the sanguine-tinted ground hardly appears earlier than 1531, and does point to the possibility of a later dating, during the artist's second sojourn to Parma.

The Israel Museum's drawing is rare, as most of Parmigianino's trial sheets are compositional studies or single figures. Other examples of similar studies of heads by the artist are in the Hermitage (Popham, *Catalogue of the Drawings of Parmigianino*, New York and London, 1971, pl. 190, fig. 155) and the collection of Count Seilern (ibid., pl. 296, fig. 775). The latter is a study of the head of a bearded man bearing a strong resemblance to that appearing in our drawing.

Gift of Mr. & Mrs. Romie Shapiro, New York, to American Friends of The Israel Museum, 1981
Reg. No. 535.81

גירולאמו פראנצ׳סקו מריה מאצולה, (המכונֶה איל פארמיג׳אנינו)

פארמה 1503 - 1540 קאזאל מאג׳ורה

מתווה ראשים

עט, דיו חומה ומגוון על-גבי נייר מעובד בשכבת גיר אדום, 75×102 מ"מ

תולדות הרישום: סות׳ביס, לונדון, 1958 (?)

המתווה שלפנינו נעשה קרוב לוודאי בסוף תקופת שהותו של פארמיג׳אנינו ברומא (1527-1524), או בראשית שהותו בבולוניה (1531-1527). הרישום מציג אחד-עשר ראשים בתנוחות שונות, אחדים מהם חוזרים ונשנים פעמיים ושלוש. הוא אופייני לדרכו של האמן לבחון כל דמות בעמדות שונות לפני שיגיע אל הפיתרון הסופי בקומפוזיציה. רוב הראשים שבגיליון, בעיקר הצעיר שבמרכז והגבר המזוקן המופיע שלוש פעמים, מבוצעים בסגנונו רב-החן של רפאל. סגנון זה, כאשר הוא מובא לקיצוניות, מגיע למנייריזם הנובע מרפאל המאוחר ומ"יום הדין האחרון" של מיכלאנג׳לו; כך בראשו של הנער במרכז ובראש האשה בחלק המרכזי העליון.

מידותיו הקטנות של הדף מורות על האפשרות כי נחתך מתוך גיליון גדול יותר. אפשרות זו נראית סבירה מאד אחרי בחינה מקרוב של שוליו השמאליים של הרישום והקווקוו המקביל שנראה כזָר למתווים שעל הגיליון. ייתכן גם שהרישום הוא דף מתוך מחברת רישומים, שעל קיומה אנו קוראים בספרו של פופהאם: (A.E. Popham, *The Drawings of Parmigianino*, New York, 1953, p. 45). טכניקת העט, הדיו והמגוון תואמת את שיטתו של פארמיג׳אנינו בתקופות הרומית והבולונית שלו. עם זאת, הרקע הצבוע אדום מרמז על תאריך מאוחר יותר - שהותו השנייה של האמן בפארמה - מאחר שכמעט אין למצוא כמותו לפני-כן.

רוב גיליונות המתווים של פארמיג׳אנינו הם מתווי קומפוזיציה ומתווי דמויות בודדות. מתווים דומים של ראשים הם נדירים, למשל, במוזיאון ארמיטאז׳ בלנינגרד: (A.E. Popham, *Catalogue of the Drawings of Parmigianino*, New Haven and London, 1971, pl. 190 fig. 155) ובאוסף הרוזן לילרן (Ibid, pl. 296, fig. 775). הרישום האחרון הוא מתווה ראש של גבר מזוקן הדומה להפליא לאלה המופיעים ברישום שלנו.

מתנת מר רומי שפירו ורעייתו, ניו יורק, לידידי מוזיאון ישראל בארצות הברית, 1981
מספר רשום 535.81

76. Francesco Vanni (attributed to)

Siena 1563-1610 Siena

Man in Armor

Black chalk, some white heightening on laid paper; 388 × 273 mm

PROVENANCE: Unknown

Francesco Vanni was Siena's most distinguished mannerist. His vocabulary derived mainly from Barocci, but also from Coreggio and Raphael. The artist draws in two distinct styles, using ink and wash for rather summary sketches, and red or black chalk, bistre wash and some white heightening for more highly finished work. Recently, Roger Rearick attributed the Israel Museum's drawing to Vanni on the basis of a photograph. Although an earlier attribution was to Jacopo Bassano, the bold contours filled with parallel hatching, the soft profile and the relationship to a group of such studies of men in armor by Vanni which are connected with specific paintings, would tend to confirm Rearick's reattribution.

Similar drawings by Vanni sometimes still carry the Bassano attribution or, like certain other sketches by the artist, an attribution to his step-brother, Ventura Salimbeni (1568-1613). An interesting comparison may be made with nos. 14 and 60 in Peter Anselm Riedel's *Disegni dei Barocceschi Senesi*, Florence, 1976.

Acquired through exchange with A. Rosner, Tel Aviv, 1966
Reg. No. 529-3-66

פראנצ׳סקו ואני (מיוחס ל-)

סיינה 1563 - 1610 סיינה

גבר בשריון

גיר שחור ומעט מבהקים בלבן על־גבי נייר רשת עתיק, 273×388 מ"מ

תולדות הרישום: בלתי ידועות

פראנצ׳סקו ואני היה המנייריסט הבולט ביותר בסיינה.

אוצר הצורות שלו שאוב בעיקרו מבארוצ׳יו, אך גם מקורג׳ו ורפאל. רישומיו נעשו בשני סגנונות נבדלים: רישומים תמציתיים בדיו ומגוון, ומתווי-הכנה בביצוע שקדני בגיר שחור ו/או אדום עם מגוון חום ומעט מבהקים בלבן.

רוג׳ר ריריק ייחס את הרישום הזה לפראנצ׳סקו ואני על סמך צילום, ומסייעים לטענה קווי-המיתאר העזים והמילוי בקווקוו מקביל. הרישום, שיוחס בעבר ליאקופו באסאנו, שייך למתווי השריון שעשה ואני לציורים שונים, המיוחסים עדיין לעתים לבאסאנו, או, בדומה לרישומיו האחרים של ואני, מוחלפים באלה של אחיו החורג ונטורה סאלימבני (1613-1568) (להשוואה ראה: Peter Anselm Riedel, *Disegni Dei Barocceschi Senesi,* (Firenze, 1976, nos 14, 60.

נרכש באמצעות החלפה עם א. רוזנר, תל אביב, 1966
מספר רשום 529-3-66

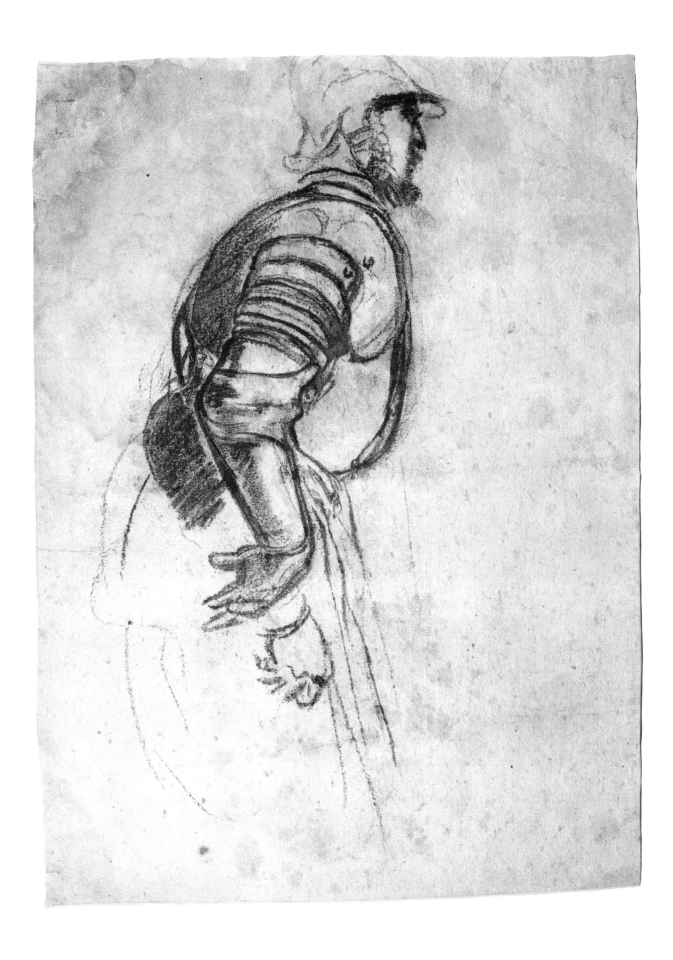

77. Giovanni Francesco Barbieri (Il Guercino)

Cento 1591-1666 Bologna

Saint Jerome, ca. 1630s

Brown ink and wash on paper; 250 × 178 mm

PROVENANCE: Herman Shickman, New York
EXHIBITION: *Promised Gifts*, the Israel Museum, Jerusalem, May-August, 1985

Strongly influenced by the draughtsmanship of the Carracci, Giovanni Barbieri, called Guercino (squint eye) because of his amblyopia, developed his own compelling manner and created some of the most memorable drawings produced in Italy during the 17th century. His pen and wash figure style is most indebted to that of Lodovico Carracci, who admired Guercino, whereas his evocative, linear landscape sketches derive from those of Annibale Carracci, Ludovico's cousin.

St. Jerome, the subject of our drawing, is the patron saint of scholars and the author of a Latin translation of the Bible. He is considered the most learned of the Latin fathers, and though his main attribute is the lion, he is frequently depicted with a book and/or a rock. When represented semi-nude, as in this depiction, he is in the wilderness of Calchis where he resided four years in solitude, doing penance. Guercino favored this theme and represented St. Jerome numerous times during his career.

Nicholas Turner suggested that the Israel Museum's drawing be dated in the 1630s, when the artist was working in Rome. It achieves its effect through the use of diagonals, minimal pen lines, and rich washes (drawing no. 49-44 in the collection of the Art Museum, Princeton University is close in both composition and style). Though our sheet employs particularly dense wash, it is otherwise typical of the artist's Baroque pen and wash style in which he persisted even while his painterly orientation moved in a classicizing direction.

Purchased through a gift from Alfred Landau, Rockville Centre, New York, to American Friends of The Israel Museum, 1984
Reg. No. 445.84

ג׳ובאני פראנצ׳סקו בארביירי (המכונֶה גוארצ׳ינו)

צ׳נטו 1591 - 1666 בולוניה

הירונימוס הקדוש, 1630 בקירוב

דיו חומה ומגוון על־גבי נייר, 178×250 מ״מ

תולדות הרישום: הרמן שיקמן, ניו יורק
תערוכות: ״מתנות מובטחות״, מוזיאון ישראל, ירושלים, מאי־אוגוסט 1985

בהשפעתם החזקה של אמני משפחת קאראצ׳י, פיתח ג׳ובאני בארביירי, המכונה גוארצ׳ינו (הפוזל), את סגנונו העצמאי, ויצר כמה מהמופלאים שברישומים שנעשו באיטליה של המאה ה-י״ז. סגנון דמויותיו העשויות בעט ומגוון משקף את קשריו עם לודוביקו קאראצ׳י, ואילו רישומי הנוף שלו מושפעים מבן־דודו של לודוביקו, אניבאלה.

הירונימוס הקדוש, נושאו של רישום זה, פטרון המלומדים ומחבר תרגום לאטיני למקרא, נחשב למשכיל מבין אבות הכנסייה. בן לוויתו העיקרי הוא האריה, אולם גם ספר וגוש אבן מופיעים לעתים קרובות כאטריבוטים שלו. כשהוא מוצג בעירום למחצה, כמו ברישום זה, הוא נמצא במדבר קאלכיס, שם עברו עליו ארבע שנות בדידות וסיגופים.

גוארצ׳ינו נטה חיבה להירונימוס הקדוש ותיאר אותו בטכניקות שונות ובשלבים שונים בחייו: למשל, רישום באוסף מוזיאון אשמוליאן באוקספורד, מהשנים 1624-1622 (ב-*"Il Guercino* *Disegni,* Bologna, 1968, no. 83) ושני רישומים באוסף המוזיאון לאמנות, אוניברסיטת פרינסטון, מהשנים 1630 ו־1641 בקירוב (ב-*Guercino Drawings in the Art Museum* *Princeton University,* March-April, 1969, no. 10).

ניקולאס טרנר הציע כתאריך אפשרי לרישום זה את שנות השלושים של המאה ה-י״ז, בעת שהאמן עבד ברומא. ״הירונימוס הקדוש״ מעיד על דבקותו של גוארצ׳ינו בסגנון הבארוק ברישומיו, בעוד שציורי השמן שלו מעידים על אידיאליזם קלאסי. תחושת הדינמיות הקורנת מן הרישום מושגת על-ידי שימוש באלכסונים, קווי עט מעטים ככל האפשר ומגוונים עשירים. הרישום מס׳ 49-44 באוסף המוזיאון לאמנות באוניברסיטת פרינסטון קרוב לו בקומפוזיציה ובסגנון כאחד.

נרכש בעזרת מתנה מאלפרד לנדאו, רוקוויל סנטר, ניו יורק, לידידי מוזיאון ישראל בארצות הברית, 1984
מספר רשום 445.84

78. Simone Cantarini (Il Pesarese)

Pesaro 1612-1648 Bologna

Saint John Preaching, ca. 1645-1648

Red chalk on cream paper; 200 × 297 mm

Provenance: Collection Badische Kunsthalle, Karlsruhe (not in Lugt)

Simone Cantarini's classicism combines echoes of the works of Raphael and Baroccio with Venetian and Veronese elements, enlivened by the more passionate movement of the Carracci (especially Lodovico). Cantarini was, however, directly influenced by Guido Reni, the disciple of the Carracci, and it was in his studio in Bologna that Cantarini worked from 1634 to 1637.

The Bolognese school rarely produced drawings as ends in themselves, but rather as a stage in the creative process leading to a painting or engraving. Cantarini was an exception, and the majority of his angular and animated drawings in short strokes of red chalk have no connection with either recorded or surviving paintings.

The Israel Museum's drawing is of John the Baptist preaching, surrounded by his disciples; the artist's other few treatments of the same subject show the saint without disciples and either with or without the lamb (Mario Mancigotti, *Simone Cantarini, Il Pesarese*, Pesaro, 1975, Bologna, Pinacoteca Nazionale, fig. 24; ibid, Galleria Borghese, Rome, fig. 29). We may date the drawing from the artist's later years in Bologna, 1645-1648, where he returned after Reni's death in 1642. A frantic angularity fills its diagonally rich composition with air and light, anticipating the achievements of the 18th century (see *Study of the Madonna and Child, St. John and St. Joseph*, Pinacoteca de Brera, inventory no. 501).

Transferred through Jewish Restitution Successor Organization, 1952
Reg. No. M 1707-11-52

סימונה קאנטאריני (המכונֶה איל פסרזה)

פזארו 1612 - 1648 בולוניה

יוחנן המטביל מטיף, 1645 - 1648 בקירוב

גיר אדום על-גבי נייר צהבהב, 200×297 מ"מ

תולדות הרישום: אוסף באדישה קונסטהאלה קארלסרוה (אינו מופיע ב-Lugt);

סגנונו הקלאסיציסטי של סימונה קאנטאריני משלב הדים מיצירותיהם של רפאל ובארוצ׳י עם יסודות סגנוניים ונציאניים וורונזיים, בתוספת תוססת של התנועה היותר סוערת של בני משפחת קאראצ׳י, בייחוד של לודוביקו קאראצ׳י. קאנטאריני הושפע מאד מתלמידו של קאראצ׳י, גואידו רני, שבסדנתו עבד מאז הגיעו לבולוניה ב-1634 ועד 1637.

אסכולת בולוניה יצרה רק לעתים רחוקות רישומים שהיו מטרה בפני עצמם. רוב הרישומים שימשו כשלב בתהליך היצירה שהוביל אל ציור שמן, תצריב או תחריט. קאנטאריני הוא היוצא מכלל זה: לרוב רישומיו המרובים הקיימים, שנעשו בגיר אדום עם קווי-מיתאר זוויתיים מלאי-חיים מוגדרים על-ידי קווים קצרים חוזרים, אין כל קשר לציוריו הידועים לנו היום או שנזכרו במקורות.

הרישום מראה את יוחנן המטביל מטיף כשהוא מוקף בתלמידיו. התיאורים הספורים האחרים של יוחנן המטביל מאת קאנטאריני הידועים לנו מראים אותו עם שה או בלעדיו וללא תלמידים. (Mario Mancigotti, *Simone Cantarini, Il Pesarese*, Pesaro, 1975, figs. 24, 29). רישום יוחנן המטביל נעשה בשנותיו האחרונות של קאנטאריני, 1648-1645, בבולוניה, אליה חזר לאחר מות רני ב-1642 ושבה הקים סדנה. סגנונו הזוויתי התזזי ממלא את הקומפוזיציה המלוכסנת באוויר ובאור, ומבשר את הישגי המאה ה-י"ח העתידים לבוא. (להשוואה ראה מס׳ רשום 501 בפינאקוטקה דה בררה, מתווה "המדונה והילד, יוחנן הקדוש ויוסף הקדוש", שבו רשומות שתי הדמויות התחתונות באותו סגנון נסער וחזק השולט ברישום שבאוספנו).

הועבר דרך IRSO, 1952
מספר רשום M 1707-11-52

79. Belisario Corenzio

Achaia, Greece, ca. 1560-1643 Naples

The Paschal Lamb, ca. 1610

Black chalk, pen, bistre ink and wash on antique laid paper, 186 × 260mm

PROVENANCE: Christie's, sale London, March 20, 1973; Shickman Gallery, New York

Belisario Corenzio, who came to Italy from Greece at the age of twenty two, was a pupil of Tintoretto in Venice for five years. He later settled in Naples, where he decorated numerous churches with frescos. Corenzio's weightless, elongated figures, hovering slightly above the ground, are the product of late Mannerism. They are, more often than not, arranged along a horizontal strip, while the composition's central focus is clearly marked either by pointing hands (as in the Israel Museum's drawing), an architectural element (see *The Meeting of St. Francis and Clare*, collection of the Cooper Hewitt Museum, New York; illustrated in Creighton Gilbert, "Baroque Painters of Naples," *Bulletin of the Ringling Museum*, Sarasota, Florida, Vol. I. No. 2, March, 1961, no. 46), or a centralized figure (as in *La Chiamata di San Matteo*, illustrated in Walter Vitzthum, *Disegni Napolitani del Sei e del Settecento nel Museo di Capodimonte*, Napoli 1966-67, no. 2).

The Paschal Lamb illustrates chapter 9:4-5 in *Numbers:* "And Moses spoke to the children of Israel, that they should keep the Passover. And they kept the Passover on the fourteenth day of the first month even in the wilderness of Sinai: according to all the Lord commanded Moses, so did the children of Israel." Moses, on the left, points to the Passover on the table. The event takes place in a setting that ignores the actual biblical specification: ". . . in the wilderness of Sinai," a fact that is revealing as to the artist's possible visual source: the scene of the Passover Meal as depicted in a 16th century Bible illustrated by Hans Holbein the younger and printed in 1523 in Basel (see *Illustrated Haggadot of the Eighteenth Century*, Jerusalem, 1983, fig. 19 p. 20)

Corenzio's drawings are often done in brush and ink with heavy contours and occasionally heightened with white. On the basis of style and in comparison with other drawings, our sheet can be dated circa 1610. Drawings by Corenzio are in many private collections as well as in the collections of the Ashmolean Museum, the Louvre, and the Metropolitan Museum of Art.

Gift of the Goldyne Family, San Francisco, to American Friends of The Israel Museum, 1974
Reg. No. 357.74

בליזאריו קורנציו

אכאיה, יוון 1560 בקירוב - 1643 נאפולי

קרבן הפסח, 1610 בקירוב

גיר שחור, עט, דיו חומה ומגוון על-גבי נייר מפוספס עתיק,
260×186 מ"מ

תולדות הרישום: כריסטיס, לונדון, 20 במרס 1973; גלריית הרמן שיקמן, ניו יורק

קורנציו, שבא לאיטליה מיוון בגיל עשרים ושתיים, היה תלמידו של טינטורטו בוונציה במשך חמש שנים. מאוחר יותר השתקע בנאפולי שם עיטר כנסיות רבות בציורי קיר. דמויותיו המוארכות וחסרות המשקל, המרחפות מעט מעל פני הקרקע, אופייניות לסגנון המנייריסטי המאוחר. על-פי-רוב הן מאורגנות לאורך רצועה אופקית, בעוד שאת המוקד המרכזי של הקומפוזיציה מסמנים בצורה ברורה ידיים מצביעות (כמו ברישום שלנו), יסוד אדריכלי (ראה "הפגישה של פראנציסקוס הקדוש וקלארה", אוסף מוזיאון קופר יואיט, ניו יורק, המופיע אצל: Creighton Gilbert *"Baroque Painters of Naples"*, Bulletin of the Ringling Museums, Sarasota, Florida, Vol.I, No 2, March, 1961, no.46), או דמות מרכזית (כמו ב"קריאתו של מתיאוס הקדוש", המופיע אצל: Walter Witzthum, *Disegni Napolitani del sei e del settecento nel Museo di Campodimonte*, Napoli 1966-67 no.2).

ייתכן ש"קרבן הפסח" הוא איור לפרק ט', פסוקים ד-ה בספר במדבר: "וידבר משה אל בני ישראל לעשות הפסח. ויעשו את הפסח בראשון בארבעה עשר יום לחדש בין הערבים במדבר סיני ככל אשר צוה ה' את משה כן עשו בני ישראל." הרישום מראה את משה משמאל, מצביע על הפסח שעל השולחן. האירוע מתרחש בתפאורה המתעלמת מן הפירוט המקראי הברור, ומרמזת אולי על המקור בו השתמש האמן: תיאור אכילת הפסח בתנ"ך מהמאה ה-ט"ז שאוייר בידי הנס הולביין הבן ונדפס בשנת 1523 בבאזל ("המספר ביציאת מצרים", ירושלים, 1983, עמ' 20 תמונה 19).

רישומיו של קורנציו נעשו לעתים קרובות במכחול ודיו ובקווי-מיתאר כבדים, לעתים עם מבהקים לבנים. בחינת הסגנון וההשוואה לרישומים אחרים מאפשרות לקבוע את תאריך הרישום שלנו ל-1610 בקירוב.

רישומים אחרים של קורנציו נמצאים באוסף הלובר, במוזיאון אשמוליאן, בספריית ויט בלונדון, במוזיאון המטרופוליטן ובאוספים פרטיים רבים.

מתנת משפחת גולדין, סן פראנציסקו, לידידי מוזיאון ישראל בארצות הברית, 1974
מספר רשום 357.74

Bilisario . Correzo

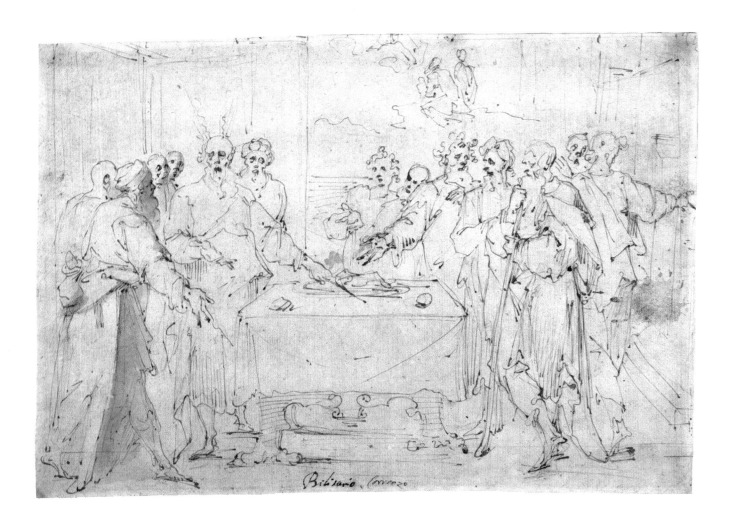

80. Ottavio Leoni

Rome 1578-1630 Rome

Portrait of a Man

Black and white chalk on coarse light brown paper, 235 × 183 mm

Provenance: *Unknown*
Exhibitions: *Old Masters Drawings from the Collection of The Israel Museum*, The Israel Museum, Jerusalem, Fall-Winter 1972-1973

Like the portrait drawings of Holbein done at the English court and those of Ingres rendered at Rome and in France, the less well-known portrait sketches of Ottavio Leoni constitute a wonderfully sympathetic record of the major and minor figures of his period in Rome. They may lack the exquisite precision of Ingres' probing vision or the astounding sense of presence manifest in Holbein's court personages, but at their best they capture the individuality of many sitters with admirable technique, sufficiently coarse to suggest the texture of materials and yet capable of rendering expressions of considerable subtlety.

In his life of Leoni, the seventeenth-century author and artist, Giovanni Baglione, refers to a volume containing some 400 portrait drawings by the artist which belonged to Prince Borghese (*Le Vite de' Pittori* . . . , Rome, 1642, p. 321). This same *recueil* was mentioned by the great eighteenth-century French collector, Mariette, in his famous *Abecedario* where he reported that it had been sold from the estate of M. d'Aubigny in 1747. It is this volume which is probably the source for most of the Leoni portrait drawings now dispersed thoughout the world. Nevertheless, we cannot be certain that our portrait drawing emanates from this renowned album. Because Baglione tells us that Ottavio's son, Ippolito, was a promising draughtsman, and because there are drawings which have been attributed to Ottavio inscribed with dates as late as 1638 and 1639, one must consider the probablility that certain works given to Ottavio may be by Ippolito (Baglione, op. cit. p. 321).

In the Israel Museum's sheet, which is undated, Leoni's unknown sitter confronts the viewer with a look that is detached, confident and contemplative. His subjects are always from the upper echelons of Roman society, always depicted half-length, and almost always drawn in either black chalk, or black and white chalk, usually on blue prepared paper. Subtle flourishes model the hair, the face, and eyes, while the rest of the figure is only barely indicated. The artist is said to have painted all the popes of his day as well as cardinals, princes, titled Signori and other personages of the clergy and laity. He also etched a series of portraits of artists. Well known groups of his drawings are preserved in the Santarelli Collection at the Uffizi, the British Museum, the Ashmolean Museum, the National Gallery of Scotland, and the Albertina.

Purchased from A. Rosner, Tel Aviv, 1957
Reg. No. MP 106-4-57

אוטאביו ליאוני

רומא 1578 - 1630 רומא

דיוקן גבר

גיר שחור ולבן על-גבי נייר גס חום בהיר, 183×235 מ"מ

תולדות הרישום: בלתי ידועות
תערוכות: "רישומי מופת מתוך אוסף המוזיאון" מוזיאון ישראל, ירושלים, סתיו-חורף 1972-1973

בדומה לרישומי הדיוקנאות של הולביין שנעשו בחצר המלכות האנגלית ולאלה שעשה אנגר ברומא ובצרפת, מהווים מתווי הדיוקנאות של אוטאביו ליאוני, הידועים פחות, תעודה חיננית להפליא של דמויות חשובות ומשניות מתקופת שהותו ברומא. אולי הם חסרים את הקפדנות המופלאה שבמבטו החודר של אנגר, או את תחושת הנוכחות המדהימה המתגלית בדמויות החצר של הולביין, אולם הם תופסים במיטבם את האינדיבידואליות של רבים מהמצויירים בטכניקה ראויה להערצה, מחוספסת דיה כדי לרמוז על מרקם החומרים, ועם זאת מוסרת בדייקנות רבה את הבעות הפנים.

בסיפור תולדות חייו של ליאוני, מזכיר הסופר והצייר בן המאה ה-י"ז, ג'ובאני באיונה, כרך שהיה שייך לנסיך בורגזה, ובו כארבע-מאות רישומי דיוקן מאת האמן, (*Le Vite de' Pittori*, Rome, 1642, p.321). אותו אוסף נזכר ב-Abecedario המפורסם של האספן הצרפתי הידוע בן המאה ה-י"ח, מרייט, המדווח שנמכר מתוך רכושו של מ. דוביניי ב-1747. כרך זה הוא המקור לרוב רישומי הדיוקן של ליאוני המפוזרים עתה בעולם. עם זאת איננו יכולים להיות בטוחים כי מקורו של רישום זה באותו אלבום. מאחר שבאיונה מספר כי בנו של אוטאביו, איפוליטו, היה רשם מבטיח, ומאחר שקיימים רישומים שיוחסו לאוטאביו הנושאים תאריכים מאוחרים כ-1638 ו-1639, יש לקחת בחשבון את האפשרות שעבודות מסוימות המיוחסות לאוטאביו נעשו על-ידי איפוליטו (Baglione, עמ' 321).

דיוקנו של הגבר האלמוני, המחזיר לצופה מבט מרוחק ומהורהר כאחד, אופייני מבחינה טכנית וסגנונית ליצירתו של אוטאביו ליאוני, שציור הדיוקנאות היה החלק העיקרי בה. ליאוני רשם את דיוקנאותיו בגירים שחורים או שחורים ולבנים, לעתים ב"שלושה גירים", ובדרך כלל על-גבי נייר כחול. נושאיו, הנמנים תמיד על הדרגים הגבוהים של החברה הרומית במאות ה-ט"ז וה-י"ז, מוצגים במחצית קומתם. השיער, הפנים והעיניים מעוצבים בנגיעות עדינות של הגיר, וכל השאר נמסר ברמז בלבד. נאמר על ליאוני שצייר את כל האפיפיורים של תקופתו ורבים מן הקרדינאלים, הנסיכים, האדונים בעלי התואר ושאר דמויות מפורסמות מהמעמד הגבוה. כמו כן הכין סידרת תצריבים של דיוקנאות אמנים. קבוצות מפורסמות של דיוקנאות הגיר שלו שמורות באוסף סאנטארלי בגלריית אופיצי בפירנצה, במוזיאון הבריטי בלונדון, במוזיאון אשמוליאן באוקספורד, בגלריה הלאומית של סקוטלנד באדינבורו ובאלברטינה בווינה.

נרכש מא. רוזנר, תל אביב, 1957
מספר רשום MP 106-4-57

81. Giacinto Calandrucci

Palermo 1646-1707 Palermo

The Birth of Venus

Pen and bistre ink over red chalk on paper, 433 × 288 mm
Inscribed, lower left: "Pietro di (sic) Cortona fecit"

Provenance: A. Rosner, Tel Aviv

The attribution of this sheet has been suggested by Jacob Bean and confirmed by Eckhard Schaar. Known primarily as the eldest pupil of Carlo Maratta, Calandrucci's draughtsmanship faithfully reflects his master's virtuoso sketches in pen and ink, augmented by his own equally powerful, compositional ideas. Maratta and his circle fill the void left after the death of Bernini, the key figure in high culture of official early 17th century Rome, and many of their ceiling and wall decorations have survived.

Calandrucci's *Birth of Venus* is closely related to Maratta's decoration of the dining hall in Villa Falconieri at Frascati, built by Boromini during the second half of the 17th century. Maratta's version (illustrated in H. Voss, *Die Malerei des Barock in Rom*, Berlin, 1924, p. 347), is carried out in typically dynamic Baroque fashion by means of bold foreshortenings and numerous diagonals. Calandrucci's *Venus* is identical in concept: Poseidon rides his chariot through the waves, reaching for the hand of Venus, and the composition's diagonal line continues to its terminus at the upper left corner with the figure of Zeus. The drawing's complex linearity and arbitrary anatomy relate it to another by the artist, *The Centaur Nessus Abducting Dejanira*, and to his designs for the ceiling in the Palazzo Lante, Rome (Dieter Graf, *Master Drawings of the Roman Baroque from the Kunstmuseum, Düsseldorf*, London and Edinburgh, 1973, nos. 11, 13; collection of the Kunstmuseum, Düsseldorf). Several drawings by Calandrucci in the Düsseldorf Museum are studies for the same composition.

Museum Purchase, 1957
Reg. No. MP 168-6-57

ג׳אצ׳ינטו קאלאנדרוצ׳י

פאלרמו 1646 - 1707 פאלרמו

הולדת ונוס

עט ודיו חומה מעל גיר אדום על-גבי נייר, 288×433 מ״מ
רשום למטה משמאל: "Pietro di (sic) Cortona fecit"

תולדות הרישום: א׳ רוזנר, תל אביב

רישום זה מיוחס לג׳אצ׳ינטו קאלאנדרוצ׳י על-פי הצעתו של ג׳יקוב בִּין שאומתה על-ידי אקהרד שאר.

קאלאנדרוצ׳י, שנודע בעיקר כתלמידו הבכיר של קרלו מאראטה, משקף בנאמנות בסגנון רישומו את מתווי העט הווירטואוזיים של מורו, וגם הקומפוזיציות שלו אינן פחות דינמיות. את החלל שנוצר לאחר מותו של ברניני, שהיה דמות המפתח בתרבות הרשמית של רומא בתחילת המאה ה-י״ז, מילא מאראטה, ששמו ושמות בני חוגו קשורים לציורי תקרה וקיר רבים ברחבי העיר.

הרישום "הולדת ונוס" של קאלאנדרוצ׳י קשור באופן הדוק לציור קיר שעשה מאראטה בחדר האוכל בווילה פאלקונייירי בפראסקאטי, שנבנתה בידי בורומיני בשביל משפחת פאלקונייירי במחצית השנייה של המאה ה-י״ז. "הולדת ונוס" של מאראטה (המופיעה בספרו של H. Voss, *Die Malerie des Barock in Rom,* Berlin, 1924, p. 347), מבוצעת בקומפוזיציה בארוקית דינמית טיפוסית המושגת באמצעות הקצרות נועזות ואלכסונים. ה"ונוס" של קאלאנדרוצ׳י זהה בתפישתה: פוסידון רוכב במרכבתו בין הגלים, מנסה לגעת בידה של ונוס, וכך ממשיך את האלכסון המסתיים בדמותו החזקה של זווס. בקוויו הסבוכים ובהדגשות אקראיות של שרירים ומפרקים קרוב הרישום הזה ל"קנטאור נסוס חוטף את דג׳אנירה" ולשרטוטיו לציורי התקרה בפאלאצו לאנְטֶה ברומא: (Dieter Graf, *Master Drawings of the Roman Baroque from the Kunstmuseum, Düsseldorf,* London and Edinburgh, 1973, cat. nos. 11,13).

רישומים אחדים מאת קאלאנדרוצ׳י באוסף המוזיאון לאמנות בדיסלדורף הם מתווים לאותה קומפוזיציה.

רכישה, 1957
מספר רשום MP 168-6-57

Pietro di Cortona fecit

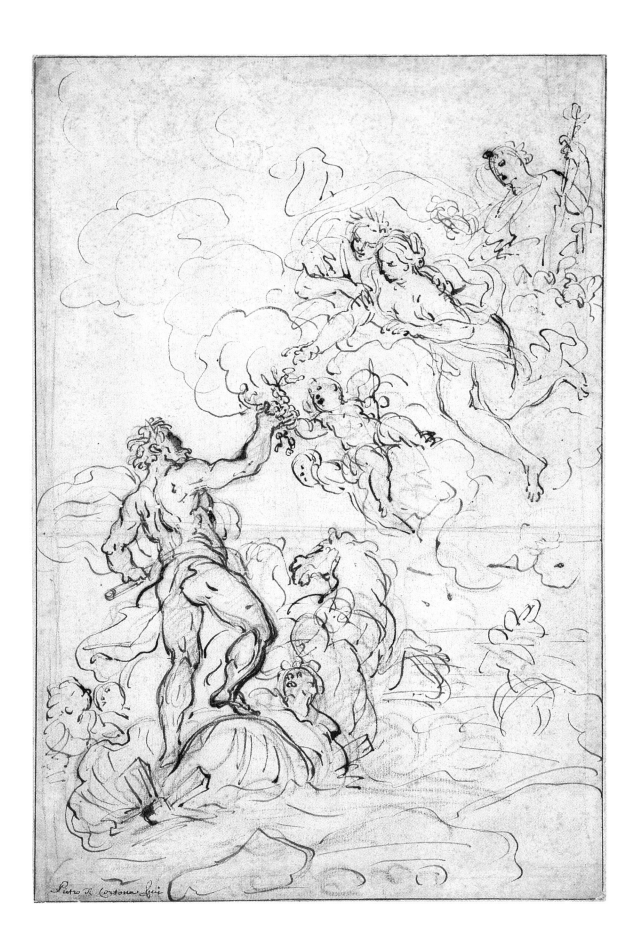

82. Gaspare Diziani

Belluno 1689-1767 Venice

Hermit and a Stag, ca. 1745-1750

Pen, brown ink and wash over red chalk on thin ecru paper,
273 × 197 mm
Inscribed, lower right (autograph signature ?): "Diziani"
Verso: Two heads
Red chalk

PROVENANCE: Unknown

Gaspare Diziani was a prolific, often enchanting Venetian draughtsman, and the drawing by him at the Israel Museum is an exceptionally fine example of his fluent later style, inspired by the examples of Sebastiano Ricci and G. B. Tiepolo. Diziani's compositions, mostly of religious subjects, vibrate with the energy and light of the late Baroque, achieved through dynamic diagonals and irregular, loosely applied washes.

The drawing, *Hermit and a Stag*, poses an unsolved iconographic problem regarding the identity of the hermit. Both St. Hubert and St. Eustace met a stag, but in each case it carried a golden crucifix between its horns. In the story of St. Giles, the stag was pierced with an arrow. St. Julian the Hospitator, depicted with a stag, is always shown as a young man, and St. Anthony Abbot is hardly ever seen with the stag alone, but rather with a whole group of animals. Thus there seem to be no clues to the identity of the hermit in our work.

The signature at the lower right corner of the drawing interrupts a pen line which frames the image on all four sides. As other Diziani drawings have borders clearly rendered by the artist himself, it seems reasonable that our border, though more meticulous than usual, as well as the signature are autograph. Perhaps *Hermit and a Stag* was given a border for inclusion in a special album or an extra-illustrated book of the lives of the saints. To date, this excellent work has not been connected with any extant painting by the artist but can be dated sometime between 1745 and 1750, when Diziani had reached full maturity.

Purchased from A. Rosner, Tel Aviv, 1957
Reg. No. MP 108-4-57

גאספארה דיציאני

בלונו 1689 - 1767 ונציה

נזיר וצבי, 1745 - 1750 בקירוב

עט, דיו חומה ומגוון מעל גיר אדום על-גבי נייר גלמי פריך ודק,
273×197 מ"מ
רשום למטה מימין (חתימה?): "Diziani"
על גב הגיליון: שני ראשים
גיר אדום

תולדות הרישום: בלתי ידועות

במלאכת הרישום של דיציאני ניכרים שני סגנונות מובהקים: יצירתו המוקדמת מושפעת מרישומי העט הווירטואוזיים של פלגריני, ואילו רישומיו המאוחרים, שבהם הוא מוסיף מגוונים ומטפל במשטחים ובאורות, מגלים את השפעת טייפולו וסבסטיאנו ריצ'י. הקומפוזיציות של דיציאני, שנושאן דתי על-פי-רוב, תוססות באנרגיית הבארוק המאוחר המושגת על-ידי מגוונים שהונחו בחופשיות במשיחות אלכסוניות סימטריות לא-סדירות.

הרישום "נזיר וצבי" מציב קושייה איקונוגראפית לא פתורה באשר לזהותו של הנזיר. הצעות אחדות, המבוססות כולן על סיפורי הקדושים, הועלו ונפסלו: הוברט הקדוש וכמוהו אוסטאש הקדוש פגשו בצבי, אולם בשני המקרים נשא הצבי את דמותו המוזהבת של הצלוב בין קרניו. בסיפור גיל הקדוש, מפלח חץ את הצבי. יוליאן הקדוש, מכניס האורחים, מתואר תמיד (עם צבי) כאיש צעיר, ולבסוף, אב המנזר אנתוני הקדוש כמעט לעולם אינו נראה עם צבי לבדו, אלא בחברת קבוצה שלמה של בעלי-חיים שהצבי הוא רק אחד מהם.

החתימה המופיעה בפינה התחתונה של הרישום קוטעת קו עט הממסגר את הקומפוזיציה מכל ארבעת צדדיה. מאחר שרישומים אחרים של דיציאני ממוסגרים בקווי גבול כאלה שנעשו בידי האמן, הגיוני להניח שקו העט הממסגר רישום זה וכמוהו החתימה נעשו בידי האמן. ייתכן ש"נזיר וצבי" מוסגר כדי להיכלל באלבום או בספר מאויר על חיי הקדושים.

הרישום נעשה כנראה בין השנים 1745 ל-1750, שבהן הגיע האמן לבשלות מלאה. אי אפשר, לפי שעה, לקשור אותו אל ציור שמן קיים.

נרכש מא. רוזנר, תל אביב, 1957
מספר רשום MP 108-4-57

83. Amedeo Modigliani

Livorno 1884-1920 Paris

Beatrice Hastings, ca. 1916

Graphite on thin white paper, 435 × 263mm
Signed, lower right: "Modigliani"
Inscribed, upper right: "24"
Inscribed, verso, upper right: "24 Jeune Femme dans un fauteuil"

PROVENANCE: Leopold Zborowski; Stefa and Leon Brillouin; Forum Gallery, N.Y.
BIBLIOGRAPHY: *Modigliani, Drawings from the Collection of Stefa and Leon Brillouin*, Fogg Art Museum, Harvard University, November–December, 1959, ill. cat. no. 15; Joseph Lanthemann, *Modigliani 1884-1920, Catalogue Raisonné*, Florence, 1970, ill. no. 738
EXHIBITIONS: The University of Wisconsin, Madison, Wisconsin, 1942; The Rhode Island School of Design, Providence, Rhode Island, 1943; American-British Art Center, New York, 1944; *Modigliani, Drawings from the Collection of Stefa and Leon Brillouin*, Fogg Art Museum, Harvard University, November-December, 1959

Amedeo Modigliani painted only three (unsuccessful) landscapes, and not a single still life. His total oeuvre was devoted to nudes and portraits, figures set either "a little to the left or a little to the right of the center of the page. The tilt of the head up, down or sideways, and the lift or fall of the shoulders adjust the balance" (Agnes Mongan, *Introduction to Brillouin Catalogue*, Cambridge, Mass., p. 10).

Our drawing is a portrait of the English poet, Beatrice Hastings, a woman of South African origin who was the artist's mistress for nearly three years (1914-1916). Although they are said to have had a violent relationship, Modigliani drew and painted many portraits of her. She, in turn, was responsible for introducing him to the avant-garde poets and painters of bohemian Paris. There is another drawn portrait of her nearly identical to the Museum's sheet in a private collection in Milan—with differences only in details of the shading (Franco Russoli, *Modigliani Drawings*, London, 1969, *Beatrice Hastings in an Armchair*, ill. cat. no. 35). Mongan notes that incising on our sheet suggests that the drawing in Milan preceded our drawing in Modigliani's sketchbook. There is also a painted portrait of Hastings in the Art Gallery of Ontario (Sam and Ayala Zacks Collection).

The Israel Museum's drawing contains certain contrasts of treatment which seem to reflect the ambivalent relationship of artist and sitter. The face of Beatrice is drawn delicately and conveys a feeling of serenity, but the repeated strokes which delineate her shoulder and blouse suggest anger, frustration and obsession.

The Billy Rose Collection, 1972
Reg. No. 109.72

אמאדאו מודיליאני

ליוורנו 1884 - 1920 פריס

ביאטריס הסטינגס, 1916 בקירוב

עיפרון על-גבי נייר לבן דק, 263×435 מ"מ
חתום למטה מימין: "Modigliani"
רשום למעלה מימין: "24"; למעלה מימין על גב הגיליון: "24 Jeune femme dans un fauteuil"

תולדות הרישום: ליאופולד זבורובסקי; סטפה וליאון ברילואן; גלריה פורום, ניו יורק

ביאטריס הסטינגס, משוררת אנגליה ממוצא דרום-אפריקאי, היתה ידידתו של מודיליאני בין השנים 1914-1916. אם כי יחסיה עם הצייר נודעו כ"סוערים ואלימים", הוא צייר את דיוקנה פעמים רבות, ואילו היא ערכה לו הכרות עם רבים מן הציירים והמשוררים של האבאנגארד בפריס.

הרישום שלנו אופייני לסגנונו הבשל של האמן. מודיליאני היה בראש ובראשונה צייר דיוקנאות ועירומים, ובמכלול יצירתו מצויים רק שלושה נופים (לא מוצלחים) ושום טבע דומם, וזאת בתקופה שציורי הטבע הדומם זכו לחשיבות דומה לזו שהיתה להם בהולנד של המאה ה-י"ז.

דיוקנאותיו של מודיליאני מתרכזים בראשה של הדמות, לעתים רחוקות בידיים ולעולם לא ברגליים. ברוב הדיוקנאות ממוקמות הדמויות "שמאלה מעט או ימינה מעט ממרכז הדף. הראש נוטה לאחור או הצידה, וזקיפת הכתפיים או שמיטתן מתקנות את האיזון" (Agnes Mongan, Intr., *Modigliani, Drawings from The Collection of Stefa and Leon Brillouin,* Fogg Art Museum, Harvard University, Cambridge Mass., Nov.-Dec., 1959, p.10).

הרישום שלנו זהה כמעט לדיוקן אחר של ביאטריס הסטינגס השייך לאוסף פרטי במילאנו ומכונה "ביאטריס הסטינגס בכורסה" (Franco Russoli, *Modigliani Drawings,* London, 1969, cat no. 35). הוא מראה אותה יושבת באותו כסא עצמו ובאותה תנוחה, ונבדל ממנו רק בפרט ההצללה. מונגאן מציינת שהחריצים בדף של מוזיאון ישראל מצביעים כנראה על כך שהרישום של מילאנו קדם לרישום הזה במחברת המתווים של מודיליאני.

דיוקן שמן של ביאטריס הסטינגס נמצא בגלריה לאמנות של אונטאריו (אוסף סם ואילה זקס).

הרישום שלנו מכיל כמה ניגודים המשקפים כמדומה את היחסים הדו-ערכיים בין הצייר למודל. בעוד שפני ביאטריס רשומים בעדינות ומביעים תחושה של שלווה ובהירות, הרי שקווי העיפרון החוזרים, או ליתר דיוק מכות העיפרון המדגישות את הכתף והחולצה, נראות כפרי של כעס מציק ותסכול.

אוסף בילי רוז, 1972
מספר רשום 109.72

24
modigliani

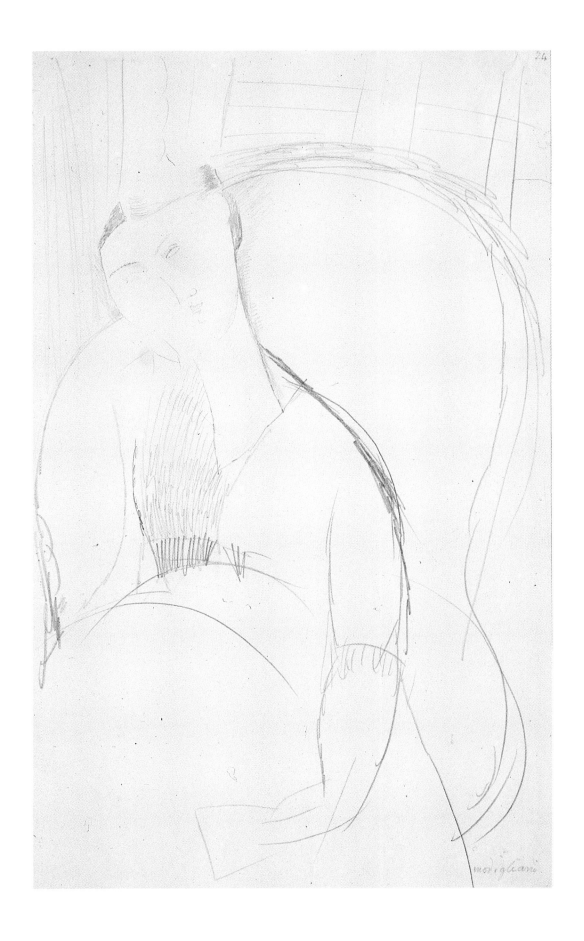

POLISH SCHOOL
אסכולה פולנית

84. Jankel Adler

Lodz 1895-1947 Aldbourne, Wiltshire

Der Zigeuner (The Gypsy), Portrait of Ludwig Hoffmann, 1928

Brush and blue ink on paper; 510 × 355 mm
Signed and dated, lower right: "Adler 1928"
Inscribed, lower right: "Der Zigeuner Ludwig Hoffmann"

EXHIBITIONS: *Jankel Adler*, The Israel Museum, Jerusalem, October-December, 1969, ill. cat. no. 43; *Jankel Adler*, Städische Kunsthalle Düsseldorf, Düsseldorf, November-December, 1985; The Tel Aviv Museum, Tel Aviv, December, 1985-January, 1986; Museum Sztuki, Lodz, Poland, February-March, 1986

Der Zigeuner (The Gypsy) is a study for the painting *The Violin Player* (oil on canvas, 150 × 100 cm, Collection Sztuki Museum, Lodz) and is a portrait of Adler's friend Ludwig Hoffmann. The title of our drawing could apply to the artist himself, for Adler was a kind of Gypsy—a "wandering Jew" who was born in Poland, and lived in Germany, Russia, France and England. He was persecuted by the Nazis, expelled from all artists' associations and his work removed from German museums.

Adler's German period, from which the Israel Museum's drawing dates, is dominated by drawing and painting from nature, special attention being given to the depiction of people. The sheet reflects a trip to Paris in 1924, and the influences of both Picasso's monumental classical figures and Léger's mechanized robots are evident. Ludwig Hoffmann is seen in a typical frontal view, constructed with minimal lines and swift contours. Also, it lacks a background. These are all typical features of Adler's art in the 1920s.

Gift of Mr. Harry Rosenthal, London, 1962
Reg. No. P 2083-8-62

ינקל אדלר

לודז׳ 1895 - 1947 אלדבורן, וילטשייר

הצועני, דיוקן לודוויג הופמן, 1928

מכחול ודיו כחולה על-גבי נייר, 355×510 מ״מ
חתום ומתוארך למטה מימין: "Adler 1928"
רשום למטה מימין: "Der Zigeuner Ludwig Hoffmann"

תערוכות: "ינקל אדלר", מוזיאון ישראל, ירושלים, אוקטובר-דצמבר 1969, קטלוג מס׳ 43, תמונה; "ינקל אדלר", מוזיאון תל אביב, תל אביב, דצמבר 1985-ינואר 1986

"הצועני" הוא מתווה-הכנה לציור "המנגן בכינור" (שמן על בד, 100×150 ס"מ, אוסף מוזיאון שטוקי, לודז׳) ודיוקן ידידו של אדלר, לודוויג הופמן, אולם כותרתו מתאימה לא פחות לאמן עצמו. אדלר נולד בפולין, עקר לדיסלדורף, שירת בצבא הרוסי במלחמת-העולם הראשונה וחזר לווארשה. לאחר מכן גר בברלין, דיסלדורף, פריס ואנגליה, מבלי למצוא בית אף באחד מאלה, ונשאר במהותו היהודי הנודד. הוא נרדף על-ידי הנאצים, וב-1933 הוסרו יצירותיו ממוזיאונים גרמניים והוא גורש מכל אגודות האמנים.

התקופה הגרמנית של אדלר, שאליה שייכת יצירה זו, מאופיינת ברישום ובציור מן הטבע, בעיקר של אנשים. "הצועני" משקף את מסעו לפריס ב-1924 ואת ההשפעות שספג שם: מצד אחד דמויותיו המונומנטאליות של פיקאסו מאותה תקופה, ומצד שני הרובוטים המכאניים של לז׳ה עם ידיהם דמויות הצינורות וחסרות המפרקים. קווים מינימאליים, קווי-מיתאר מהירים, העדר רקע ומראה חזיתי הם יסודות אופיניים ליצירתו של אדלר בשנות העשרים של המאה.

מתנת הארי רוזנטל, לונדון, 1962
מספר רשום P 2083-8-62

Der Zigeuner
Ludwig Hoffmann
Adler 1928

RUSSIAN SCHOOL
אסכולה רוסית

85. Boris Aronson

Kiev 1898-1980 New York

Chassidic dance costume design for Baruch Agadati (from the "Galut" cycle), ca. 1923

Gouache and collage on cardboard; 645 × 484 mm
Signed, lower right: "B. Aronson"

BIBLIOGRAPHY: *The Hebrew Dance-Baruch Agadati*, Tel Aviv (in Hebrew), 1925, illustrated; Meira Perry-Lehmann, "Boris Aronson's Chassidic Dance Costume Design for Baruch Agadati," *The Israel Museum Journal*, vol.V, Spring, 1986, pp. 111-112
EXHIBITIONS: *Promised Gifts*, The Israel Museum, Jerusalem, Spring-Summer 1985; *Agadati-4 Faces*, Rubin Museum, Tel Aviv, June-October, 1985

According to Boris Aronson's autobiography, after graduating from the State Art School in Kiev he co-founded the Museum of Modern Art there, and from 1917 to 1922 designed posters and decorations for festivals and pageants commissioned by the government. In 1916 he was a member of Alexandra Exter's newly established studio and school, and in 1921 he assisted in *Romeo and Juliet*, her third and last production for Moscow's Kamerni Theater. In 1922 Aronson designed sets for the Kamerni Theater, wrote a monograph on Chagall, and went to Berlin to study etching with Hermann Struck. He was in Paris at the same time as the dancer, Baruch Agadati, the following year.

Agadati was born in Bessarabia in 1895, came to Palestine at the age of 15, and studied at the Bezalel Art School in Jerusalem. With the outbreak of World War I, he returned to Russia to study classical ballet under Titoni, dancing professionally in the Odessa Opera House. In 1919 he returned to Palestine to give a series of solo dance recitals, doing a tour of Europe from 1922 to 1926.

We may safely date Aronson's *Chassidic dance costume design for Baruch Agadati* to the period of their mutual residence in Paris. Its style is deeply influenced by the work of Alexandra Exter, whose innovative freedom from naturalism treated a costume as the actor's second skin, and the actor as a living sculpture. The Israel Museum drawing further reveals Aronson's indebtedness to Exter in its Cubo-Futurist stylizing; the figure is constructed of hard-edge geometric shapes and parallel lines which do not disturb the overall flatness of the image.

Although Aronson continued to draw in the Cubo-Futurist idiom for a number of years, he is best remembered for his later work in the United States. He was the designer of a number of famous Broadway shows, including *Cabaret*, *Fiddler on the Roof*, *A View from the Bridge*, and *The Diary of Anne Frank*.

As an interesting footnote, from 1922 to 1926, Agadati had his costumes designed by Natalia Gontcharova and Mikhail Larionov (The Israel Museum, reg. nos. 600.77, 241.80), and performed widely in Germany, Poland, Austria and elsewhere. In the early 1930s he turned from dance to cinema, producing the first full length film made in Israel, *This Is The Land*, as well as many short documentaries. He returned to painting in 1940, which he continued until his death in Tel Aviv in 1976.

Gift of the Boris and Lisa Aronson Collection, Grandview, New York, to American Friends of The Israel Museum, 1985
Reg. No. 575.85

בוריס ארונסון

קייב 1898 - 1980 ניו יורק

תלבושת לריקוד חסידי של ברוך אגדתי (מתוך המחזור "גלות"), 1923 בקירוב

גואש וקולאז' על-גבי קרטון, 484×645 מ"מ
חתום למטה מימין: "B. Aronson"

ביבליוגרפיה: "הריקוד העברי - ברוך אגדתי", תל אביב, 1925, תמונה
תערוכות: "מתנות מובטחות", מוזיאון ישראל, ירושלים, אביב-קיץ 1985; "אגדתי - 4 פנים", בית ראובן, תל אביב, יוני-אוקטובר 1985

ארונסון, שסיים ב-1916 את לימודיו בבית-הספר הממלכתי לאמנות בעיר מולדתו, הצטרף לסדנה/בית-ספר שהקימה אלכסנדרה אקסטר באותה שנה. באוטוביוגרפיה שלו הוא מספר שהיה בין מייסדי המוזיאון לאמנות מודרנית בקייב, ושעיצב קישוטים וכרזות שהזמינה הממשלה לפסטיבאלים ולתהלוכות בין השנים 1922-1917. ב-1921 סייע לאקסטר בהפקה השלישית והאחרונה שעשתה בשביל התיאטרון הקאמרי במוסקבה, "רומיאו ויוליה". ב-1922 עיצב ארונסון תפאורות לתיאטרון הקאמרי היהודי במוסקבה, כתב מונוגרפיה על שאגאל ונסע לברלין ללמוד תחריט אצל הרמן שטרוק. כעבור שנה הגיע לפריס, וכמוהו הרקדן-צייר ברוך אגדתי.

אגדתי, שנולד בבאסראביה, עלה לארץ-ישראל ב-1910 ולמד בבית-הספר "בצלאל" בירושלים. עם פרוץ מלחמת-העולם הראשונה חזר לרוסיה ולמד באלט קלאסי אצל טיטוני. הוא נעשה רקדן מקצועי בבית האופרה של אודיסה, וב-1919 חזר לארץ-ישראל והחל להופיע בריקודי יחיד. בשנים 1926-1922 היה במסע הופעות באירופה.

אפשר להניח בוודאות שהרישום "תלבושת לריקוד חסידי של ברוך אגדתי" נעשה בפריס ב-1923 בעת שגם הרקדן וגם הצייר היו שם. התלבושת שעיצב ארונסון לאגדתי מגלה בבירור את השפעת מורתו, אלכסנדרה אקסטר. גישתה החדשנית לתיאטרון שחררה אותו מההשקפה הנאטוראליסטית שראתה בו חיקוי לחיים הממשיים ונתנה לו קיום משלו. בעיני אקסטר היתה התלבושת התיאטרונית עורו השני של השחקן, הביטוי החיצוני לתפקידו של הלובש אותה, והשחקן - פסל חי. יסוד נוסף המסגיר את השפעתה של אקסטר הוא סגנון הציור הקובו-פוטוריסטי. הדמות מורכבת מצורות גיאומטריות חדות-שוליים, קווים מקבילים וקווים מעוגלים מעטים שאינם פוגמים בשטיחות הכללית שלה.

ארונסון המשיך להשתמש במילון הקובו-פוטוריסטי עוד שנים אחדות, גם אחרי שהיגר לארצות הברית ב-1923. כיום הוא ידוע בעיקר כמעצב במה לכמה מההצגות המפורסמות ביותר בברודווי בארבעים וחמש השנים האחרונות, ביניהן "קאבארט", "כנר על הגג", "יומנה של אנה פראנק", ו"מראה מעל הגשר".

בשנים 1926-1922 עוצבו כמה מתלבושותיו של אגדתי בידי נטליה גונצ'ארובה ומיכאיל לאריונוב (אוסף מוזיאון ישראל, מס' רשום 600.77, 241.80). הוא עצמו הופיע במרכזי אמנות רבים בגרמניה, אוסטריה, פולין ועוד. בראשית שנות השלושים פנה מהריקוד אל הקולנוע והפיק את הסרט העברי הראשון באורך מלא, "זו הארץ", בנוסף לסרטי תעודה קצרים רבים. ב-1940 חזר לצייר. אגדתי נפטר בתל אביב ב-1976.

מתנה מאוסף בוריס וליזה ארונסון, גראנדוויו, ניו יורק, לידידי מוזיאון ישראל בארצות הברית, 1985
מספר רשום 575.85

B. Aronson

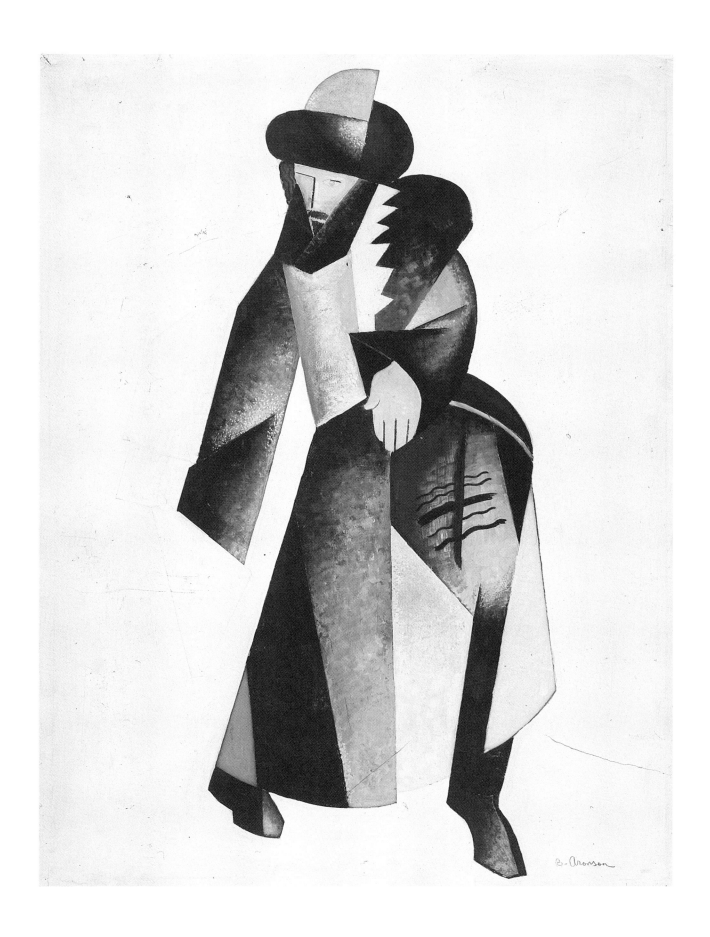

86. Leon Bakst

Grodno 1866-1924 Paris

Costume design for the Englishman in "La Boutique Fantasque," 1917

Watercolor on modern wove paper; 445 × 288 mm
Signed and dated, lower right: "Bakst 1917"
Inscribed, upper left: "La Boutique Fantasque"

PROVENANCE: Unknown
BIBLIOGRAPHY: Charles Spencer, *Leon Bakst*, New York, 1973, pl. 110; A. Levinson, *Bakst, The Story of the Artist's Life*, New York, 1973, pl. LII

In his late twenties, using his mother's maiden name, Lev Samoilovitch Rosenberg called himself Leon Bakst. He was instrumental in revitalizing the arts of Russia, and was soon to be referred to as "the Delacroix of costume" for his brilliant work at the Ballet Russe under Diaghilev. Initially influenced by Alexandre Benois, and one of the founders of *Mir Iskustva* (World of Art), the Russian equivalent to Art Nouveau in Belgium, Bakst was also a mentor of Chagall. However, his greatest fame as an innovator rests on two ballets performed early in the second decade of this century, *Cleopatra*, and *Scheherazade*, whose brilliant color and Oriental motifs mark all his preparatory works as well. He designed sets at the Ballet Russe from its start in 1909 until 1917, the year of the Israel Museum drawing.

In Rossini's *La Boutique Fantasque*, dolls come magically to life for a dance with clients of the amazing little shop. For its premiere in London, July 5th, 1919, at the Alhambra Theatre, Massine both choreographed and danced a principal role. However, Bakst's costume designs were replaced by those of André Derain. Bakst designed only one additional set for Diaghilev, *The Sleeping Princess*, in 1921.

Museum Purchase, 1948
Reg. No. 328-9-48

ליאון בקסט

גרודנו 1866 - 1924 פריס

עיצוב תלבושת לאנגלי ב"חנות הקסמים", 1917

צבע-מים על-גבי נייר רשת, 288×445 מ"מ
חתום ומתוארך למטה מימין: "Bakst 1917"
רשום למעלה משמאל: "La Boutique Fantasque"

תולדות הרישום: בלתי ידועות

לב סאמוילוביץ' רוזנברג, ששינה את שמו לליאון בקסט (שם אמו בנעוריה) בשנות העשרים המאוחרות לחייו, כונה "דלקרואה של התלבושות" ויצר ארץ אגדות מזרחית בתיאטרון. מלבד היותו מורו של שאגאל, בא לו עיקר פירסומו מהתפאורות והתלבושות שעיצב בשביל הבאלט הרוסי של דיאגילב למן תחילתו ב-1909.

בתחילת דרכו הושפע בקסט מאלכסנדר בנואה והיה בין מייסדי התנועה "מיר איסקוסטבה" (עולם האמנות) - המקבילה הרוסית לאר-נובו - והביטאון שלה. פעילותו תרמה להחייאת האמנויות ברוסיה. תהילתו של בקסט והמוניטין שיצאו לו כמחדש באו בעיקר הודות לשתי הצגות באלט: "קליאופטרה" ו"שחרזדה", שהועלו על הבימה בראשית העשור השני למאה; אולם צבעיו הזוהרים והמוטיבים המזרחיים, המציינים את כל רישומי-ההכנה שלו, מפארים גם את דמויות האנגלי והבובה שהוכנו ל"חנות הקסמים", שבה קמות הבובות לתחייה ורוקדות עם לקוחות החנות. הרישום שלפנינו נעשה להצגת "חנות הקסמים", שבשבילה השתמש דיאגילב בקומפוזיציות לא ידועות של רוסיני, והוא מציין את פרידתו של בקסט מהבאלט הרוסי. מאסין היה הכוריאוגרף וגם אחד הרקדנים הראשיים בהצגת הבכורה. כשהועלתה ההצגה ב-5 ביולי 1919 באלהמברה בלונדון, הוחלפו התלבושות והתפאורה של בקסט באלה של אנדרה דראן. בקסט עיצב תפאורות עבור דיאגילב פעם אחת נוספת ב-1921 ל"יפהפייה הנמה".

רכישה, 1948
מספר רשום 328-9-48

Bakst
1917

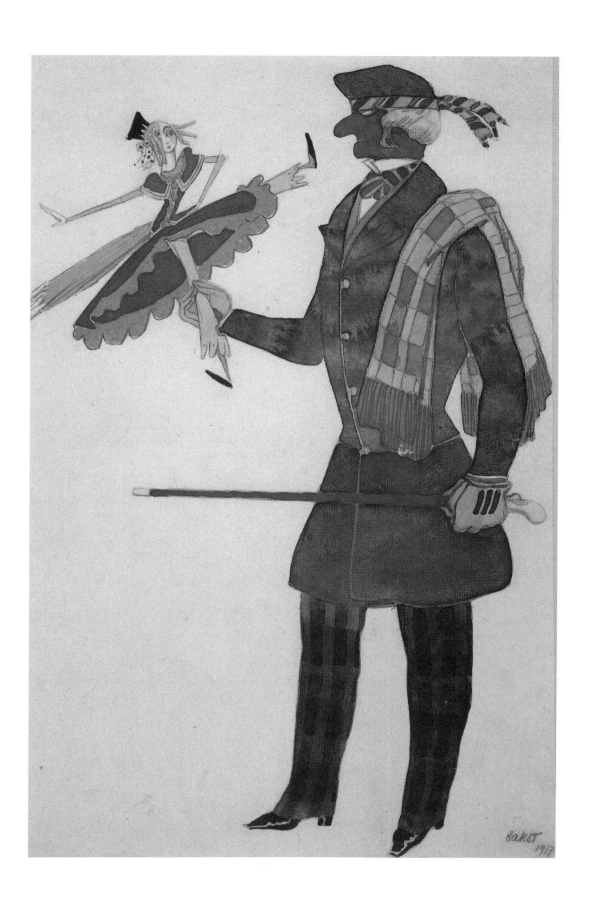

87. Marc Chagall

Vitebsk 1887-1985 St. Paul de Vence

The Mikveh (Ritual Bath), 1910

Pen and ink on brown paper; 231 × 268 mm
Signed, lower right: "Chagall"
Inscribed, lower right (Russian): "The Ritual Bath 1910"

PROVENANCE: A New York private collector, orginating in Russia
BIBLIOGRAPHY: Franz Meyer, *Marc Chagall: Life and Work*, New York, 1963, p. 92; *Marc Chagall*, Berlin, 1923, ill. no. 17
EXHIBITIONS: *New Acquisitions in Graphics*, The Israel Museum, Jerusalem, February-May 1972

We may associate Chagall's humorous narrative drawing of 1910, *The Mikveh*, or Ritual Bath, with his dreams of marriage in that year to his first wife, Bella. Ritual bathing, which traditionally precedes a wedding, is connected as well to making love and giving birth, and our drawing, private in mood, is related to two paintings from the same year, *Birth* (Meyer, p. 89), and *Wedding* (*ibid.*, p. 113). *The Mikveh*, and other early drawings like *Le Fauconnier Correcting Studies* (*ibid.*, p. 96), and, a dozen years later, the famous series of etchings and drypoints called *Mein Leben* (My Life) are reminiscent of the naive compositional techniques and folk imagery of primitive Russian art.

The action in our drawing is not easily legible. There are clearly two sections: the upper part is apparently divided down the center, a man symmetrically facing a woman directly under the chandelier which serves to link the left and right sides of the drawing. To the left a woman on a bed is holding a new-born; a man (its father?) is on the bed facing the viewer, and another man is under the bed, hiding. To the far right is another bed which, with certain differences, mirrors these events. The lower part or foreground of the drawing is concerned with the bath itself: an attendant turns on the water, a nude female stands on the left, while a man stands in the bath with a woman who floats with her arms out. As puzzling as it may seem, our drawing is nevertheless redolent with the artist's eternal iconography set in the context of an animated architecture.

Gift of Mr. & Mrs. Daniel Saidenberg, New York to America-Israel Cultural Foundation, 1971
Reg. No. 506.71

מארק שאגאל

ויטבסק 1887 - 1985 סן פול דה ואנס

המִקווה, 1910

עט ודיו על-גבי נייר חום, 268×231 מ"מ
חתום למטה מימין: "Chagall"
רשום למטה מימין (ברוסית): "המקווה 1910"

תולדות הרישום: אספן ניו יורקי פרטי ממוצא רוסי
תערוכות: "רכישות חדשות בגרפיקה", מוזיאון ישראל, ירושלים, פברואר-מאי 1972

"המקווה" של שאגאל, שנעשה קרוב לוודאי בוויטבסק או בפטרבורג זמן קצר לפני שעזב את רוסיה בפעם הראשונה בדרכו לפריס (באוגוסט 1910), הוא רישום נאראטיבי והומוריסטי על גבול הקריקטורה. לא קל "לפענח" אותו, ולכאורה הוא מעשה-טלאים או רשמים ולאו דווקא תיאור ריאליסטי של מקווה.

ברישום ניתן להבחין בבירור בשני חלקים: המחצית התחתונה המראה את המקווה ובו שתי דמויות (גבר ואשה?) במים, שַׁמָּש מימין פותח את ברז המים ודמות נשית עירֻומה עומדת משמאל. הרצועה העליונה נראית כמחולקת לאורכה באמצע, ובה אשה רשומה פעמיים הנראית ישר מתחת לנברשת המחברת את שני האגפים: אגף הנשים מימין ואגף הגברים משמאל.

מה שקורה על המיטות ומתחתן מציב קושיות נוספות: על המיטה השמאלית אשה מחזיקה בתינוק שנולד לא מכבר, גבר (האב?) יושב על המיטה, פניו אל הצופה וגבו אל האשה. מתחת למיטה גבר (גם הוא האב?) מסתתר מפני האחרים. חלק זה של הרישום מזכיר את ציור "הלידה" של האמן, גם הוא משנת 1910 (Meyer עמ' 89). האירועים שמסביב למיטה הימנית הם בבואה של אלה משמאל, אף-על-פי שעל המיטה עצמה נראים גבר ואשה יחד.

ייתכן שראוי לקשור רישום זה עם פגישת שאגאל באשתו הראשונה, בלה, בשנת 1910, ובחלומותיו על נישואין (כפי שנראה בציור שנעשה ב-1910, שם, עמ' 113) ועל הטבילה במקווה לפני כן הנקשרת גם להזדווגות וללידה. הרישום, הבנוי בנאיביות בנוסח הדימויים העממיים הרוסיים והפרטי באווירתו, מזכיר רישומים הומוריסטיים אחרים שעשה שאגאל באותה תקופה, כגון "לה פוקונייה מתקן תרגילים" (שם, עמ' 96) וסידרת ההדפסים בתצריב ובחֶרֶט יבש, "חיי", שנעשתה בפריס (1922-1921) בשביל פול קאסירר. בסידרה האחרונה, למרות שהיא יותר מתוחכמת בגישתה ומשקפת את השפעות התקופה, כגון זו של הקוביזם, נשמר הסגנון האישי והאינטימי.

מתנת מר דניאל זידנברג ורעייתו, ניו יורק, לקרן התרבות אמריקה-ישראל, 1971
מספר רשום 506.71

88. Marc Chagall

Vitebsk 1887-1985 St. Paul de Vence

Self Portrait, 1911

Watercolor on modern laid paper, 195 × 226 mm
Watermark: "Fine Quality" with a lion looking back
Signed and dated, lower right: "Chagall 911"
Inscribed verso: "Marge noir recoupe 22-27"

This *Self Portrait* belongs to a group of self-portraits which are in general more introspective (Franz Meyer, *Marc Chagall, Life and Work*, New York, 1963 nos. 157, 158, 476.477). Both the artist's distant expression and the work's high contrast recall the pose, modeling, and expression of Gauguin's *Self Portrait* of ca. 1893 which Chagall much admired (*ibid.* no. 7), but neither the Fauve nor Cubist elements which he was soon to exhibit are evident. The earliest known self-portrait is dated 1907 when the artist was twenty years old; his head slightly turned to the right as he regards the world with meditative intensity (*ibid.* no. 1). Chagall continued to paint many self-portraits throughout his long life, identifying himself in his later work as a painter, whether at the easel, in a studio, or holding a palette or set of brushes.

Gift of Joseph Spreiregen, Cannes 1972
Reg. No. 615.72

מארק שאגאל

ויטבסק 1887 - 1985 סן פול דה ואנס

דיוקן עצמי, 1911

צבע-מים על-גבי נייר מפוספס מודרני, 195×226 מ"מ
תו מים: "איכות משובחת", אריה מסתכל לאחור
חתום ומתוארך למטה מימין: "Chagall 911"
רשום על גב הגיליון: "Marge noir recoupe 22-27"

דיוקן עצמי זה, שצוייר ככל הנראה זמן קצר לאחר בואו לפריס (נחתם ותוארך בידי האמן בשלב מאוחר יותר), שייך לקבוצה של דיוקנאות עצמיים שיש בהם הסתכלות פנימית רבה, ושבהם מבטא שאגאל את מצב־רוחו באמצעות הבעות פנים: חיוך (Franz Meyer, *Marc Chagall, Life and Work,* New York, 1963 no. 477), העוויה (שם, מס׳ 476), מבט חמור, מהורהר או ביישני (שם, מס׳ 157, 158). אף-על-פי שציור זה אינו מגלה את האלמנטים הקוביסטיים והפוביסטיים הרבים העתידים להופיע בקרוב בעבודתו, הוא מצביע על ההערצה הגדולה שרחש שאגאל לגוגן: ייתכן שהדיוקן העצמי שלו משנת 1898 בקירוב (שם, מס׳ 7) השפיע על הדיוקן שלפנינו בתנוחת הראש, עיצוב הנפח של הפנים בשחור ולבן ובמבט המחאה המרוחק.

הדיוקנאות העצמיים חוזרים ומופיעים לכל אורך יצירתו של שאגאל. אחד המוקדמים הידועים לנו נעשה בשנת 1907 (שם, מס׳ 1), והוא מראה את האמן בגיל עשרים, ראשו פונה מעט ימינה, מביט בעולם במבט מהורהר. הדיוקנאות העצמיים המאוחרים יותר מכילים לעתים קרובות את סמלי ההיכר של זהותו האמנותית (שם, מס׳ 24), למשל בעמדו בסדנתו ליד הכַּן ובידו פאלֶטה או צרור מכחולים.

מתנת יוסף ספרירגן, קאן, 1972
מספר רשום 615.72

89. Marc Chagall

Vitebsk 1887-1985 St. Paul de Vence

The Traveler, 1917

Gouache and graphite on paper, 381 × 487 mm
Signed and dated, lower center: "M. Chagall 917"
Inscribed, upper left (Cyrillic): "Coachman"

BIBLIOGRAPHY: Lionello Venturi, *Chagall*, Geneva, Paris and New York, 1956, p. 56; Franz Meyer, *Marc Chagall: Life and Work*, New York, 1963, ill. 290; *A Tribute to Sam Zacks*, Jerusalem, 1976, no. 35; *Chagall*, Royal Academy of Arts, London, 1985, fig. 29.
EXHIBITIONS: *Hommage à Marc Chagall*, Grand Palais, Paris, December 1969-March 1970, no. 55; *A Tribute to Sam Zacks*, The Israel Museum, Jerusalem, Summer 1976, no. 35 and The Tel Aviv Museum, Tel Aviv, Fall, 1976

During 1916-17, Marc Chagall took part in the Jewish Cultural Revival Movement in St. Petersburg, illustrating the tales of Peretz and *Der Nister*, producing designs for murals to decorate the Jewish secondary school (never executed). At this time he was also involved with the Russian theater, providing sets at Nicolas Evreinoff's request for the revival of his fantastical play, *Happy to Die*.

This gouache is one of two complementary paintings done during the same year. One of these, in watercolor, (collection of the Museum of Modern Art, New York) depicts a bowing figure balancing a Russian church on one foot and presenting a red laurel wreath inscribed "To Gogol from Chagall." The other, the Zacks gouache, is identical in size, and complementary both in its contrasting background color and its exuberant movement.

The male figure's yellow face and green hand recall Chagall's instructions to the cast of Evreinoff's play to paint their faces green and their hands blue for added fantasy. It has further been suggested that this gouache is also dedicated to Gogol; Ziva Amishai-Maisels points out that the only word discernible in the otherwise obscured inscription in Russian is "homage" or "honor".

The same exuberant figure was subsequently used at least twice by Chagall; first, in the autumn of 1918, in one of three banners, entitled "*Onward, onward without pause*," created to celebrate the anniversary of the Russian Revolution (Meyer, fig. 305); and again in 1919 for a stage set used in Gogol's *Wedding*. In the former case, a fantastical figure is metamorphosed into an actor in Soviet propaganda. In the latter, the inscription on the present gouache was changed for use in a comedy about a bachelor induced to marry a wealthy girl—after a successful courtship filled with a series of winning tricks. Realizing that marriage will end his freedom, the bachelor bolts through a window calling "coachman!" (inscribed in Cyrillic) as in the line from Gogol's play. *The Traveler* is the bridegroom joyously escaping a married fate, his swift progress over the village hastened by fear of capture.

Permanent Loan from the Art Gallery of Ontario, Toronto, Sam and Ayala Zacks Collection

מארק שאגאל

ויטבסק 1887 - 1985 סן פול דה ואנס

"קדימה" (הנוסע), 1917

גואש ועיפרון על-גבי נייר, 381×487 מ"מ
חתום ומתוארך למטה במרכז: "M. Chagall 917"
רשום למעלה משמאל (ברוסית): "עגלון"

תערוכות: "מחווה לסם זקס", מוזיאון ישראל, ירושלים, קיץ 1976, קטלוג מס' 35; מוזיאון תל אביב, תל אביב, סתיו 1976

בשנים 1916 ו-1917 לקח שאגאל חלק בתנועת התחייה התרבותית היהודית בפטרבורג, עיטר את סיפורי פרץ ודער נסתר ויצר תרשימים לציורי קיר (שלא בוצעו מעולם) בבית־הספר התיכון היהודי. באותו זמן היה מעורב בתיאטרון הרוסי והכין לבקשתו של ניקולאס יברינוף תפאורות להצגה מחודשת של מחזהו הפנטאסטי "שמח למות".

ציור גואש זה הוא אחד משני ציורים משלימים המוקדשים לגוגול שעשה שאגאל באותה שנה. האחד, בצבע-מים (באוסף המוזיאון לאמנות מודרנית, ניו יורק), מתאר דמות משתחווה המושיטה זר דפנה אדום "לגוגול משאגאל" כשעל רגלה האחת מתנדנדת כנסייה רוסית. הציור שלפנינו, הזהה לו בגודלו, משלים את הראשון הן בצבע הרקע הניגודי שלו והן בתנועות המוחצנות כנגד התנועות המופנמות שבו. פניו הצהובים של הגבר וידו הירוקה מזכירים את הוראותיו של שאגאל לשחקניו של יברינוף לצבוע את פניהם בירוק ואת ידיהם בכחול כדי להוסיף לאווירת הדמיון שבמחזה. זיוה עמישי-מייזלש סבורה ("מחווה לסם זקס", מס' 35) שגם הגואש הזה מוקדש לגוגול, ומציינת כי המלה היחידה הקריאה בכתובת המכוסה היא "כבוד" או "הוקרה" ברוסית.

אותה דמות מלאת-חיים שימשה את שאגאל עוד פעמיים: תחילה בסתיו 1918, כשבאחד משלושת הדגלים שיצר לחגיגות יום השנה למהפכה הרוסית, נרתמה הדמות, שהוכתרה בכתובת "קדימה קדימה ללא הפוגה" (Meyer, תמונה 305), לשרות התעמולה הסובייטית. בדוגמה השנייה נתבקש האמן, באביב 1919, להכין תפאורה למחזהו של גוגול "שידוכין". הוא הגיש תרשימים שכללו את שני הציורים המשלימים כדי שישמשו כיריעות-רקע או כמסכים. בשלב זה שינה בוודאי את הכתובת של הציור הנוכחי כדי להתאימו לקומדיה שבה רווק מושבע כמעט מתפתה לשאת נערה עשירה. אחרי שחיזר אחריה וזכה בידה בעקבות סידרת תככים, הוא נבהל לפתע, מתחרט על כל העניין, נמלט דרך החלון וקורא לעגלון שיסיענו הרחק משם. "קדימה (הנוסע)", אם כן, מתאר את בריחתו החפוזה של החתן, החושש להיתפס בידי כלתו.

אוסף סם ואילה זקס, השאלת קבע מהגלריה לאמנות של אונטאריו, טורונטו

90. Marc Chagall

Vitebsk 1887-1985 St. Paul de Vence

Portrait of Naoum Sokolov, 1922

Graphite on cream wove paper; 430 × 290 mm
Inscribed, lower right: "Berlin Marc Chagall 1922"

Bibliography: Franz Meyer, *Marc Chagall: Life and Work*, New York, 1963, classified catalogue; ill. no. 338

Chagall's portraits are not usually as straightforward and intimate as this delicate rendering of the writer, Naoum Sokolov (1860-1936). Sokolov was the founder of Hebrew journalism and perhaps the most prolific Jewish writer of his age, with 30 books and 4,500 articles in Hebrew, Yiddish, English, German and Polish to his credit. In addition he was the General Secretary of the Zionist Organization, and from 1876 to 1910 a regular contributor to *Hatzefirah*, the Hebrew newspaper published in Warsaw until 1931. The sitter, obviously drawn from life, establishes eye contact with the viewer, but seems to be posing and not quite at ease.

Chagall left Russia for Berlin in the summer of 1922 with the help of patrons and friends, and by the time he left in the Autumn of 1923, he had created the twenty etchings and drypoints for *Mein Leben* (My Life), and enough work for two exhibitions. The Israel Museum drawing dates from this period.

Purchased with funds from the Charles J. Rosenbloom Bequest, Pittsburgh, USA, 1975
Reg. No. 715.75

מארק שאגאל

ויטבסק 1887 - 1985 סן פול דה ואנס

דיוקן נחום סוקולוב, 1922

עיפרון על-גבי נייר רשת בצבע קרם, 290×430 מ"מ
רשום וחתום למטה מימין: "Berlin Marc Chagall 1922"

לא רבים מדיוקנאותיו של שאגאל גלויים ואינטימיים כמו דיוקן עדין זה של נחום סוקולוב (1936-1860). הדמות הישובה, היוצרת קשר עין עם הצופה, נראית רגועה אמנם, אך עם זאת אינה נינוחה ממש.

סוקולוב, מייסד העיתונות העברית, היה אולי הסופר היהודי הפורה ביותר בדורו. הוא פרסם ארבעת-אלפים וחמש-מאות מאמרים ושלושים ספרים בעברית, יידיש, אנגלית, גרמנית ופולנית. הוא הירבה לנסוע בעולם בתור המזכיר הכללי של ההסתדרות הציונית, ובין השנים 1910-1876 פרסם באופן סדיר ב"הצפירה", העיתון העברי שיצא לאור בוורשה (1931-1862).

בקיץ 1922, בעזרת ידידיו ופטרוניו, עזב שאגאל את רוסיה ונסע לברלין, שם ישב עד סתיו 1923. בפרק זמן זה, מלבד עריכת שתי תערוכות מיצירותיו, יצר שאגאל את "חיי" - סידרה בת עשרים תצריבים שהיו ההדפסים הראשונים שעשה מימיו. הסידרה, המתארת את זיכרונות ילדותו, יצאה לאור על-ידי פול קאסירר.

נרכש בכספי עיזבון צ'ארלס ג' רוזנבלום, פיטסבורג, ארצות הברית, 1975
מספר רשום 715.75

Berlin   Marc Chagall 1922

91. Natalia Gontcharova

Negaevo (near Tula) 1881-1962 Paris

Baruch Agadati Dancing, 1926

Graphite, wash, and watercolor on paper; 521 × 403 mm
Signed and inscribed, lower right: "Impression d'une danse d'Agadati. Récital au Champs-Elisee à Paris. N. Gontcharova"

Exhibitions: *Agadati-4 Faces*, Rubin Museum, Tel Aviv, June-October 1985

Gontcharova's fame rests mainly on her association with the Russian avant-garde. She successfully put into practice and elaborated on the theory of *Rayonism* espoused by Mikhail Larionov, her life-long companion, experimented with a variety of visual devices and materials for costume designs, and in 1914 began a long association with Diaghilev and the Ballet Russe. Early in her career she absorbed contemporary French influences, but soon turned to her own Russian origins and the art of the East, claiming that in them lay the source of Western art as a whole. (John E. Bowlt, transl., ed., *Russian Art of the Avant Garde, Theory and Criticism 1902–1934*, New York, 1976, "Preface to catalogue of a One-Man Exhibition," 1913.)

Her earliest link to the theater was in 1909, with eight sketches for the *Marriage of Zobeide* by Hugo von Hofmanshtal done for the Krofft Studio in Moscow. In 1913 she had already designed fantastic clothes and started a fashion for painting directly on the human face. In 1914 she designed the sets for Rimsky-Korsakov's *Le Coq d'Or*, and in 1919 she and Larionov settled in Paris for good.

Agadati is depicted in the costume of a young Oriental Jew, and drawn in a style at once precisely controlled and highly dynamic, similar to Gontcharova's work for *Les Noces* in 1923 (Mary Chamot, *Gontcharova Stage Designs and Paintings*, London, 1979, figs. 67, 68, 70). The Israel Museum has two other drawings of Agadati dancing, one by Boris Aronson, reg. no. 575.85 (cat. no. 85), the other by Mikhail Larionov, reg. no. 241.80.

Gift of Pernikoft collection, Paris (by exchange), 1948
Reg. No. 600.77

נטליה גונצ׳ארובה

נגאיבו (בקרבת טולה) 1881 - 1962 פריס

ברוך אגדתי רוקד, 1926

עיפרון, מגוון וצבע-מים על-גבי נייר, 403×521 מ״מ
חתום ורשום למטה מימין: "Impression d'une danse d'Agadati. Recital au Champs-Elisées à Paris. N. Gontcharova"

תערוכות: "אגדתי-4 פנים", בית ראובן, תל אביב, יוני-אוקטובר 1985

פרסומה של גונצ׳ארובה בא לה בעיקר בזכות פעילותה באבאנגארד הרוסי. בשלבים המוקדמים בדרכה האמנותית ספגה השפעות צרפתיות בנות התקופה, אך עד מהרה פנתה אל שורשיה הרוסיים ואל אמנות המזרח אשר בהם, לטענתה, טמון מקור אמנות המערב כמכלול (John Bowlt, transl. ed., *Russian Art of the Avant-Garde, Theory and Criticism 1902-1934,* New York, 1976, "Preface to catalogue of a One-Man Exhibition", 1913). היא ניסתה ואף הצליחה להגשים ביצירתה את תורת הראיוניזם של לאריונוב ולשכללה.

קשריה עם התיאטרון החלו כבר ב-1909 בשמונה מתווים ל"נשואי זובײדה" מאת הוגו פון הופמאנסטאל לסטודיו של קרופט במוסקבה. התעניינותה בעריכת ניסויים בחומרים שונים ובתחבולות חזותיות הובילה אותה ב-1913 לעצב תלבושות דמיוניות וליצור את אופנת הציור הישיר על הפרצוף האנושי. ב-1914 התחיל הקשר הממושך שלה עם דיאגילב, אשר הזמין אותה לעצב את התפאורה להפקה הפריסאית של האופרה "תרנגול הזהב" של רימסקי-קורסקוב. ב-1919 השתקעה בפריס ונשארה בה כל חייה עם בן-זוגה מיכאיל לאריונוב. ב-1923 עיצבה את התפאורה והתלבושות לבאלט "הכלולות" של דיאגילב.

הרקדן הארץ-ישראלי ברוך אגדתי המתואר ברישום שלנו, נראה רוקד כשהוא לבוש כיהודי מזרחי צעיר. הוא רשום באותו סגנון קווי, מדוייק ודינמי כאחד, האופייני למתווים הכוריאוגרפיים של גונצ׳ארובה בשביל "הכלולות" (Mary Chamot, *Gontcharova Stage Designs and Paintings,* London 1979, figs. 67, 68, 70).

ברשותו של אוסף מוזיאון ישראל שני רישומים נוספים של אגדתי הרוקד מאת מיכאיל לאריונוב (מס׳ רשום 241.80) ומאת בוריס ארונסון (מס׳ רשום 575.85).

מתנה מאוסף פרניקופט, פריס (באמצעות החלפה), 1948
מספר רשום 600.77

Impression d'une
danse d'Agadate.
Recital au Champs-Elysées
à Paris.
N. Gontcharova

92. Wassily Kandinsky

Moscow 1866-1944 Neuilly

Strange, 1929

Sprayed watercolor and India ink on coarse wove paper,
346 × 348 mm
Signed and dated, lower left: "VK 29"

PROVENANCE: The Solomon R. Guggenheim Foundation
EXHIBITIONS: *In Memory of Wassily Kandinsky*, The Museum of
Non-Objective Painting, March–May, 1945, no. 154; *New Ac-*
quisitions, The Israel Museum, Jerusalem, Spring 1981

Wassily Kandinsky was one of the most important early the-
oreticians and practitioners of abstract art. In the 1920s and
early 1930s he explored the ordering principles of geometry
and the overlapping use of color, and these explorations are
reflected in "Strange." In the Spring of 1924 Kandinsky joined
with Klee, Jawlensky, and Feininger to form the "Blaue Vier"
(Blue Four) group. He lived next door to Klee, and their
friendship deepened into a mutual aesthetic influence. From
1925 to 1932 Kandinsky taught at the Bauhaus in Dessau. An
innovative teacher, a responsive colleague, and a prolific artist,
he used the cut-out and spray technique exemplified in the
Israel Museum's hard-edge watercolor as one of his teaching
devices.

His logical search for equilibrium in an arrangement of
geometric forms, especially rectangles and triangles, continued
to characterize and even dominate the major works of Kan-
dinsky's last years in Germany.

Gift of Mr. & Mrs. Daniel Saidenberg, New York, to American
Friends of The Israel Museum, 1980
Reg. No. 895.80

ואסילי קאנדינסקי

מוסקבה 1866 - 1944 נואי ליד פריס

מוזר, 1929

תרסיס צבע-מים ודיות על-גבי נייר רשת מחוספס, 346×348 מ"מ
חתום ומתוארך למטה משמאל: "VK 29"

תולדות הרישום: קרן סולומון ר׳ גוגנהיים
תערוכות: "רכישות חדשות", מוזיאון ישראל, ירושלים, אביב 1981

קאנדינסקי היה אחד ממחוללי האמנות המופשטת ומהתיאו-
רטיקנים שלה. הרישום "מוזר" משקף את חיפושיו, בסוף שנות
העשרים ותחילת השלושים, בתחום הגיאומטריה ועקרונות הסדר
שבה, ומדגים את השימוש שעשה בצבעים חופפים. באמצעות
הצבעים החופפים הוא בודק יחסים ומגיע לאפקטים אופטיים
המזכירים את ציורי הזכוכית המגוונת של אלברס. הצורות
חדות-השוליים המופיעות ב"מוזר", שנוצרו קרוב לוודאי על-ידי
הנחת צורות גזורות, ריסוסן בצבע והסרתן, מתעדות את שיטות
ההוראה של האמן.

בין השנים 1925-1932 לימד קאנדינסקי בבאוהאוס החדש
בדסאו. בשנים אלה היה פורה להפליא, חדשן מבחינה טכנית
וקשוב לעמיתיו בבאוהאוס ולרוח בית-הספר. הסידור הלוגי של
צורות מלבניות ומשולשות המשיך לאפיין את יצירותיו העיקריות
בשנותיו האחרונות בגרמניה ואף לשלוט בהן.

באביב 1924 הצטרף לקלה, פיינינגר ויאבלנסקי ויחד הקימו את
הקבוצה "ארבע כחול" (Blaue Vier). פול קלה ומשפחתו גרו
בשכנות, ולידידות בין שני הציירים היתה השפעה אמנותית הדדית.
מאביב 1928 ועד ראשית שנות השלושים נהג קאנדינסקי
להדגים בשיעורי הקורס ליצירה אמנותית סידורי קומפוזיציה
בעזרת סידרת צורות גיאומטריות גזורות מנייר, כדי להשיג איזון
בין צורות גיאומטריות פשוטות.

מתנת מר דניאל זידנברג ורעייתו, ניו יורק, לידידי מוזיאון ישראל
בארצות הברית, 1980
מספר רשום 895.80

93. Mikhail Larionov

Tiraspol (Bessarabia) 1881-1964 Paris

Portrait of Vladimir Mayakovsky, 1914

India ink on paper; 254 × 207 mm
Signed and dated, lower right: "M.L. 914"
Inscribed, verso (Russian): "M. Larionov, Portrait of V. Mayakovsky, Tusch sketch"

Bibliography: Ruth Apter-Gabriel, "Attribution Reconfirmed: A Drawing by Larionov," *The Israel Museum Journal*, Jerusalem, Spring 1986, Vol. V, pp. 95-98

Identified as the Russian Cubo-Futurist poet Vladimir Mayakovsky (1893-1930) by a Russian inscription on the verso of the sheet, our drawing by Mikhail Larionov is a document of the artist's receptivity to the various facets of the avant garde which characterized his period.

Mikhail Larionov, Natalia Gontcharova, and Ivan Firsov collaborated in the Fall of 1913 on a book of poems by Konstantin Bolshakov called *Le Futur*. Mary Chamot suggests that Larionov's lithographic illustrations for the book reflect Firsov's theory of "Transparency" (Russian Avant Garde Graphics," *Apollo*, Vol. 98, no. 142, December 1973, p. 498). Ruth Apter-Gabriel suggests that the Israel Museum drawing is also influenced by Firsov (bibliography, p. 97). *Portrait of Mayakovsky* is neither typical of Larionov's style, nor is it a detectable likeness of Mayakovsky (Wiktor Woroszylski, *The Life of Mayakovsky*, London, 1972, ill. 22).

However, Larionov had been involved in most of the early publications by Futurist poets, many of whom had first been painters, and during the first half of 1914, he and Gontcharova saw a good deal of Mayakovsky. Larionov organized an exhibition of Futurist, Rayonist, and Primitivist works entitled "Exhibition No. 4" which opened in Moscow in April. In May, he and Gontcharova left for Paris, a show of their work opening there in June. In that same year, the bond between avant garde artists and Futurist poets was at its closest, and the Cubo-Futurist movement was at its height. Although the Israel Museum drawing is close in line quality to the lithographic illustrations for *Le Futur*, it is iconographically and stylistically closer to analytical Cubism.

Bequest of Paul Barchan, Paris, 1951
Reg. No. M 2824-11-51

מיכאיל לאריונוב

טיראספול (בסראביה) 1881 - 1964 פריס

דיוקן ולאדימיר מאיאקובסקי, 1914

דיות על-גבי נייר, 207×254 מ"מ
חתום ומתוארך למטה מימין: "M.L.914"
רשום על גב הגיליון (ברוסית): "מ' לאריונוב, דיוקן ו' מאיאקובסקי, מתווה טוש"

על-פי הכתובת ברוסית על גב הגיליון, זהו דיוקן המשורר הקובו-פוטוריסטי ולאדימיר מאיאקובסקי (1930-1893). הרישום מראה אותו יושב ליד שולחן כשראשו נוטה מעט שמאלה. הוא נראה כבעל עין מסוגננת אחת, שיער גלי ארוך, ידו נחה על השולחן ומחזיקה בסיגריה. גביע יין גדול עם שני קשים נראה על השולחן, קרוב ליושב. הדיוקן אינו דומה למאיאקובסקי (Wiktor Woroszylski, *The life of Mayakovsky,* London, 1972, ill.22), וגם סגנונו אינו אופייני ללאריונוב.

שנת 1914 היתה תקופה של שינוי ללאריונוב. בחודשים הראשונים ארגן תערוכה של יצירות פוטוריסטיות, ראיוניסטיות ופרימיטיביסטיות בשם "תערוכה מס' 4", שנפתחה במוסקבה באפריל. תערוכה מעבודותיו ומעבודות גונצ'ארובה נפתחה בפריס ביוני 1914. בתחילת מאי נסעו שניהם לפריס עם דיאגילב ונשארו שם עד פרוץ מלחמת-העולם הראשונה, כשלאריונוב נאלץ לשוב לרוסיה. הוא גוייס ולחם בחזית הפרוסית המזרחית. לקראת סוף אותה שנה נפצע, אושפז ואחרי כן שוחרר מהצבא.

בשנים 1913 ו-1914 היתה התנועה הקובו-פוטוריסטית ברוסיה בשיאה והקשר בין האמנים האבאנגארדיים והמשוררים הפוטו-ריסטים היה הדוק מתמיד. גם לאריונוב וגם גונצ'ארובה היו מעורבים באיורם של רוב הפירסומים המוקדמים של המשוררים הפוטוריסטיים, שרבים מהם היו קודם ציירים. הם הירבו להתראות עם מאיאקובסקי במחצית הראשונה של 1914, לפני שלאריונוב נסע לפריס.

רות אפטר-גבריאל (ראה ביבליוגרפיה) סבורה שהסגנון יוצא-הדופן קשור להשפעה שהיתה לאיוואן פירסוב על לאריונוב. שני האמנים, יחד עם נטליה גונצ'ארובה, בת-זוגו של לאריונוב, שיתפו פעולה באיור ספר שירים של קונסטאנטין בולשאקוב בשם "Le Futur" שיצא לאור בסתיו 1913 בפטרבורג. מארי צ'אמוט (*Russian Avant-garde Graphics, Apollo,* vol. 98 no.142, Dec., 1973, p.498), סבורה שהדפסי-האבן של לאריונוב לספר הזה מבטאים את התיאוריה של פירסוב על השקיפות. הדפסי-האבן קרובים באיכות הקו לדיוקן שלנו. עם זאת, באיקונוגרפיה שלו ובגישתו האנאליטית קרוב "דיוקן ואלדימיר מאיאקובסקי" לקוביזם.

עיזבון פול בארשאן, פריס, 1951
מספר רשום M 2824-11-51

m . L . 914

94. Jacques Lipchitz

Druskieniki, Lithuania 1891-1973 Capri

Study for Sculpture, 1917

Black chalk, charcoal, graphite and wet brush on paper, 495 × 305 mm
Signed, upper right: "J. Lipchitz"
Inscribed, verso: "Étude pour une sculpture 1917 NY 10975"

BIBLIOGRAPHY: *Israel Museum News*, Jerusalem, 1970, no. 8 (Vol. 4, no. 2), pl. 10, p. 39
EXHIBITIONS: San Francisco Museum of Art, 1950; The New Gallery, New York; *Jacques Lipchitz*, Bucholz Gallery, New York, May, 1951

Jacques Lipchitz made the single most significant contribution to Cubism of any sculptor. His accomplishment involved translating what began as a two dimensional, painterly language into the syntax of stone and bronze using a vocabulary drawn from Cézanne, Picasso and Gris, as well as from primitive sculpture.

The artist's drawings are always related to sculpture, either as studies or as documentation. Our sheet belongs to Cubism's "Synthetic" phase, a period when orthodox flatness was abandoned in favor of several simultaneous views of the same subject. It seems related to *Seated Bather*, a sculpture of 1917 which exists in both stone and bronze (Alan Tishman Collection, New York, *Jacques Lipchitz, Sculptures and Drawings*, The Tel Aviv Museum, Tel Aviv, 1971, cat. no. 14). Sections and planes are defined by differing media and varying degrees of darkness, sculptural values emerging from deep black for the hidden surfaces, to brightest white for the highest physical points.

This is one of nine Lipchitz drawings in the Israel Museum collection which also includes a large group of sculptural sketches donated in 1970 by the artist's brother, Reuben Lipchitz.

Gift of Joseph H. Hazen, New York to America-Israel Cultural Foundation, 1971
Reg. No. 201.71

ז'אק ליפשיץ

דרוסקיניקי, ליטא 1891 - 1973 קאפרי

מתווה לפסל, 1917

גיר שחור, פחם, עיפרון ומכחול לח על-גבי נייר, 305×495 מ"מ
חתום למעלה מימין: "J. Lipchitz"
רשום על גב הגיליון: "Etude pour une sculpture 1917 NY 10975"

"פסלו הקוביסטי האמיתי הראשון של ליפשיץ נושא את התאריך 1913, אולם שלושים ושתיים שנה לאחר מכן עדיין הכריז על עצמו כקוביסט" (A. Werner Intr., *Lipchitz-The Cubist Period*, Marlborough-Gerson Gallery Inc., March-April, 1968). אכן, הישגו הבולט ביותר של ליפשיץ בתולדות האמנות המודרנית הוא תרומתו להתפתחות הפיסול הקוביסטי. אף-כי הקוביזם היה בעיקרו שפה ציורית דו-ממדית, הצליח האמן להשתמש בתחביר שלה באבן ובברונזה, כשהוא שואב את אוצר הצורות שלו מסזאן יותר מאשר מן האמנות הפרימיטיבית. רישומיו של ליפשיץ קשורים תמיד לפסליו, אם כהכנה לפסל ואם בעקבותיו.

"מתווה לפסל" מראה את ליפשיץ פוסע בנתיב הקוביסטי, בעיקר זה של פיקאסו וגרי. הרישום שייך לשלב הסינתטי של הקוביזם שבו נזנחה השטיחות השמרנית, ויש ניסיון להציג בבת אחת כמה נקודות מבט על הנושא באמצעות שימוש בגוונים ובחומרים שונים, שכל אחד מהם מצביע על מישור שונה. דומה שהרישום קשור לפסל "מתרחצת יושבת", שנעשה באותה שנה הן באבן והן בברונזה (אוסף אלאן טישמן, ניו יורק; "ז'אק ליפשיץ, פסלים ורישומים", מוזיאון תל אביב, תל אביב, 1971, קטלוג מס' 14). ליפשיץ מעצב את המישורים הפיסוליים השונים על-ידי שימוש בשחור לחלקים הלא מוארים, הסמויים והעמוקים, ובלבן לחלקים הבהירים המוגבהים.

רישום זה הוא אחד מתשעה רישומים של ליפשיץ באוסף מוזיאון ישראל הכולל גם קבוצה גדולה של מתווי ברונזה לפסלים שתרם ב-1970 ראובן ליפשיץ, אחיו של האמן.

מתנת ג'וזף ה' הייזן, ניו יורק, לקרן התרבות אמריקה-ישראל, 1971
מספר רשום 201.71

SPANISH SCHOOL
אסכולה ספרדית

95. Francisco Goya y Lucientes

Fuendetodos (Aragón) 1746-1828 Bordeaux

Expression of Double Strength (Lovers), 1819

Lithographic ink wash on paper, 91 × 175 mm

BIBLIOGRAPHY: A. de Beruete Moret, *Goya grabador*, Madrid, 1918, no. 272; Julius Hofmann, *Francisco de Goya, Katalog seines graphischen Werkes*, Vienna, 1907, no. 268; Tomás Harris, *Goya, Engravings and Lithographs*, Oxford, 1964, Vol. I, p. 216, Vol. II, no. 274; Eleanor A. Sayre, *The Changing Image*, Museum of Fine Arts, Boston, 1974, no. 251

EXHIBITIONS: *Eroticism in Art*, The Israel Museum, Jerusalem, Summer 1981

In 1819, Goya made his first attempts to employ the new technique of lithography. These were done in Madrid using lithographic ink on ordinary drawing paper. Invented only twenty-three years before and newly imported into Spain, lithography presented the exciting possibility of multiple images from a drawing done with greasy ink on a specially receptive stone. Transfer lithography added another step to the technical process, but allowed the artist the freedom and comfort of drawing directly on paper rather than on the cumbersome lithographic stone. These drawings were then transferred to stone and printed. No edition was pulled of our profound and moving little image, but two proof impressions of the print derived from the drawing are recorded (Biblioteca Nacional, Gabinete de Estampas, Madrid; New York Public Library). The later lithographs, done in Bordeaux after the artist settled there in 1824, are crayon lithographs worked directly on the stone.

The Outrage (Harris no. 275), a lithograph known to us in an impression at the Staatliches Kupferstich Kabinett, Berlin, is related in subject matter to the superb sheet at the Israel Museum. In both, Goya has depicted a physical struggle between a man and a woman by contrasts of dark and light, each interwoven form outlining the other.

The woman is shown from behind, and in her struggle we sense an increasing desperation achieved through gesture; in the face of the man (a soldier?) is mirrored this powerful physical tension expressed also in the curve of his body and the proximity of shoulder to knee.

Anonymous loan, 1980
Reg. No. L 80.15

פרנסיסקו גויה אי לוּסִיֶנְטֶס

פוּאֶנְדֶטוֹדוֹס, אראגון 1746 - 1828 בורדו

ביטוי לכוח כפול (נאהבים), 1819

מגוון דיו ליתוגראפית על־גבי נייר, 175×91 מ"מ

תערוכות: "ארוטיקה באמנות", מוזיאון ישראל, ירושלים, קיץ 1981

ניסיונותיו הראשונים של גויה בטכניקת הדפס-האבן שהומצאה עשרים ושלוש שנים קודם לכן ויובאה לספרד זה מקרוב, נעשו במדריד ב־1819. תחילה השתמש בדיו ליתוגראפית על נייר רישום רגיל, ולאחר מכן הועברו הרישומים אל האבנים והודפסו.

הרישום הוא אחד משניים שידוע עליהם כי נעשו בשביל הדפסי-אבן. מרישום זה לא הודפסה מהדורה, וידוע לנו רק על שתי הדפסות (הספרייה הלאומית, אוסף ההדפסים, מדריד; הספרייה הציבורית, ניו יורק). הדפסי-האבן המאוחרים של גויה שנעשו בבורדו, שם השתקע ב־1824, צויירו בגיר שמנוני ישירות על האבן. הדפס-אבן באוסף ההדפסים הממלכתי בברלין הנושא את השם "החֶרפה", (Harris, מס' 275) קשור בנושאוֹ לרישום זה. בשניהם מציג גויה מאבק גופני בין גבר לאשה ביחסים של בהיר וכהה, ובשניהם משתלבות הצורות זו בזו ומתוות זו את זו. תחושת המאבק של האשה הנראית מאחור נמסרת באמצעות תנועות גופניות נואשות. אצל הגבר (חייל?) מביעים הפנים הד למתיחות הגופנית החזקה המודגשת באמצעות פיתול גופו וקרבת הכתף לברך.

השאלה בעילום שם, 1980
מספר רשום L. 80.15

96. Joan Miro

Barcelona 1893-1983 Palma de Mallorca

Woman and Birds, ca. 1940

India ink, gouache, and oil wash on paper, 279 × 305 mm
Signed, lower right: "Miro"

PROVENANCE: The artist; Mr. & Mrs. Jan Mitchell
BIBLIOGRAPHY: *Past and Present, The Jan Mitchell Gift to the Israel Museum,* Jerusalem, 1974, cat. no. 22, ill.
EXHIBITIONS: *Joan Miro*, Arts Council of Great Britain, London and Zurich, 1964; *Recent Gifts and Gifts Promised*, the Israel Museum, Jerusalem, June-October, 1970; *Past and Present, The Jan Mitchell Gift to the Israel Museum*, The Israel Museum, Jerusalem, Summer 1974; *Cosmic Images in the Art of the Twentieth Century*, Tel Aviv Museum, Tel Aviv, February-April, 1984

Woman and Birds is related in both format and technique to the 1940-41 series of 23 gouaches and oil sketches known as *Constellations*, although it may not actually belong to the series. *Constellations* had a very important influence on American painting after World War II, paving the way for Abstract Expressionism; its characteristics include small motifs scattered in an "all-over" manner on the surface, articulating a sign-language which combines surrealist and primordial elements.

For Miro a form is never something abstract; it is always the sign of something. It is always a man, a bird, or something else. In an interview with James Sweeney he said: "Forms take on reality for me as I work. . . I begin painting and as I paint the picture begins to assert itself, or suggest itself under my brush. The form becomes a sign for a woman or a bird." (Sidra Stich, *Joan Miro: The Development of a Sign Language*, Washington University Gallery of Art, 1980, p. 20).

In our drawing the head of the woman is clearly visible close to the center of the sheet, connected to a bird at upper right by a long, wavy line. Another creature (a bird? a crocodile?) is at the upper left.

Other elements typical of the *Constellations* are the star, the ladder (leading up to the sky and eternity), tiny accents, and hourglass forms; there is a regularity of spacing with no large voids, no dominant clusters and very little overlapping. Miro said that the original idea for the series derived from reflections in water, and that he referred to the floating elements as "musical space-fillers. . . ."

The abstract spirit of the series was directly related to "the private non-particularized language of music" and the notation of musical scores.

Gift of Mr. & Mrs. Jan Mitchell, New York, to American Friends of The Israel Museum, 1970
Reg. No. 195.70

ז'ואן מירו

ברצלונה 1893 - 1983 פאלמה דה מאיורקה

אשה וציפורים, 1940 בקירוב

דיות, גואש ומגוון שמן על-גבי נייר, 279×305 מ"מ
חתום למטה מימין: "Miro"

תולדות הרישום: האמן; מר יאן מיטשל ורעייתו
ביבליוגרפיה: "עבר והווה - מתנת יאן מיטשל למוזיאון ישראל", ירושלים, 1974, קטלוג מס' 22
תערוכות: "אוספים: חדש וצפוי", מוזיאון ישראל, ירושלים, יוני-אוקטובר 1970; "עבר והווה - מתנת יאן מיטשל למוזיאון ישראל", מוזיאון ישראל, ירושלים, קיץ 1974; "דימויים קוסמיים באמנות המאה ה-20", מוזיאון תל אביב, תל אביב, פברואר-אפריל 1984

"אשה וציפורים", אף-על-פי שאינה שייכת לסידרת עשרים ושלושה הגואשים ורישומי השמן של מירו מהשנים 1941-1940 המכונה "קונסטלציות", בוודאי קרובה לה מבחינת הפורמאט והטכניקה. הסידרה, שהשפיעה מאד על הציור האמריקאי, מדגימה את שפת הסימנים של האמן, וקושרת יחד את תוויו הסוריאליסטיים עם נטיותיו הבסיסיות. המוטיבים הקטנים, המפוזרים כאילו היו רקומים על-פני כל המשטח בכל עשרים ושלושה הרישומים, סללו את הדרך לשלב האכספרסיוניסטי המופשט באמנות האמריקאית שלאחר מלחמת-העולם השנייה.

בעיני מירו, "צורה לעולם אינה משהו מופשט; היא תמיד סימן של משהו. היא תמיד אדם, ציפור, או משהו אחר"; וכפי שסיפר בראיון לג' ג' סוויני: "צורות מקבלות ממשות בעיני תוך כדי עבודה... אני מתחיל לצייר, ובעודי מצייר, התמונה מתחילה להכריז על עצמה, לרמוז על עצמה מתחת למכחולי. הצורה הופכת לסמל של אשה או ציפור". (ציטטה מ-Sidra Stich, *Joan Mirò: The Development of a Sign Language,* Washington University Gallery of Art, 1980, p.20).

ברישום זה נראה ראש האשה בבירור סמוך למרכז הגיליון; הוא קשור בקו ארוך ומסולסל לציפור הנראית למעלה מימין. יצור אחר (ציפור? תנין?) נראה למעלה משמאל. יסודות נוספים אופייניים לסידרת "הקונסטלציות" בכללותה: הכוכב, הסולם - המוביל לשמיים ולנצח - צורת "שעון החול", ההדגשים הזעירים. המרווח סדיר - אין חללים ריקים גדולים, לא הקבצות בולטות ומעט מאד חפיפה. מירו טען ששאב את הרעיון המקורי לסידרה מהשתקפויות במים והתייחס ליסודות הצפים כאל "ממלאי חלל מוזיקאליים". הרוח המופשטת של הסידרה, ציין, היתה קשורה ישירות לאופן שבו חווה את "שפת המוזיקה הפרטית הבלתי-מפורטת" ואת התווים שבפרטיטורה.

מתנת מר יאן מיטשל ורעייתו, ניו יורק, לידידי מוזיאון ישראל בארצות הברית, 1970
מספר רשום 195.70

Mirò

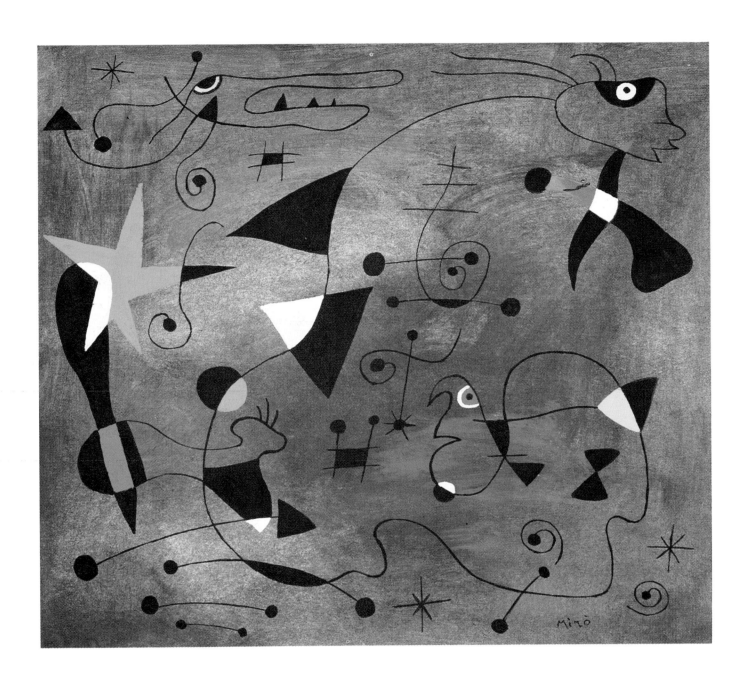

97. Pablo Picasso

Malaga 1881-1973 Mougins

Woman with Hat Seated in an Armchair, 1915

Graphite, India ink and watercolor on wove paper,
226 × 175 mm
Signed and dated, upper left: "Picasso 1915"

PROVENANCE: Siegfried Rosengart, Lucerne; Mr. & Mrs. Daniel Saidenberg, New York
BIBLIOGRAPHY: Christian Zervos, *Pablo Picasso*, Paris, 1975, Vol. 29, no. 136
EXHIBITIONS: *Cubism and Geometrical Abstraction*, The Israel Museum, Jerusalem, June 1980–January 1981

Picasso's creative output in 1915 was unusually small due to the serious illness of his companion, Eva, who died on December 14th of that year. Beginning in 1914 one finds him adding naturalistic details to Cubist works as well as employing a decorative Pointillist technique to fill selected forms. By 1915 the artist produces naturalistic portraiture as well as works in the manner of Synthetic Cubism in a parallel development.

Our decorative, non-illusionistic drawing incorporates sparkling, Pointillist passages which suggest texture and leave no doubt as to its date. However its colorful presentation clearly derives from the papiers collés of the fall and early winter of 1912. The woman's shoulders have been translated into step-like planes and the folds of her skirt into symmetrical parallel lines. This essentially formal decorative approach is further heightened by a necklace appearing somewhat out of place around the pipe-like neck bearing the woman's small, geometricized head.

Woman with Hat Seated in an Armchair and other such beguiling works of the Synthetic Cubist period are also linked with the artist's so-called *objets* or constructions, artifacts concocted for their own sake though they often suggest recognizable things. Picasso was to continue his investigation of Synthetic Cubism for the next decade, his drawings often on the leading edge of exploration of other avenues.

Gift of Mr. & Mrs. Daniel Saidenberg, New York, to American Friends of The Israel Museum, 1976
Reg. No. 53.76

פאבלו פיקאסו

מלגה 1881 - 1973 מוז׳אן

אשה עם כובע יושבת בכורסה, 1915

עיפרון, דיות וצבע-מים על-גבי נייר רשת, 175×226 מ"מ
חתום ומתוארך למעלה משמאל: "Picasso 1915"

תולדות הרישום: זיגפריד רוזנגארט, לוצרן; דניאל זידנברג ורעייתו, ניו יורק
תערוכות: "מגמות בהפשטה גיאומטרית שלאחר הקוביזם", מוזיאון ישראל, ירושלים, יוני 1980 - ינואר 1981

ההספק היצירתי של פיקאסו בשנת 1915 היה קטן שלא כרגיל בגלל מחלתה החמורה של בת-זוגו, אווה. ב-1914 החל להוסיף פרטים נאטוראליסטיים ליצירותיו הקוביסטיות ולהשתמש בטכניקה הפוינטליסטית למילוי צורות נבחרות.

ב-1915 אנו מוצאים אותו מצייר דיוקנאות נאטוראליסטיים במקביל לפיתוח הצורות הדקורטיביות השטוחות, הצבעוניות והלא-אשליתיות של הקוביזם הסינתטי כפי שהן נראות ב"אשה עם כובע יושבת בכורסה". רישום זה קשור בבירור לתדביקים (papiers collés) שעשה האמן בסתיו ובתחילת חורף 1912. כתפיה של האשה הפכו למשטחים דמויי-מדרגה, וקפלי החצאית לקווים סימטריים מקבילים. גישתו הקישוטית הצורנית בעיקרה של האמן בולטת עוד יותר בענק הקונצפטואלי המפתיע והלא-שייך כביכול שעל הצוואר הצינורי הנושא את פניה הגיאומטריים הקטנים של האשה.

פיקאסו עתיד היה לחקור את הקוביזם הסינתטי במשך העשור הבא, אבל רישומיו מראים שעבד בעת ובעונה אחת בסגנון המזכיר את אנגר וסזאן.

מתנת מר דניאל זידנברג ורעייתו, ניו יורק, לידידי מוזיאון ישראל בארצות הברית, 1976
מספר רשום 53.76

Picasso
1915

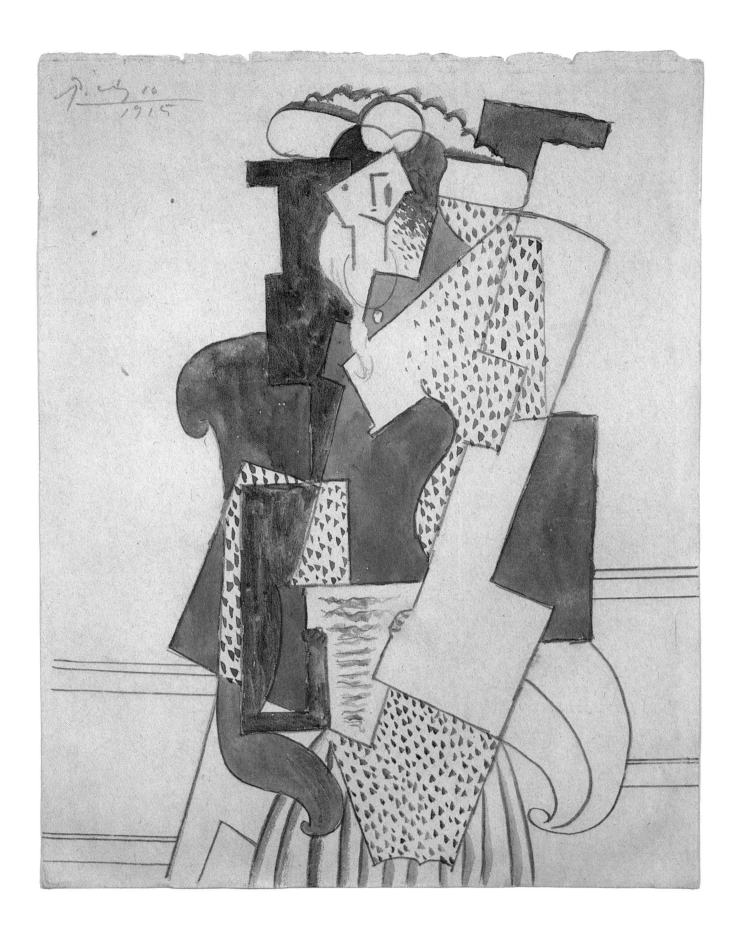

98. Pablo Picasso

Malaga 1881-1973 Mougins

On the Beach, 1933

Pen and India ink on paper, 401 × 506 mm
Signed, dated and inscribed, lower right: "Picasso Cannes 26 Juillet XXXIII"

PROVENANCE: Curt Valentin, New York
BIBLIOGRAPHY: *Past and Present, The Jan Mitchell Gift to the Israel Museum*, Jerusalem, 1974, ill. cat. no. 30
EXHIBITIONS: *Past and Present, The Jan Mitchell Gift to the Israel Museum*, The Israel Museum, Jerusalem, Summer, 1974

Although Picasso never considered himself a Surrealist he participated in most Surrealist exhibitions and supported the group's activities. Indeed, some of his graphic work from 1927 to 1936 includes the term "surrealist" in the title, but the drawings Picasso produced in two months of the summer of 1933 in Cannes are the only drawings he admitted to be directly Surrealist.

The theme of our drawing, bathers on a beach, recurs throughout the artist's career, undergoing changes of style from Classicism to Cubism and Naturalism. We observe in our work the vocabulary of Paul Eluard and Andre Breton, key Surrealist poets and friends of the artist. Center stage on the beach is a male figure assembled from parts, one female assemblage to the right, and the ruins of a classical arch to the left. As Picasso's art almost always sustains autobiographical interpretation, one might well infer that the arch represents a marriage in ruins; the woman's breasts are balloons floating away, her hands are forks, her head a vase of flowers. The image of marital discord is extended by the male figure, whose torso turns toward the female even as one of his feet runs away!

In other drawings some of the same symbolic assemblages which appear in the Israel Museum drawing are constructed out of household tools (*Two Figures on the Beach*, dated July 28, 1933 [Museum of Modern Art, New York], and *Torso*, dated July 27, 1933 [Galerie Louise Leiris, Paris], cited in William S. Rubin, *Dada and Surrealist Art, London*, 1969, fig. 303 and p. 279).

Gift of Mr. & Mrs. Jan Mitchell, New York, to America-Israel Cultural Foundation, 1967
Reg. No. 219.67

פאבלו פיקאסו

מלגה 1881 - 1973 מוז׳אן

על החוף, 1933

דיות על-גבי נייר, 506×401 מ״מ
חתום, מתוארך ורשום למטה מימין: "Picasso Cannes 26 juillet XXXIII"

תולדות הרישום: קורט ואלנטין, ניו יורק
ביבליוגרפיה: "עבר והווה - מתנת יאן מיטשל למוזיאון ישראל", ירושלים, 1974, קטלוג מס׳ 30
תערוכות: "עבר והווה - מתנת יאן מיטשל למוזיאון ישראל", מוזיאון ישראל, ירושלים, קיץ 1974

למרות שמעולם לא ראה את עצמו כסוריאליסט, השתתף פיקאסו ברוב התערוכות הסוריאליסטיות ונתן את תמיכתו לרבות מפעילויות הקבוצה. כמה מעבודותיו, בעיקר בשנים 1936-1927 בשטח האמנות הגרפית, כוללות את התואר "סוריאליסטי" בִּשְׁמַן.

בקיץ 1933 בילה פיקאסו חודשיים בקאן עם אשתו אולגה ובנו פאולו. הרישומים שרשם שם הם היחידים שהאמן עצמו הגדירם כסוריאליסטיים בפירוש.

נושא המתרחצות על החוף חוזר ומופיע לאורך כל דרכו האמנותית של פיקאסו, כשהוא עובר שינויי סגנון וגישה, מקלאסיציזם לקוביזם ולנאטוראליזם. כאן הוא עושה שימוש באוצר-הצורות הסוריאליסטי שאליו התוודע באמצעות פול אלואר ואנדרה ברטון.

על החוף, במרכז הרישום, מופיעה קבוצת אובייקטים המסמלת גבריות, מימין - קבוצה זהה המסמלת נשיות, ומשמאל - חורבות אדריכליות. פרשנות ביוגרפית, שאמנותו של פיקאסו נענית לה כמעט תמיד, עשויה לרמוז שהיסודות השונים שברישום משקפים מצב עניינים מסויים בחייו של האמן: החורבות האדריכליות מייצגות אולי את נישואיו. שדי האשה המצויירים כבלונים וכפות ידיה הנראות כמזלגות - מסמלים כולם חוסר הרמוניה בחיי הנישואים. רגליה נטועות באדמה וראשה הוא אגרטל פרחים. פלג הגוף העליון של הגבר פונה אל האשה, אך רגלו חומקת ממנה.

הרישום באוסף המוזיאון לאמנות מודרנית בניו יורק, המכונה "שתי דמויות על החוף" והנושא את התאריך 28 ביולי 1933, ו"טורסו" בגלריה לואיז ליריס בפריס מְה-27 ביולי, מכילים כמה מאותם מרכיבים המופיעים ברישום שבמוזיאון ישראל ומובילים את היסודות הביוגרפיים צעד אחד הלאה באמצעות בניית הדמויות מכלי-בית (William S. Rubin, *Dada and Surrealist Art*, London, 1969, fig. 303 and p.279).

מתנת מר יאן מיטשל ורעייתו, ניו יורק, לקרן התרבות אמריקה-ישראל, 1967
מספר רשום 219.67

SWISS SCHOOL
אסכולה שווייצית

99. Alberto Giacometti

Stampa (Grisons), Switzerland 1901-1966 Chur, Switzerland

Recto: Plate of Apples, ca. 1958

Graphite on paper, 502 × 354 mm
Signed and inscribed, lower right: "Alberto Giacometti vers 1958"

Verso: Study after an Egyptian Fresco

Graphite on paper
Inscribed, lower right: "6313"

PROVENANCE: Unknown
EXHIBITIONS: *Alberto Giacometti: Works from the Milton Ratner Family Collection*, The Israel Museum, Jerusalem, Summer, 1975

Alberto Giacometti's drawings, their multiple outlines and framing rectangles often drawn within the sheet, are the result of a struggle to perceive and to capture perception on paper. The many copies Giacometti made of other works of art also served as instruments for the refinement and recording of perception.

Space, for Giacometti, was not emptiness: his concern with the palpability of the space around and within objects is evident in the still-life recto of our drawing. By erasing small areas within the forms he brought light and air into the drawing. Moreover, the use of drawn frames or partial frames, as in the recto and verso of our sheet, as well as the placement of his signature a considerable distance from the drawing itself assure the viewer an experience of the total sheet as space.

The Egyptian fresco sketched on the verso of our drawing (not illustrated) is from the 18th Dynasty (1570-1320 BCE) tomb of Jeserkareseneb (A. Mentor, Egyptian Wall Painting From Tombs and Temples, Unesco, 1962, pl. 14). The choice of subject fits Giacometti's interest in problems of perception: the larger figure of the seated lady is adorned with jewelry by a smaller standing maidservant, yet they reach nearly the same height in the drawing. For the ancient Egyptians a difference in depiction of size implied hierarchy; Giacometti, however, maintained that for many years he drew things smaller than he thought he saw them.

Gift through the Israeli Embassy, Paris, 1975
Reg. No. 9.75

אלברטו ג׳אקומטי

סטאמפה, שוויצריה 1901 - 1966 חור, שוויצריה

צלחת תפוחים, 1958 בקירוב

עיפרון על-גבי נייר, 354×502 מ"מ
חתום ורשום למטה מימין: "Alberto Giacometti vers 1958"
על גב הגיליון: מתווה בעקבות ציור קיר מצרי
עיפרון
רשום למטה מימין: "6313"

תולדות הרישום: בלתי ידועות
תערוכות: "אלברטו ג׳אקומטי, יצירות מאוסף משפחת מילטון ראטנר", מוזיאון ישראל, ירושלים, קיץ 1975

רישומיו של אלברטו ג׳אקומטי, על קווי-המיתאר המרובים שלהם והמלבנים התוחמים הרשומים לעתים קרובות בתוך הגיליון, הם תוצאה של מאבקו על תפיסת הנראה והמחשתו על-גבי הנייר. ההעתקים הרבים שהכין מיצירות אמנות שונות שימשו גם הם ככלים לראיית התופעות החזותיות ולרישומן.

גב הרישום שבמוזיאון ישראל מראה העתק של ציור קיר מצרי מקבר Jeserkareseneb מתקופות השושלת ה-י"ח (1320-1570 לפנה"ס) (A. Mentor, *Egyptian Wall Painting from Tombs and Temples,* Unesco, 1962, pl.14). התעסקותו של ג׳אקומטי במהות הרְאִיָה מוכחת בבחירת הנושא, דמות יושבת ודמות עומדת - שפחה מפארת את גבירתה בעדיים בעת משתה - שתיהן באותו גובה. אצל המצרים, ההבדל בגודל ייצג היירארכיה, אבל בשביל ג׳אקומטי, שבמשך שנים רבות רשם, לדבריו, את הדברים קטנים מכפי שחשב שראה אותם, הציבו שתי הנשים בעיה של תפיסה.

בעיני ג׳אקומטי, החלל לעולם אינו ריקנות. העניין שלו במוחשיותו של החלל סביב האובייקטים ובתוכם ניכר בעליל בטבע הדומם שבפני הרישום. כדי להכניס אור ואוויר לתוך הרישום ולאפשר לאובייקטים לנשום, הוא מוחק שטחים קטנים בתוך הצורה.

באותו אופן, השימוש במסגרת על-גבי הרישום ובמידת מה על פניו, ומיקום החתימה במרחק ניכר מהטבע הדומם הרשום, נועדו להבטיח שהצופה יחווה את כל הגיליון כולו כחלל.

מתנה באמצעות שגרירות ישראל, פריס, 1975
מספר רשום 9.75

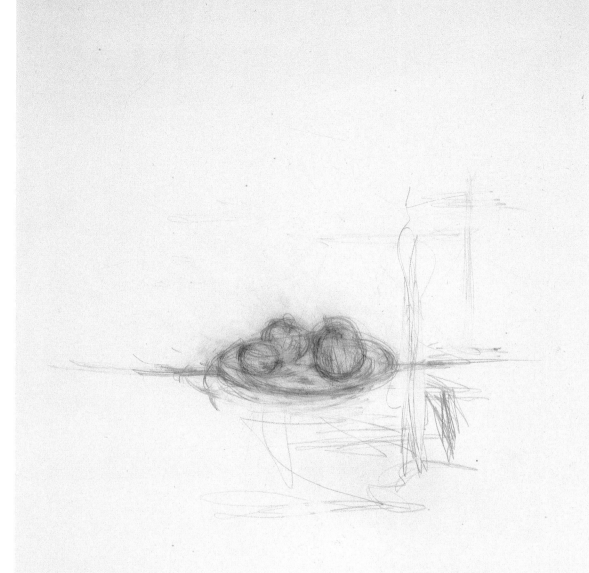

Alberto Giacometti vers 1958

100. Paul Klee

Münchenbuchsee (near Bern) 1879-1940 Muralto-Locarno

End of a Fairy Tale (Märchen aus), 1932

Pen and ink on Ingres paper laid down on cardboard, 337×486 mm
Signed, lower right: "Klee"
Inscribed on cardboard (right): "Mærchen aus!"; (left): "1932 M 18(78)"

PROVENANCE: Curt Valentin Gallery, New York
BIBLIOGRAPHY: *Oeuvre Catalogue*, no. 1932 M 1878; *Past and Present, The Jan Mitchell Gift to the Israel Museum*, Jerusalem, 1974, cat. ill. p. 43
EXHIBITIONS: *Past and Present, The Jan Mitchell Gift to the Israel Museum*, The Israel Museum, Jerusalem, Summer 1974

Paul Klee considered his drawings the most personal part of his work, and he rarely parted with them. Although he often did drawings in pen or pencil to prepare for paintings, he would also do drawings based on paintings to pursue an idea a little further, or to stress something essential. He continually varied his media and technique, and their precise appropriateness was of great importance to him. Although somewhat abstract, the drawings are always narrative, and must be read, and interpreted. Their pensive titles, full of humor and occasional bitter sarcasm, are the finishing touch of one of the most brilliant artists of the 20th century who was also a skilled musician and poet.

In 1931, after teaching at the Bauhaus for ten years, Klee moved to Düsseldorf as Professor of Art at the Academy. He enjoyed the novel excitement of this large city and the stimulation of his academic environment, but all too soon came the first signs of an approaching political upheaval. In 1932 the local Nazi government of Dessau forced the Bauhaus to close, and its move to Berlin for a last brief flourishing must have had the most disturbing effect on Klee.

End of a Fairy Tale is no doubt one of the artist's veiled attacks against the Nazis. The years of the Weimar Republic, a short period of political freedom in Germany—the "fairy-tale" —had ended; a grim era had made its sinister appearance. Even so, perhaps in our drawing Klee sustained the hope of escaping demonic capture in the portrayal of the odd couple standing on the beast's tail—they remain in the background, out of range, and even slightly amused.

Many of Klee's drawings from the early thirties are executed with a characteristic fluid line which still retains a vestige of light satire, but after 1933, during the years following his flight from Germany to Switzerland, his humor became biting and his line changed.

The eleven drawings by Paul Klee in the Israel Museum collection range from 1915 to 1938, including early, playful pencil sketches and late, heavy brush and ink drawings. They represent just a few of the countless aspects of this unique and intensely personal draftsman.

Gift of Mr. and Mrs. Jan Mitchell, New York to American Friends of The Israel Museum, 1967
Reg. No. 214.67

פול קלה

מינכנבוכזה (על-יד ברן) 1879 - 1940 מוראלטו-לוקארנו

סופה של אגדה (Märchen aus), 1932

עט ודיו על-גבי נייר אנגר איטלקי מודבק על קרטון, 337×486 מ"מ
חתום למטה מימין: "Klee"
רשום על הקרטון מימין: "Maerchen aus"; משמאל: "1932 M 18(78)"

תולדות הרישום: גלריית קורט ואלנטיין, ניו יורק
ביבליוגרפיה: "עבר והווה - מתנת יאן מיטשל למוזיאון ישראל", ירושלים, 1974, קטלוג מס' 43
תערוכות: "עבר והווה - מתנת יאן מיטשל למוזיאון ישראל", מוזיאון ישראל, ירושלים, קיץ 1974

קלה ראה ברישומיו את החלק האישי ביותר ביצירתו, ורק לעתים רחוקות הסכים להיפרד מהם. הוא נהג לבדוק את רעיונותיו על-ידי העלתם על הנייר בעט או בעיפרון לפני שנתן להם צורה סופית בציור. פעמים אחרות באו הרישומים בעקבות הציורים, נוטלים רעיון ומדגישים את הדברים המהותיים שבו. רישומיו של קלה כמעט תמיד מספרים סיפור; גם כשהם מופשטים למחצה יש לקרוא אותם ולפרשם. שמותיהם - מהורהרים, מלאי הומור ולעתים עוקצנות מרירה - הם המגע האחרון של האמן ביצירותיו, ומעידים כי מלבד היותו צייר ומוזיקאי מוכשר, היה גם משורר.

קלה השתמש במגוון טכניקות ואמצעי הבעה. לבחירת הטכניקה ולהתאמתה אל המטרה היתה בעיניו משמעות גדולה.

לאחר שלימד במשך עשר שנים בבאוהאוס, עקר קלה ב-1931 לדיסלדורף, שם נתמנה לפרופסור באקדמיה לאמנות. זמן קצר נהנה מהאווירה החדשה והמפרה של העיר הגדולה והסביבה האקדמית, אך עד מהרה החל לחוש בסימנים המוקדמים של ההתפרצויות הפוליטיות המתקרבות. סגירתו הכפויה של הבאוהאוס ב-1932 בידי הממשלה הנאצית המקומית בדסאו והעברתו לברלין לתקופה קצרה וסופית בוודאי גרמו לו מועקה.

"סופה של אגדה" היא כנראה אחת מהתקפותיו החשאיות של קלה על התנועה הנאצית. שנותיה של רפובליקת ויימאר, שהביאה לגרמניה תקופה קצרה של חופש פוליטי, קרבו לקיצן. האגדה נגמרה, ועידן חדש ומחריד החל להראות את אותותיו. דומה כי בשלב זה עדיין טיפח תקווה שאפשר להישאר ברקע ולשתוק. בעוד הרוח הרעה רודפת אחרי כל מי שנמצא בתחומה, נראה הזוג המוזר שמאחוריה בטוח למדי ואף משועשע במקצת.

הרישום נעשה בקו הזורם האופייני לרבים מרישומיו מראשית שנות השלושים. עדיין יש בו זכר לתחושת הליצנות של קלה. בשנים שאחרי בריחתו מגרמניה לשוויצריה ב-1933 נעשה ההומור שלו יותר ויותר מר.

אחד-עשר רישומי קלה שבאוסף מוזיאון ישראל מקיפים חלק נכבד משנות היצירה של קלה, מ-1915 ועד 1938. הם מייצגים כמה מההבטים הרבים באמנות הרישום המיוחדת והאישית כל כך של האמן, החל ברישומי העט והעיפרון ההומוריסטיים והשובבים של התקופה המוקדמת, וכלה בשתי דוגמאות של רישומים במכחול כבד משנותיו האחרונות.

מתנת מר יאן מיטשל ורעייתו, ניו יורק, לידידי מוזיאון ישראל בארצות הברית, 1967
מספר רשום 214.67

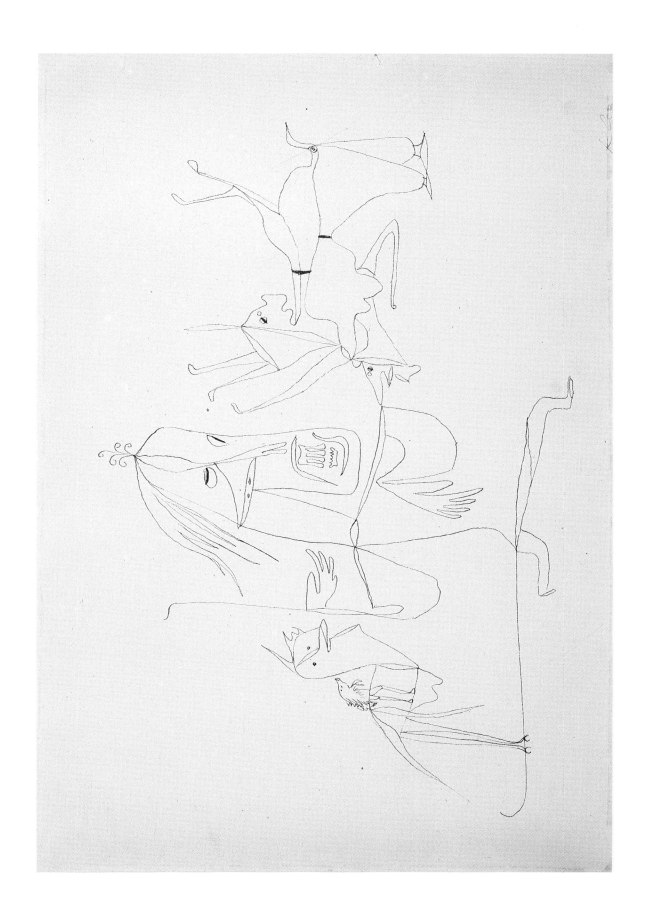

קטלוג
מוקדש לאלישבע כהן

Abbreviations of the artist's nationality follow all names: American (Am), Austrian (Aus), Dutch (Dt), English (Eng), French (Fr), German (Ger), Israeli (Is), Italian (It), Polish (Po), Russian (Rus), Spanish (Sp), Swiss (Sw). Entry numbers are indicated in **bold face** type followed by page numbers in roman.

שהמוזיאון כמעט שלא היה מסוגל לרכוש יצירות אמנות בינלאומיות במשאביו שלו, נמצאו לו על-פי-רוב המשאבים לרכישת אמנות ישראלית. מטרת המחלקה היתה והינה לקבץ אוסף ייצוגי ככל האפשר של אמנות גרפית שנוצרה בישראל. בהתאם למדיניות זו, רובם הגדול של האמנים הישראלים שיצרו באחד משטחי הגרפיקה מיוצגים לפחות בדוגמאות אחדות של עבודתם. אותם אמנים שלדעת האוצרים תרמו תרומה חשובה להתפתחות האמנויות הגרפיות בארץ, מיוצגים לעומק, כלומר, נעשה מאמץ לכסות את כל הזוויות בפעילותם ולספק את כל התיעוד לעבודת חייהם. כאשר ב-1975 הקימו מר נוויל ברסטון ורעייתו מלונדון סדנת הדפס בירושלים תחת חסותו של מוזיאון ישראל, קיבלה אמנות ההדפס תמריץ גדול בקרב אמני ישראל. מרכז ברסטון לגרפיקה נעשה מקום פופולארי המספק עצה מקצועית ועזרה טכנית לאמנים ישראלים ולאמנים אורחים. עותק אחד מכל מהדורה במרכז מועבר לאוסף המוזיאון, וכך נעשה "ברסטון" מקור לרכישות חדשות רבות. מובן שכל עבודות האמנות הישראליות נרכשות באופן מקומי ישירות מהאמן או באמצעות גלריות. מן הראוי לציין מקרה יוצא-דופן אחד, כאשר עלה בידיו של המוזיאון לרכוש רישום מאת האמן הישראלי מרסל ינקו, בעבר חבר בקבוצת דאדא בציריך, במכירה פומבית בשוויצריה. הדיוקן משנת 1916 מתאר את ידידו של ינקו, טריסטן צארה, דאדאיסט נוסף, והוא תעודה מעניינת לזמנו.

החומר שנתקבל מאז פתיחת מוזיאון ישראל עשיר ומגוון באופן יוצא מן הכלל. אף-על-פי שאי אפשר לעשות צדק עם כולם במסגרת סקירה קצרה זו, רוצה אני להזכיר שני עיזבונות בני זמננו שהתקבלו לאחרונה, שניהם מישראל. המוציא-לאור הירושלמי ד"ר משה שפיצר, מבין ובקי באמנות ומומחה בעל-שם בטיפוגרפיה ובהדפסה, קיבץ אוסף מובחר, המכיל בראש ובראשונה הדפסים ורישומים ישראליים. כידיד נאמן וכתומך באמנים מקומיים רבים, היה אוספו של ד"ר שפיצר בעל אופי אישי מאד. בהבנה ובנדיבות האופייניים לו, איפשר ידיד ותיק ונערץ זה לאוצרים לבחור כרצונם מתוך אוצרותיו בעודו בחייו, ובכך עזר להם למלא חללים ריקים ולחזק נקודות חלשות באוסף.

התוספת החשובה האחרונה לאוסף הרישומים הישראליים היתה כשנעשה המוזיאון יורש עיזבונה של אנה טיכו, אמנית רישום ירושלמית ראשונה במעלה. העיזבון, המקיף את כל תכולת סדנתה של האמנית, מכיל כאלפיים רישומים, צבעי-מים ומתווים. אנה טיכו, שמתה בגיל שמונים וחמש, חיתה קרוב לשבעים שנה בירושלים כשהיא מקדישה את כל כוחות יצירתה לבטא את האיכות המיוחדת במינה של העיר ושל נופי הרי יהודה.

כיום מונה האוסף הגרפי של המוזיאון כארבעים וחמישה אלף פריטים. המקום, שנראה כה מרווח ב-1965 כשנחנך המוזיאון, צר היום מלהכיל את האוסף, זאת בשל גידולו המתמיד ובשל נטייתה הניכרת של האמנות הגרפית בת-ימינו לממדים יותר ויותר גדולים. כעת, עם כניסת המוזיאון לעשורו השלישי, נעשות תכניות שיכשירו את המחלקה הגרפית לקראת העתיד.

אלישבע כהן

הציפיות. לראשונה הצטרפו לשורה אספנים בעלי שם עולמי. בעקבות מתנות פרטיות הגיעו אוספים שלמים בעלי איכות גבוהה ביותר.

בין הראשונים שתרמו להעלאת רמת האוסף במידה ניכרת היה מר פרדריק מ׳ מאיר מניו יורק שנתן הדפסות מצויינות של תחריטים וחיתוכי-עץ מאת דירר ו״אמני המופת הקטנים״, בנוסף לתחריטים מאת רמברנדט, אוסטאדה ואחרים. בעקבותיו הגיעו מעיזבונו של צ׳ארלס רוזנבלום מפיטסבורג מאתיים וחמישים הדפסים מעולים של אמני מופת, ומדפי המחלקה הגרפית החדשה החלו להתמלא. עיזבון רוזנבלום, נוסף לכך שחיזק את קבוצת ההדפסים של מאיר, כלל גם תחריטים של כמה מחלוצי ההדפס האירופיים, כגון ישראל ואן מקנם, מאסטר מ.ז. (Master. M.Z) וכמה הדפסים איטלקיים מוקדמים. המאה ה-י״ט היתה מיוצגת גם על-ידי שארל מריון, אנדרס צורן, ג׳יימס אבוט מקניל ויסלר ואחרים. תוספת מתאימה במיוחד לאוסף מוזיאון ישראל כללה קבוצת צבעי-מים של ירושלים מאת ג׳יימס מקביי, שביקר בעיר לראשונה ככתב צבאי עם צבאו של גנרל אלנבי. מתנה בודדת, אך מיוחדת במינה, התקבלה ממשפחת שוקן זמן לא רב אחרי פתיחת המוזיאון - רישום שיוחס לרמברנדט, המראה פנים עם שלוש דמויות.

תערוכה מרשימה של הדפסים צרפתיים, בעיקר מסוף המאה ה-י״ט וראשית המאה ה-כ׳, הביאה לידיעת הקהל את שמו של אחד האנשים הנדיבים ביותר והענווים ביותר שתרמו למחלקה, ז׳ורז׳ בלוך המנוח מציריך; אולם תרומת המוצגים לתערוכה מסויימת זו היתה רק הקדמה. כעבור שנים אחדות החליט בלוך, שהיה ידידו האישי של פיקאסו ובעל אוסף מושלם כמעט של יצירות ההדפס של האמן (בצער הודה שמתוך למעלה מאלפיים הדפסיו של פיקאסו לא הצליח להשיג חמישה), לפזר את אוצרו בעודו בחייו, לאחר שהשלים את חיבורו של קטלוג היצירה הגרפית בן ארבעת הכרכים. לאחר שהקדיש מחשבה רבה לחלוקתו של האוסף, הקציב מר בלוך כארבע-מאות הדפסים הנושאים בדרך-כלל את הסיפרה ״1״ של המהדורה למוזיאון ישראל. מר בלוך, על-פי הסכם מיוחד עם פיקאסו, קיבל את הסיפרה המיוחדת הזו מאז שהחל את אוספו. לקבוצה נפלאה זו, הוסיף בנדיבות מתוך אוספיו א״מ כהן מניו יורק, שכבר מימן את הקמת גלריית התערוכות של המחלקה כשהוא מנסה תמיד למלא פערים ולהמנע מכפילויות; כך מצויים כיום במחלקה למעלה משש-מאות הדפסים של פיקאסו.

דוגמה מרשימה לא פחות היא זו של זדנקו ברוק המנוח מבואנוס איירס שהעניק למוזיאון את אוסף יצירתו הגרפית של אחד מגדולי אמני ההדפס בכל הזמנים, פרנסיסקו גויה. מחוץ לארבע הסדרות הגדולות המרכיבות את חלק הארי ביצירתו הגרפית של גויה, כללה מתנתו גם הדפסים בעקבות ציורי ולאסקס ושנים-עשר מהלוחות הבודדים, שאחדים מהם נדירים ביותר. כאשר ב-1981 תרם צ׳רלס קרמר, אספן ניו יורקי, כמאתיים וחמישים עבודות מאת מ״ק אשר, כבר היה אמן הולנדי זה מוכר היטב בישראל. הדפסיו המסקרנים עוררו תגובה נלהבת בציבור הישראלי לפני שנים אחדות, כשהמחלקה הגרפית אירגנה תערוכת השאלה שמשכה קהל מבקרים ללא תקדים.

מובן שאוסף ההדפסים גדל בקצב מהיר בהרבה מזה של אוסף הרישומים, אך גם זה צמח. למזלנו, קיבל המוזיאון קבוצה בולטת של רישומים מסוף המאה ה-י״ט ותחילת המאה ה-כ׳ מיאן מיטשל מניו יורק. מיטשל, אספן בעל טעם מעודן שהתעניין גם באמנות עתיקה ופרה-קולומביאנית, העשיר את המחלקה בעשרה רישומים של פול קלה המשקפים את שינויי הסגנון בתקופות שונות בחייו, וכן ברישומים מאת פיסארו, דגה, פיקאסו ועוד. ייצוגה של תקופה מסויימת זאת התחזק עוד יותר משקיבל המוזיאון את עיזבון בלאנש ט׳ ויסברג, שכלל עבודות בצבעי-מים ורישומים באיכות מעולה מאת אמנים שונים, ודי אם נציין את רנואר, יונגקינד, קרוס, בראק ופיקאסו. הבט מעניין ושונה העניק לאוסף עיזבון ביאטריס ס׳ קולינר: מאחר שהתעניינה במיוחד באמנות מודרנית ובאמנות בת-זמננו, אספה פסלים קטנים ורישומי פסלים. היא הורישה למוזיאון ישראל סידרת רישומים כאלה הכוללת עבודות משל מארינו מאריני, ברברה הפוורת׳, דיוויד סמית, אלברטו ג׳אקומטי, ג׳וליו גונסאלס ואחרים. הגב׳ קולינר, תושבת לוס אנג׳לס וחברת ועד המוזיאון המחוזי של לוס אנג׳לס, נעשתה גם לתומכת נלהבת באמנות ישראלית וייסדה פרס מיוחד לסייע לאמנים צעירים בישראל בראשית דרכם.

מן הראוי להוסיף מלים אחדות על העיקרון המנחה את איסוף האמנות הגרפית הישראלית. בעוד

רישומים ופסטלים מאת שני האמנים. שנים רבות קודם לכן, זמן קצר לפני מותו ב-1911, נתן יוזף יזראלס בעצמו דיוקן עצמי למייסד המוזיאון, פרופ׳ בוריס שץ - התרומה הראשונה של יצירת אמנות חשובה ל״בצלאל״ הצעיר. באותם ימים היה יוזף יזראלס חבר כבוד בוועדה האמנותית המייעצת של ״בצלאל״, שעם חבריה נמנו מקס ליברמן, הרמן שטרוק וסולומון י׳ סולומון.

היו למוזיאון ידידים הולנדיים גם כאן בירושלים. הקונסול הכללי ההולנדי, ס״א ואן-פריסלאנד ורעייתו, גילו התעניינות פעילה בחיי התרבות של העיר. אחרי מותו של ואן-פריסלאנד ב-1939, הקימו חבריו קרן לזכרו, שיועדה לרכישת יצירות אמנות הולנדיות. קרן זו היא שאיפשרה למוזיאון לרכוש את התחריטים הראשונים מאת רמברנדט ואמנים הולנדיים אחרים.

מסע ממושך של נרקיס בארצות הברית ב-1953 היקנה למוזיאון ידידים חדשים רבים, ביניהם פרופ׳ ארתור היינצלמן, שהיה אז אוצר ההדפסים בספרייה הציבורית של בוסטון ובעצמו צייר ואמן-הדפס. בעזרתו הגיעה למוזיאון קבוצה מייצגת של הדפסים שנעשו בידי אמנים אמריקאים שהיו פעילים בשנות השלושים והארבעים. פרופ׳ היינצלמן היה לעזר רב ברכישת אוסף הדפסי-אבן גדול מאת דומייה מתוך עיזבונו של ג. ראסל אלן מבוסטון.

אחרי הביקורים הראשונים המוצלחים בחוץ-לארץ, הפכו נסיעותיו של נרקיס לשיגרה, ומעולם לא שב בידיים ריקות. לעתים הביא מציאות בלתי-רגילות, כגון קבוצה נפלאה של רישומים וצבעי-מים של ליאון בקסט, שכללה בעיקר עיצובי תלבושות לבאלט של דיאגילב; מדי פעם הוענקה מתנה ממקורות לגמרי לא-צפויים, כמו למשל ״אנשי פריס״ של גאווארני, רישומי טיפוסים פריסאיים מלאי-חן שניתנו במתנה לנרקיס הבלתי-נלאה על-ידי אחד ה״בוקיניסטים״ מגדות הסינה.

מובן מאליו שהמוזיאון ניסה תמיד להדגיש את ההקשר היהודי של אוספיו. תמיד היה ביקוש להדפסים ורישומים בנושאים יהודיים ותנ״כיים וכן לנושאים הקשורים לירושלים ולארץ-הקודש. בכל פעם שהיתה הזדמנות לרכוש מפה יפה של ירושלים או ציור בצבע-מים של טרנר או ליר המתארים את ירושלים, נעשו כל המאמצים להשיגם. מתנה בעלת אופי שונה לגמרי, הקשורה בהיסטוריה היהודית, ניתנה על-ידי האמן היהודי-אמריקאי ג׳ורג׳ בידל. בידל היה נוכח במשפטי פושעי המלחמה הנאציים בנירנברג כעיתונאי-רשם. התוצאה, שלושים וארבעה רישומי עט ודיו של הנאשמים ושל חבר השופטים, הם היום חלק מהאוסף ומהווים תזכורת טראגית לימי מחשכים.

למרות הצמיחה המתמדת, לא יכול היה המוזיאון להתפאר באוסף רישומי מופת ראויים לציון עד לאמצע שנות החמישים. את הגידול האיטי, אך היציב, במספר רישומי אמנים איטלקיים, הולנדיים וצרפתיים שהחל באותו זמן, יש לזקוף לזכותו של אדם אחד, סוחר-האמנות התל אביבי המנוח ארנולד רוזנר. רוזנר יצר קשר עם כמה אספנים פרטיים שנתנו בו את אמונם. מאחר שהיו מעוניינים להעלים את שמם ואת העובדה שהם מוכרים יצירות אמנות מאוספיהם, הסמיכו את רוזנר להעביר את הצעותיהם למוזיאון. בין אלה היה מספר נכבד של רישומים מאת אמני מופת. על-ידי גיוס הסכומים הדרושים ולפעמים באמצעות החלפות, עלה בידי המוזיאון לרכוש אחדים מהם. רבים מהרישומים המופיעים בספר זה עברו דרך ידיו של רוזנר. היה חיסרון אחד בחשאיותו של רוזנר, שמכל מבחינה אחרת היתה ראויה לשבח. התחייבותו לשמור על עילום שמם של הבעלים הקודמים לא הקלה על מלאכתו של האוצר שביקש להתחקות אחר תולדות הרישום הנמכר.

עם פתיחת מוזיאון ישראל ב-1965 והעברת אוסף בית הנכות ״בצלאל״ למוסד החדש ש״בצלאל״ היה לחלק ממנו, נפתח עידן חדש. אין פירוש הדבר שמוזיאון ישראל יכול היה לפתע להוציא כספים ולקנות בשוק האמנות על-פי מדיניות רכישה מחושבת היטב. לרוע המזל, חלומו זה של האוצר לא התגשם מעולם, וגם כיום, יותר מאי פעם, חייבת המחלקה הגרפית את צמיחתה במידה זו או אחרת לתוספות מקריות ובעיקר לנדיבותם של תורמים פרטיים. מוזיאון ישראל, כמו קודמו, נאלץ להמשיך להישען על ידידים. כמו ״בצלאל״ ניסה גם הוא להביא את צרכיו לידיעתם, לבקש את עזרתם בכל פעם שצצה הזדמנות מיוחדת. בכל זאת טובים סיכוייו של מוזיאון ישראל כיום הרבה יותר. בניין חדש ויפה עם מתקנים מודרניים ושטחים נרחבים, מחלקה גרפית הכוללת גלריית תצוגות מתוכננת היטב, חדר לימוד ומתקני אכסון מתאימים - תנאים שלא היו קיימים לפני כן - שינו את התמונה מיסודה. כתוצאה מכך הופיעו ידידים חדשים שהתעניינותם ונכונותם לקדם את האוסף הגרפי עלו על כל

גל העלייה מאירופה הביא לארץ לא רק אספנים ואוהבי אמנות. בעקבותיהם צמחה תופעה חדשה - סחר האמנות. הזמנים היו קשים והמצב הכלכלי לאחר המלחמה לא נראה ורוד. כתוצאה מכך נאלצו אספנים להיפרד מאוצרותיהם לעתים קרובות כדי למצוא את מחייתם. לעתים פנו ישירות למוזיאון, אולם על-פי-רוב העדיפו את התערבותו של הסוחר שאיפשרה להם להישאר בעילום שם. הנסיבות החמירו עוד יותר עם הקמת המדינה ב-1948. גלי עולים, רובם חסרי אמצעים, נהרו לישראל, אשר בפעם הראשונה יכלה לפתוח את שעריה למספר לא מוגבל של עולים. הצורך ליצור אמצעי מחייה לקרובים ולידידים גרם לאספנים רבים להמיר חפצי ערך בכסף. בעקבות זאת, הוצעו לסוחרי-אמנות מקומיים בראשית שנות החמישים, אולי לראשונה, רישומים של ציירי מופת, תחום שבו היתה ידיעתם מועטת ביותר. הם פנו אל המוזיאון, שבמאמץ ניכר עלה בידו לרכוש את רכישותיו הראשונות בתחום מסויים זה; אולם אלה היו לפי שעה מקרים בודדים.

משמעות גדולה הרבה יותר היתה למשלוחי המטענים מגרמניה שהחלו להגיע בסוף שנות הארבעים ותחילת החמישים. מיד עם תום המלחמה החלו שלטונות הכיבוש האמריקאי באירופה לקבץ יצירות אמנות שלא נמצא להן דורש, שהיו בעבר בבעלות יהודים גרמניים שניספו בשואה, וריכזו אותן בשתי נקודות איסוף במינכן ובוויסבאדן. בחסות IRSO (ארגון להחזרת הירושה היהודית) חולקו יצירות האמנות האלה בין מוסדות יהודיים, ו"בצלאל" היה אחד מהם. מלבד תשמישי-קדושה יהודיים, ציורים וחפצי אמנות, הכילו המשלוחים גם מספר מסויים של רישומים, צבעי-מים ופסטלים, רובם של אמנים גרמניים, יהודים ולא-יהודים. חלק מהם עדיין נשאו את תוויות המוזיאון היהודי בברלין שלא האריך ימים ונסגר בידי הנאצים ב-1938. בין העבודות היו גם שני רישומים של שאגאל, הראשונים באוסף המוזיאון. שניהם רישומי עיפרון מהשנים 1918 ו-1919: דיוקנו של ד"ר י"ז אלישיב, משורר אידי שפרסם תחת השם "בעל-המחשבות" ודיוקן בנו אליה. לרגל אחד מביקוריו של שאגאל בירושלים הוצגו הרישומים. שאגאל, שאיבד מזמן את עקבות הרישומים האלה, היה נרגש עד לדמעות כשמצא עצמו לפתע ניצב מול דמות ידידו הותיק. הבן, שהיה עדיין ילד בזמן ששאגאל צייר את דיוקנו, נספה בשואה.

באביב 1947 נסע מרדכי נרקיס בפעם הראשונה לאירופה של אחרי המלחמה וביקר בצרפת, הולנד, בלגיה, שוויצריה, איטליה וצ'כוסלובקיה. מטרת הביקור היתה לחדש קשרים ישנים, לעורר עניין כללי בבית הנכות "בצלאל" ולרכוש ידידים חדשים. כשחזר לצרפת בפעם השנייה בסתיו 1948, כבר יכול היה לסמוך על עזרתו של מוריס פישר, שגרירה הראשון של ישראל בצרפת, שסייע לכונן קשרים ולהקים את "אגודת ידידי בית הנכות בצלאל", הראשון מבין ארגונים דומים שקמו אחרי כן בהולנד, אנגליה ולבסוף גם בארצות הברית. יחד עם הגב' מרסל בר דה טוריק, בת למשפחה יהודית צרפתית, שנעשתה למזכירה המסורה של "ידידי בצלאל", ביקר נרקיס אמנים והוצג בפני אספנים. לאחר שהיללו את מוזיאון "בצלאל" בירושלים בביטויים נשגבים והדגישו את העתיד הגדול הצפוי לו אילו רק יכול היה לקבל את העזרה הבינלאומית שהיה ראוי לה, לדעתם, השיגו נרקיס ובר דה טוריק - צמד-חמד שלא ניתן היה לעמוד בפניו - תוצאות יוצאות מן הכלל. נרקיס חזר לירושלים עם מתנות אישיות מפיקאסו, מאטיס, שאגאל, רואו ורבים אחרים. בין הצלחותיו הגדולות היה ביקורו אצל יוסף פנקס, אחיו של ז'ול פאסקאן, שאותו שכנע לתרום למוזיאון את אוספו המקיף שכלל למעלה משמונים רישומים וצבעי-מים מאת אחיו המנוח, ובכך הפך המוזיאון לבעליו של הגדול באוספי פאסקאן בעולם.

פגישה עם סוחר-האמנות של פיקאסו, דניאל כהנויילר, הניבה תרומה של סידרת הדפסי-אבן מאת האמן. מתנות אחרות כללו כמה מ"ספרי האמנים" הנפלאים - מהדורות מוגבלות של ספרים מעוצבים להפליא עם הדפסים מקוריים, כגון "נפשות מתות" מאת גוגול עם תחריטים של שאגאל, "הקרקס של כוכב השביט" וה"פאסיון" מאת אנדרה סוארס, שניהם מאויירים בידי רואו בהוצאת אמברואז וולאר.

בביקורו בהולנד יצר נרקיס קשרים עם אספנים וסוחרי-אמנות הולנדיים שהיו ברבות הימים לידידים ופטרונים של המוזיאון. מר הוטהאקר, סוחר-האמנות הידוע מאמסטרדאם, היה אחד מראשוני התורמים של רישומי מופת, עובדה שמן הראוי להזכירה בהקשרו של ספר זה. בהולנד נפגש נרקיס גם עם בני משפחת יוזף ואיזאק יזראלס, משפחת טרוּוארט-כהן, שהגישו לו במתנה מבחר

יותר הדפסים ורישומים בין החפצים שניצלו. במשך השנים שקדמו למלחמה הגיעו לארץ לא רק כמה אוספים טובים ולעתים ידועים, אלא גם האספנים - קבוצה קטנה של אניני טעם ובעלי ידע שהוסיפו נופך חדש לחברה המקומית. הם לא איבדו זמן לבטלה ויצרו קשר עם "בצלאל", אשר למרות ממדיו ואוספיו הצנועים הפך למקום מפגש לאוהבי אמנות. נרקיס ועוזרו, ד"ר פריץ שיף, אף הוא עולה מגרמניה, שמחו לגלות ולטפח ציבור חדש ואוהד. אגודת ידידים שהוקמה על-ידי הרברט קרמר, לשעבר סוחר אמנות מפרנקפורט ששימש כאמרכל של בית הנכות, הושיטה עזרה פעילה, ומדי פעם מימנה רכישות חדשות. המחלקה הגרפית נהנתה במיוחד משינוי הנסיבות הזה, והדפסים יקרי-ערך החלו למצוא את דרכם אל המוזיאון במספר גדל והולך.

הבולט מבין פטרוניו הראשונים של בית הנכות היה ד"ר מקס איטינגון, פסיכואנאליסט ידוע שלמד עם פרויד. איטינגון, שהשתקע בירושלים ב-1934, הביא עמו אוסף שכלל בעיקר הדפסים מאת אמנים גרמניים אופנתיים בשנות העשרים של המאה. תרומותיו לבית הנכות כללו הדפסים מאת קורינת, שלפוגט, ספירו, שטרוק ואחרים. הוא הושיט עזרה גם בדרכים אחרות, ולאחר מותו המשיכה אלמנתו, הגב' מירה איטינגון, לגלות עניין בבית הנכות. וינאי אחר, רודולף ברמן, שכבר עזר לבוריס שץ בעת ביקורו בווינה לפני מלחמת-העולם הראשונה, נתן למעלה מאלף כרזות מראשית המאה ועד מלחמת-העולם השנייה, רבות מהן נדירות מאד כיום. ברמן, כימאי במקצועו, עלה לארץ-ישראל. למרות גילו המתקדם, ראה את הנולד והכין את עצמו, ברוח החלוצית של אותם ימים, לחייו בארץ החדשה, על-ידי לימוד מקצוע חדש - חיתוך פספרטו. עם הגיעו לירושלים, הפך ידיד ותיק זה לחבר מועיל ואהוב בצוות "בצלאל".

ב-1941 העביר ארכיון הרצל חלק מעיזבונו של הרצל, למעלה ממאה הדפסים קדומים ורישומים, לרשות המוזיאון. מלבד איורים פלמיים, הולנדיים ואיטלקיים לתנ"ך, כלל האוסף גם קבוצה של מתווי עיפרון של האמן הגרמני בן המאה ה-י"ט, יוהן אנטון ראמבו - רישומים מלאי חיים של דמויות שפגש במסעו לארץ-הקודש ב-1854.

תערוכות זמניות מאוספים פרטיים לא רק שגיוונו את תכנית התערוכות, אלא אף גירו את התעניינות האספנים. הוצגו אוצרותיה הבלתי-נדלים של ספריית שוקן (עד לפיזור האוסף) העשירה בהדפסים של אמני מופת ובגרפיקה מודרנית כאחד. ד"ר וילי קאופמן, בעליו של מבחר מצויין מיצירות ארנסט בארלאך וקתה קולביץ, וד"ר טוביאס, שהיה אספן דומייה ידוע, הציגו בפני הציבור את אוספיהם - כל אלה אירועים חשובים לקהל הצמא. ד"ר קאופמן גם הוריש למוזיאון קבוצה של הדפסים גרמניים מוקדמים ותחריטים הולנדיים מהמאה ה-י"ז, בנוסף למספר רישומים מאת קתה קולביץ, ליברמן ואחרים. עיזבון אחר, שהתקבל בראשית שנות הארבעים, היה עיזבונו של ד"ר אוסקר אליאל, שכלל גם אוסף גדול של הדפסות מעולות מתחריטיו הקטנים והחינניים של דניאל חודובייצקי, המאייר הגרמני בן המאה ה-י"ח.

לתודות מיוחדות ראויים האמנים ותרומותיהם האישיות. רבים מהם, כגון יעקב שטיינהרדט, איזידור אשהיים ויעקב פינס, תרמו בנדיבות עבודות משלהם וכן מעבודות אמנים ידידים שהיו ברשותם. האמן פול ציטרון מהולנד, שביקר והתרשם ממאמציו הכבירים של המוסד הקטן, שלח אחרי שובו למולדתו קבוצת הדפסים של אקספרסיוניסטים גרמניים, פוטוריסטים איטלקיים וקונס-טרוקטיביסטים רוסיים.

מאחר שלמעשה חסר המוזיאון אמצעי רכישה כלשהם, נאלץ תמיד להסתמך על מתנות ומפעם לפעם על השאלות לטווח-ארוך שאיפשרו לו להציג תכנית תערוכות יותר מגוונת. השאלה ארוכת-טווח כזאת התממשה ב-1940 כשאדריכל ברלינאי לשעבר, הארי רוזנטל, הפקיד בידי מוזיאון "בצלאל" את אוספו הגדול והחשוב שבו היו עבודות של אקספרסיוניסטים גרמניים וביניהם קבוצה של צבעי-מים מעולים של אמיל נולדה. רוזנטל התיישב בירושלים כמה שנים קודם לכן, אך החליט זמן קצר לאחר פרוץ המלחמה לעקור ללונדון. במשך למעלה מעשרים שנה נשאר האוסף המצויין הזה בירושלים ושימש מקור לא-אכזב להעשרת תערוכות המוזיאון. בסופו של דבר הוחזר חלקו הגדול והחשוב של האוסף לבעליו, אולם הארי רוזנטל הביע את הוקרתו והשאיר מספר פריטים מעניינים ברשות המוזיאון.

אוסף הגרפיקה של מוזיאון ישראל

מוזיאון ישראל הוא מוזיאון צעיר במדינה צעירה. מובן מאליו שאין להשוות את אוצרותיו לאלה של המוזיאונים האירופיים והאמריקאים הגדולים שצמחו מתוך אוספי האצולה, או לאלה שקיבצו פטרונים עשירים באמצעים כספיים לא מוגבלים כמעט. בהשוואה להם, משאביו של האוסף הגרפי במוזיאון ישראל צנועים במיוחד, וראשיתם בתקופה שלפני הקמת מוזיאון ישראל.

בית הנכות הלאומי "בצלאל" שקדם למוזיאון ישראל, נוסד בירושלים בשנת 1906 על-ידי פרופ׳ בוריס שץ, אולם רק ב-1912 נפתח לקהל. מאחר שתוכנן כאגף של בית הספר "בצלאל" שנוסד במטרה לחנך אמנים ואומנים וליצור אמצעי מחייה חדשים לאוכלוסייה המקומית, שיכן המוזיאון בתחילה בין כתליו יציקות גבס, פוחלצי-חיות ועצמים אחרים ששימשו לתלמידים כמודלים בתרגילי הרישום שלהם. לרוע המזל לא נותר תיעוד מהשנים הראשונות האלה; אם היה אז אוסף גרפי מסוג כלשהו, תוכנו אינו ידוע. זמן קצר אחרי פתיחת "בצלאל" פרצה מלחמת-העולם הראשונה. שנות המלחמה הביאו עימן מחסור וסבל לאוכלוסייה היהודית בארץ וקיפאון בצמיחת בית הנכות החדש, אולם עם תום המלחמה וכינון המנדט הבריטי החל עידן חדש בפעילות התרבותית. ב-1925 שוב נפתח בית הנכות לציבור באופן רשמי בהנהלתו של מרדכי נרקיס, שהיה לפני כן עוזרו של פרופ׳ שץ.

מכאן ואילך החל "בצלאל" לתפקד כמוזיאון של ממש, לאסוף יצירות אמנות ולארגן תערוכות באולמיו. נרקיס, הכוח המניע שמאחורי בית הנכות "בצלאל" במשך למעלה משלושים שנה, ניחן בלהט של אספן אמיתי, בידע רב שבא מלימוד עצמי ובהתלהבות ללא-מצרים לתפקידו. בין שטחי התעניינותו הרבים והמגוונים תפסו האמנויות הגרפיות מקום בולט, והודות לו הושקע מרץ רב בבניית האוסף הגרפי. כדי להגביר את ההבנה ואת העניין באמנויות הגרפיות, חיבר ופרסם ב-1936 מילון למונחי הגרפיקה - עבודה חלוצית ובעלת ערך תקף של טביעת מונחים טכניים בעברית.

ב-1928, שלוש שנים בלבד אחרי פתיחתו מחדש של בית הנכות, דיווח נרקיס על אוסף של חמש-מאות יצירות גרפיות. מאחר שאין לנו מקורות נוספים, קשה לנו לעמוד על טבעו של האוסף המקורי הזה. קרוב לוודאי שרוב האוסף הורכב מיצירות אמנים מקומיים, בעיקר אלה שהיו קשורים לבית הספר "בצלאל", מורים או תלמידים בעבר. נוסף לכך, הכיל האוסף המקורי כפי הנראה גם תחריטים רבים מהמאות ה-י"ח וה-י"ט ורפרודוקציות של ציורי מופת ששימשו כאמצעי-עזר מועיל לחובב האמנות לפני המצאת הצילום.

רשימת המצאי הראשונה הושלמה ב-1936 ומנתה שבעת-אלפים יצירות בקירוב. זהו מספר מרשים בהשוואה לחמש-מאות פריטי האוסף שמונה שנים קודם לכן, אלמלא היתה מחציתו תוויות ספרים. המחצית השנייה כללה הדפסים מאת אמני הדפס יהודיים, ביניהם יוזף יזראלס, הרמן שטרוק, מארק שאגאל, אפרים מוזס ליליין ויעקב שטיינהרדט. מלבד עבודות של אמנים יהודיים נאספה גם כמות נכבדה של איורים לתנ"ך.

לעלייה ההמונית ממרכז אירופה, בעיקר מגרמניה, לאחר עליית היטלר לשלטון בשנות השלושים, היתה השפעה מכרעת על התפתחות בית הנכות ועל צמיחת אוסף הגרפיקה שלו. אספני אמנות לא היו חיזיון נדיר בקרב יהודי גרמניה, ואלה שיצאו את גרמניה בהקדם הצליחו לעתים קרובות לקחת עמם את אוצרותיהם. מובן שקל היה להעביר עבודות על נייר יותר מאשר ציורי שמן מסורבלים, ולכן היו

מבוא

רבים מאלה המגלים יחס לציורים ולהדפסים מהססים במקצת לנוכח רישומים, לא מהעדר הערכה אלא ממיעוט ידע וניסיון. תפקידו של המוזיאון לתת לקהל הזדמנויות להכיר את היצירות בתחום הזה, שהוא האישי מכולם, מכלי ראשון או בדפוס.

מבחר זה של מאה רישומים, מפניני האוסף, מייצג את שיאן של שנות איסוף רבות שתוגברו לאחרונה בכמה תוספות מעולות חדשות, בעיקר באמצעות מתנות, אך גם באמצעות רכישות נדירות. רוב הרישומים הכלולים בקטלוג שלפנינו לא פורסמו מעולם. הם משקפים בנאמנות את אופיו של האוסף, החל ביצירות מראשית המאה ה-ט"ו באיטליה ועד לרישומים אמריקאיים וישראליים בני זמננו.

המניע למפעל זה נזקף כולו לזכות ג'וזף גולדין שהקל על השלמתו בתמיכתו האיתנה, הרוחנית והחומרית, והקדיש ספר זה לזכר אביו המנוח:

נדיבותם של דייוויד ברג ומשפחת זוכוביצקי ומילגה מהמועצה לתרבות ואמנות שליד משרד החינוך והתרבות איפשרו שנת מחקר מועילה בספריית הקונגרס ובספריית האגף המזרחי בגלריה הלאומית בוושינגטון.

ד"ר מרטין וייל, מנהל מוזיאון ישראל, ואיזיקה גאון, אוצר ראשי לאמנויות, הכירו בחשיבות המפעל ותמכו בו לאורך כל הדרך. פרופ' יוג'יניה פרי-ג'אניס היתה קוראה ביקורתית, מדריכה קונסטרוקטיבית ומקור עידוד בשלבי הכתיבה הראשונים.

תודות נאמנות על העזרה הטכנית והמקצועית לד"ר ג'ראלד מ' אקרמן, אביגדור אריכא, אמיר אזולאי, ג'ייקוב בין, מוניק בירנבאום, קרולין באקלאנד, רות אפטר-גבריאל, ריבה קסטלמן, סטוארט דנברג, דן אבן, נחמה גורלניק, מרגרט גראסלי, דיאנה דגרציה, פרופ' גרשון גרינברג, פרופ' אגברט האברקאמפ-בכמאן, ג'ון ופול הרינג, ד"ר לי ג'ונסון, ד"ר קרולין קארפינסקי, פרופ' אוטו קורץ המנוח, ג'ון ק' לסינג, מיכאל מגן, מאיר מאיר, שושנה נומברג, לאה עופר, ניסן פרץ, מיכל סופר, פרופ' טריסיו פיניאטי, פרופ' רוג'ר ריריק, ד"ר אנדרו רוביסון, פרופ' דיויד רוסאנד, פייר רוזנבר, כרמלה רובין, רות רובינשטיין, רבקה ראשיפלד, ד"ר אקהרד שאר, מיכאל סגן-כהן, ג'וליאן סטוק, מישל כ. טוצ'י, ניקולאס טרנר, איליין ואראדי, דניאל וילדנשטיין, יוניס ויליאמס, אורה יפה.

תודה מיוחדת לאלישבע כהן, האוצרת הראשונה של מחלקת ההדפסים והרישומים, שבקיאותה וטוב טעמה עיצבו את האוסף ואת קיטלוגו.

יונה פישר, שאין שני לו, בעבר אוצר אמנות המאה העשרים ואחרי כן היועץ האמנותי של המוזיאון, היוזם והאוצר של כמה מהתערוכות החשובות במוזיאון ישראל, היה קורא ביקורתי ומסייע, ואף הואיל לערוך את הנוסח העברי.

פיוניר-מוס, ניו יורק, באמצעות סגן הנשיא, שלדון טיילור, תרמו את הפרדת הצבעים ובכך איפשרו להפיק קטלוג בצבעים מלאים.

וסלי טנר מהוצאת "אריף" בברקלי, קליפורניה, עיצב את הקטלוג, ויחד עם המו"ל ריצ'ארד ברטון ראויים שניהם לתודה ולהערכה על שנתנו לעבודתנו את צורתה הסופית הנאה.

מאירה פרי-להמן
אוצרת מיכאל ברומברג
לרישומים ולהדפסים

פתח דבר

אחד מסימני בשלותו של מוזיאון צעיר, נוסף על התגבשות האוספים ועריכת תערוכות, הוא היווצרותו של צוות מקצועי המוכשר לחקור את אוצרותיו ולפרסמם. מחלקת ההדפסים והרישומים במוזיאון ישראל משמשת זה שנים דוגמה לידע כזה, תחילה בהנהגתה המצויינת של אלישבע כהן וכעת עם מאירה פרי-להמן בראשה. המחלקה ידעה צמיחה מתמשכת ורשמה לזכותה תערוכות מרשימות של אמנות ישראלית ובינלאומית, רישומים והדפסים של אמנים קדומים ויצירות מודרניות. הקטלוג הוא ציון יאה לבשלותה של המחלקה ותוספת חשובה לפרסומים המעטים עדיין של אוספי המוזיאון, שעד כה התרכזו בארכיאולוגיה ובתשמישי-קדושה יהודיים.

אנו אסירי תודה לתורמים, לאוצרים ולכל האחרים על המאמצים והעבודה שהקדישו למימושו של הקטלוג. בעיקר מבקשים אנו להודות לגוזף גולדין, שהתעניינותו ותמיכתו המתמדת היו לחלק בלתי נפרד מהקטלוג למן ראשיתו.

קורת-רוח מיוחדת גורמת לנו הופעתו של הקטלוג לרגל הכינוס העשירי של הוועדה המייעצת הבינלאומית של אוצרים לגרפיקה באוספים ציבוריים, הנערך זו הפעם הראשונה בירושלים.

מרטין וייל
מנכ"ל

לזכר ד"ר אלפרד ג׳. גולדין

תוכן

על העטיפה: אדוארד ליר, "מראה ירושלים" (קטלוג מס' 19)

קטלוג זה מלווה את התערוכה "מאה יצירות על נייר - מאוסף מוזיאון ישראל, ירושלים", שנערכה לרגל הכינוס העשירי של הוועדה הבינלאומית המייעצת של אוצרים לגרפיקה באוספים ציבוריים, אייר תשמ"ו.

אוצרת אחראית: מאירה פרי-להמן
אוצרות משנה: רות אפטר-גבריאל
שושנה נומברג
עיצוב הקטלוג: וסלי טנר/אריף פרס, ברקלי, קליפורניה
טיפוגרפיה עברית: אורה יפה
עריכה עברית: יונה פישר
תרגום: דפנה לוי
עריכה לשונית: עדיה לוי-סוארי
עיצוב התערוכה: תרצה ברי
תצלומים: דוד חריס, נחום סלפק, מריאנה זלצברגר
סדר עברי: אל-אות בע"מ, תל אביב
סדר אנגלי: מקינזי-האריס, סן פראנציסקו, קליפורניה
הפרדת צבעים: פיוניר-מוס, ניו יורק; סקנלי בע"מ, תל אביב

קטלוג מס' 273
מסת"ב 9 052 278 965

נדפס בשוויץ

הטקסט העברי של ספר זה סודר באות דוד
והאנגלי באות סאבון.
הספר הודפס על-ידי BCK Graphic Arts, ז'נבה, שוויץ

לפירוט הביבליוגרפיה הלועזית ראה בטור האנגלי
סדר המספרים בקטלוג זה נקרא משמאל לימין

מאה יצירות על נייר

מאוסף

מוזיאון ישראל ירושלים

מאירה פרי-להמן

מוזיאון ישראל, ירושלים • ריצ׳ארד ברטון

מאה יצירות על נייר